22/7 2010:
Helga Larsen

HAVFRUEN

Af *Camilla Läckberg* er tidligere udkommet på dansk:

Isprinsessen, kriminalroman 2005

Prædikanten, kriminalroman 2006

Stenhuggeren, kriminalroman 2007

Ulykkesfuglen, kriminalroman 2008

Mord og mandelduft, kortroman 2008

Tyskerungen, kriminalroman 2009

CAMILLA
LÄCKBERG

HAVFRUEN

KRIMINALROMAN • PEOPLE'SPRESS

Oversat fra svensk af Ellen Boen

Havfruen

Oversat af Ellen Boen efter originaludgaven:

Sjöjungfrun

Copyright © 2008 by Camilla Läckberg

Published by agreement with Nordin Agency, Sweden

Copyright © dansk udgave 2010 by People'sPress, København

Omslag: Harvey Macaulay/Imperiet

Sats og tilrettelægning: John Ovesen/Baghus

Bogen er sat med Minion

Produktion: Scandbook AB, Smedjebacken

ISBN: 978-87-705-5812-9

1. udgave, 1. oplag

Printed in Sweden 2010

People'sPress · Ørstedhus · Vester Farimagsgade 41 · DK-1606 København V

Forfatterbooking: www.artpeople.dk

Til Martin,

"I wanna stand with you on a mountain"

Prolog

HAN HAVDE ALTID vidst, at det ville komme for en dag før eller senere. Den slags kunne ikke holdes skjult. Hvert ord havde bragt ham tættere på det, som han havde prøvet at fortrænge igennem mange år.

Nu kunne han ikke flygte længere. Han trak morgenluften dybt ned i lungerne, mens han hastede af sted. Hjertet hamrede i brystet. Han ville ikke derhen, men han var nødt til det, han havde besluttet sig for at lade tilfældet træffe afgørelsen. Hvis der var nogen, ville han fortælle. Hvis der ikke var nogen, ville han fortsætte videre på arbejde, som om intet var hændt.

Døren blev åbnet, da han bankede på. Han trådte indenfor, missede med øjnene i det dunkle lys. Det var ikke en, han havde regnet med at møde, der stod foran ham. Det var en anden.

Hendes lange hår bølgede ned ad ryggen, da han fulgte efter hende ind. Han begyndte at tale, at stille spørgsmål. Tankerne kværnede, rundt og rundt. Intet var, som det så ud. Det var forkert, men alligevel rigtigt.

Pludselig tav han. Noget havde ramt ham i mellemgulvet med en kraft, der fik ordene til at splintre. Han kiggede ned. Så blodet, der begyndte at pible frem, da kniven gled ud af såret. Derefter et nyt stød, en ny smerte. Og skarpheden bevægede sig i hans krop.

Han forstod, at alting var forbi. At det ville ende her, selvom der stadig var så meget, han skulle gøre, se, opleve. Samtidig var der en slags retfærdighed i det. Han havde ikke gjort sig fortjent til det gode liv, han havde haft, al den kærlighed, han havde fået. Ikke efter det, han havde gjort.

Da smerten havde bedøvet alle hans sanser, og kniven blev stille, kom vandet. Den gyngende bevægelse af en båd. Og da han blev omsluttet af det kolde hav, følte han ikke længere noget.

Det sidste, han huskede, var hendes hår. Langt og mørkt.

"DER ER JO gået tre måneder! Hvorfor finder I ham ikke?"
Patrik Hedström betragtede kvinden foran sig. Hun så mere og mere træt og nedbrudt ud, for hver gang han så hende. Og hun kom ind på politistationen i Tanumshede hver uge. Hver onsdag. Det havde hun gjort, lige siden hendes mand forsvandt i begyndelsen af november.

"Vi gør alt, hvad vi kan, Cia. Det ved du godt."

Hun nikkede uden at sige noget, hænderne skælvede let i skødet på hende. Så kiggede hun på ham med tårevædede øjne. Det var ikke første gang, Patrik mødte dem.

"Han kommer ikke tilbage, vel?" Nu skælvede ikke kun hænderne, men også stemmen, og Patrik måtte lægge bånd på sig selv for ikke at gå rundt om skrivebordet og lægge armene om den spinkle kvinde. Han var nødt til at agere professionelt, selvom det stred mod hans beskytterinstinkt. Han spekulerede på, hvad han skulle svare. Til sidst tog han en dyb indånding:

"Nej, det tror jeg ikke."

Hun stillede ikke flere spørgsmål, men han kunne se, at hans svar blot bekræftede det, som Cia Kjellner allerede vidste: Hendes mand ville ikke komme hjem igen. Den tredje november var Magnus stået op klokken halv syv, var gået i bad, havde taget tøj på og vinket farvel til sine to børn og sin kone. Lidt over otte var han blevet set forlade hjemmet for at begive sig hen på sit arbejde på Tanumsfönster. Herefter vidste ingen, hvor han var blevet af. Han indfandt sig aldrig hos den kollega, som han skulle køre sammen med. Han forsvandt et sted mellem hjemmet tæt på idrætsanlægget og kollegaens hus ved Fjällbackas minigolfbane.

De havde gennemgået hele hans liv. Rundsendt efterlysninger, talt med over halvtreds personer både på hans arbejdsplads og blandt familie og venner. Ledt efter gældsposter, som han kunne tænkes at ville flygte fra, elskerinder, eventuelt underslæb på jobbet – hvad som helst, der kunne forklare, hvorfor en solid og stabil mand på fyrre år med kone og to teenagebørn pludselig forsvandt en dag. Uden resultat. Ingen oplysninger tydede på, at han var rejst til udlandet, der var heller ikke hævet penge på hans og konens fælles bankkonto. Magnus Kjellner havde forvandlet sig til et genfærd.

Efter at Patrik havde fulgt Cia ud, bankede han forsigtigt på hos Paula Morales. "Kom ind," blev der straks svaret, hvorpå han trådte indenfor og lukkede døren efter sig.

"Var det hans kone igen?"

"Ja," svarede Patrik med et suk og tog plads på stolen foran Paulas skrivebord. Han lagde fødderne op på bordet, men efter et vredt blik fra hende tog han dem hurtigt ned igen.

"Tror du, han er død?"

"Ja, noget tyder på det," sagde Patrik. For første gang udtrykte han højt den frygt, han havde næret siden de første dage efter Magnus' forsvinden. "Vi har jo tjekket alt, og fyren havde ikke nogen af de sædvanlige grunde til at forsvinde. Han har tilsyneladende bare forladt hjemmet og så … pist væk!"

"Men der er ikke noget lig."

"Nej, intet lig," sagde Patrik. "Og hvor skal vi lede? Vi kan jo ikke trække vod i hele havet og heller ikke vende hver en sten i skovområdet uden for Fjällbacka. Kun krydse fingre og håbe, at nogen finder ham. Levende eller ej. For jeg ved ærlig talt ikke, hvordan vi skal komme videre, og jeg ved ikke, hvad jeg skal sige til Cia, når hun tropper op hver uge og forventer, at vi har gjort fremskridt."

"Det er bare hendes måde at tackle det på. Så hun føler, hun gør noget i stedet for bare at sidde derhjemme og vente. Det ville i hvert fald drive mig til vanvid." Paula kastede et blik på det foto, hun havde liggende ved siden af computeren.

"Ja, det kan jeg godt se," sagde Patrik, "men det gør det ikke mindre enerverende."

"Nej, selvfølgelig ikke."

Der blev stille på det lille kontor, til sidst rejste Patrik sig.

"Vi må jo bare håbe, at han dukker op. På den ene eller anden måde."

"Ja, det må vi vel," sagde Paula og lød lige så modløs som Patrik.

"**T**YKSAK."

"Du skulle nødig snakke!" Anna kiggede på sin søster og pegede sigende på hendes mave.

Erica Falck drejede sig, så hun stod med siden til spejlet ligesom Anna, og måtte nødtvungent give hende ret. Gudfader, hvor var hun stor. Hun lignede én kæmpestor mave, hvorpå der for et syns skyld var klistret en smule Erica. Og det kunne mærkes. Da hun var gravid med Maja, havde hun nærmest følt sig slank og yndefuld i sammenligning. Men hun havde jo også to babyer i maven denne gang.

"Jeg er overhovedet ikke misundelig på dig," sagde Anna med en lillesøsters brutale ærlighed.

"Tusind tak!" sagde Erica og puffede til hende med maven. Anna puffede tilbage med det resultat, at begge var ved at få overbalance. De fægtede med armene i luften for at genvinde balancen, men begyndte derefter at grine så meget, at de måtte sætte sig på gulvet.

"Det her må sgu da være en vittighed!" sagde Erica og tørrede lattertårerne væk. "Sådan her kan man bare ikke se ud. Jeg ligner jo en krydsning mellem Barbapapa og ham fyren i Monty Python-sketchen, der revner af forædelse."

"Ja, jeg er uendeligt taknemmelig for dine tvillinger, de får mig til at føle mig som en sylfide sammenlignet med dig."

"Jamen til lykke med det," svarede Erica og gjorde ansats til at rejse sig, hvad hun dog ikke havde det store held med.

"Nu skal jeg hjælpe dig," sagde Anna, men også hun tabte kampen mod tyngdeloven og røg på røven igen. De sendte hinanden et indforstået blik og råbte så i kor: "Dan!"

"Ja, hvad er der?" lød det nede fra stueetagen.

"Vi kan ikke komme op!" svarede Anna.

"Hvad sagde du?" råbte Dan.

De hørte ham komme op ad trappen mod soveværelset, hvor de befandt sig.

"Hvad har I gang i?" spurgte han grinende, da han fik øje på Anna og svigerinden på gulvet foran spejlet.

"Vi kan ikke komme op," sagde Erica med så megen værdighed, hun kunne mønstre, og rakte hånden op.

"Vent, så henter jeg en gaffeltruck," sagde Dan og vendte sig om for at gå ned igen.

"Hold nu op," sagde Erica, mens Anna grinede, så hun måtte lægge sig på ryggen.

"Jamen så okay da." Dan greb fat i Ericas hånd for at hale hende op. "Ååååh, hopsada!"

"Drop lydeffekterne, så er du sød."

Erica kom med besvær på benene.

"Hold da kæft, hvor er du stor," udbrød Dan, og Erica daskede ham på armen.

"Det har du faktisk sagt allerede hundrede gange nu, og du er ikke den eneste. Gider du droppe emnet og i stedet koncentrere dig om dit eget fedtbjerg?"

"S'gerne." Dan halede Anna op og benyttede anledningen til at give hende et smækkys på munden.

"Gå hjem med jer," sagde Erica og puffede Dan i siden.

"Vi er allerede hjemme," svarede Dan og kyssede Anna igen.

"Nå ja, men så kan vi måske koncentrere os om årsagen til, at jeg er her," sagde Erica og gik hen til søsterens klædeskab.

"Jeg ved ikke, hvorfor du tror, jeg kan hjælpe dig," sagde Anna og vraltede efter Erica. "Jeg har næppe noget, du kan passe."

"Nej, men hvad skal jeg ellers gøre?" Erica bladrede gennem tøjet på bøjlerne. "Christians launchparty er i aften, og mit eneste andet alternativ er Majas indianertelt."

"Okay, vi finder nok noget. Dine bukser ser ud til at passe, og jeg tror, jeg har en overdel, som måske kan nå rundt om dig. Den var i hvert fald lidt for stor til mig."

Anna fandt en lilla tunika med broderi frem fra klædeskabet. Erica tog T-shirten af, og med Annas hjælp fik hun trukket tunikaen over hovedet. At trække den ned over maven var som at stoppe en medisterpølse, men det lykkedes. Hun drejede sig om mod spejlet og inspicerede kritisk sit spejlbillede.

"Du ser rigtig flot ud," sagde Anna, og Erica svarede med en grynten. I betragtning af hendes nuværende omfang var "rigtig flot" noget af en overdrivelse, men hun så i det mindste nogenlunde pæn og næsten festklædt ud.

"Den tager jeg," sagde hun og gjorde et forsøg på selv at tage tunikaen af, før hun lod Anna hjælpe sig.

"Hvor skal festen for resten foregå?" spurgte Anna, mens hun glattede tunikaen og hængte den tilbage på bøjlen.

"På Stora Hotellet."

"Det er da ret sejt af forlaget sådan at afholde et launchparty for en debutant," sagde Anna og gik hen til trappen.

"De er helt oppe at køre, og forsalget til boghandlerne har været utroligt stort for en debutantroman, så de gør det nok hellere end gerne. Efter hvad jeg har hørt fra vores forlægger, er pressen virkelig interesseret."

"Hvad synes du selv om bogen? Jeg går ud fra, at du kan lide den, for ellers ville du jo næppe have anbefalet den til forlaget. Men hvor god er den?"

"Den er …" Erica tænkte efter, mens hun forsigtigt fulgte efter lillesøsteren ned ad trappetrinnene. "Den er magisk. Dyster og smuk, foruroligende og stærk og … ja, magisk er nok min bedste beskrivelse."

"Christian må være overlykkelig."

"Ja, jo." Erica trak på det og gik hjemmevant ud i køkkenet og satte kaffe over. "Det er han formentlig. Men samtidig …" Hun holdt inde for at tælle skefuldene med kaffe til maskinen. "Han blev vildt glad, da romanen blev antaget, men det føles, som om arbejdet med bogen har ændret noget. Det er svært at afgøre, for i virkeligheden kender jeg ham ikke særlig godt. Jeg ved

14

ikke rigtigt, hvorfor han spurgte mig, men jeg stillede mig selvfølgelig til rådighed, da han bad om hjælp. Jeg har jo unægtelig en vis erfaring med manusbearbejdning, selvom jeg ikke skriver romaner, og i begyndelsen gik det strygende. Christian var positiv og åben for alle forslag, men til sidst var han indimellem temmelig afvisende, når jeg ville diskutere visse ting. Jeg kan ikke helt forklare det, men han er jo en smule excentrisk, så andet ligger der måske ikke i det."

"I så fald har han vist fundet sin rette profession," sagde Anna gravalvorligt, og Erica vendte sig om mod hende.

"Så nu er jeg altså ikke bare en tyk forfatter, men også excentrisk?"

"For ikke at sige distræt." Anna nikkede i retning af kaffemaskinen, som Erica lige havde tændt for. "Det er en fordel også at hælde vand på."

Kaffemaskinen brummede samtykkende, og Erica slukkede for den med et bistert blik på søsteren.

Hun udførte husarbejdet mekanisk. Anbragte servicet i opvaskemaskinen efter først at have skyllet tallerkener og bestik af, samlede madresterne op af vasken med hånden og skurede efter med opvaskebørsten og lidt opvaskemiddel. Derefter holdt hun karkluden ind under hanen, vred den og kørte den hen over bordet for at fjerne brødkrummer og klister.

"Må jeg godt gå over til Sandra, mor?" Elin kom ud i køkkenet, og den femtenåriges trodsige ansigtsudtryk fortalte, at hun allerede havde forberedt sig på et nej.

"Du ved jo godt, at det ikke går. Farmor og farfar kommer herhen i aften."

"De er her jo efterhånden hvert andet øjeblik, så hvorfor behøver jeg altid være her?" Stemmen steg og fik det der skingre tonefald, som Cia næsten ikke kunne klare.

"Det er jo dig og Ludvig, de godt vil besøge. De bliver skuffede, hvis I ikke er hjemme, det ved du godt."

"Men det er så kedeligt! Og farmor begynder altid at græde, og så siger farfar, at hun skal holde op. Jeg vil hjem til Sandra. Alle de andre kommer."

"Overdriver du nu ikke lidt?" sagde Cia, mens hun skyllede karkluden op og hængte den tilbage på vandhanen. "Jeg tvivler på, at 'alle' er der. Du kan tage derhen en anden aften, når farmor og farfar ikke kommer."

"Far ville have ladet mig slippe."

Det var, som om Cias hals snørede sig sammen. Hun orkede ikke det her. Hun orkede ikke vreden og trodsigheden lige nu. Magnus ville have vidst, hvordan han skulle tackle det. Han ville have kunnet håndtere situationen, håndtere Elin. Selv magtede hun det ikke. Ikke alene.

"Far er her ikke nu."

"Men hvor er han så?" skreg Elin, og tårerne begyndte at strømme. "Er han rejst? Han blev garanteret træt af dig og dit brokkeri. Din … din lede møgkælling!"

Der blev helt stille i Cias hoved. Alle lyde forsvandt pludselig, rundt om hende forvandledes alt til en grå tåge.

"Han er død." Hendes stemme lød, som kom den et andet sted fra, som var det en fremmed, der talte.

Elin stirrede på hende.

"Han er død," gentog Cia. Hun følte sig mærkværdigt rolig, som om hun svævede oven over sig selv og datteren og blot betragtede scenen fredfyldt.

"Du lyver," sagde Elin, og hendes brystkasse hævede og sænkede sig, som havde hun løbet flere kilometer.

"Jeg lyver ikke. Politiet tror, han er død, og jeg ved, at det forholder sig sådan." Da hun hørte sig selv udtale ordene, gik det op for hende, hvor sandt det var. Hun havde nægtet at erkende det, havde klynget sig til håbet, men sandheden var, at Magnus var død.

"Hvordan kan du vide det? Hvordan kan politiet vide det?"

"Han ville ikke bare forlade os."

Elin virrede med hovedet, forhindrede tanken i at få fodfæste. Men Cia kunne se, at datteren også vidste det. Magnus ville aldrig bare rejse sin vej.

Hun tog de få skridt hen over køkkengulvet og lagde armene om datteren. Først strittede Elin imod, men så slappede hun af og lod sig omfavne, blive lille igen. Cia strøg hende over håret, mens gråden tog til.

"Så, så," sagde hun beroligende og mærkede, hvordan hendes egen styrke på forunderlig vis blev bygget op igen i takt med, at datterens smuldrede. "Tag bare hen til Sandra i aften. Jeg skal nok forklare det for farmor og farfar."

Det gik op for hende, at hun fra nu af ville være den, der måtte tage alle beslutninger.

Christian Thydell betragtede sig selv i spejlet. Sommetider vidste han ikke rigtigt, hvordan han skulle forholde sig til sit udseende. Han var fyrre år. På en eller anden måde var årene bare fløjet af sted, og nu kiggede han på en mand, der ikke blot var voksen, men oven i købet var begyndt at få grå tindinger.

"Hvor ser du elegant ud." Christian for sammen, da Sanna dukkede op bagved og lagde armene om livet på ham.

"Du forskrækkede mig. Lad være med at liste dig sådan ind på mig." Han trak sig ud af hendes omfavnelse og nåede at se hendes skuffede udtryk i spejlet, før han vendte sig om.

"Undskyld." Hun satte sig på sengen.

"Du ser også flot ud," sagde han og fik endnu mere dårlig samvittighed, da han så, hvordan hans lille kompliment fik hendes øjne til at stråle. Samtidig blev han irriteret. Han hadede, når hun opførte sig som en hundehvalp, der logrede med halen ved dens herres mindste opmærksomhed. Hans kone var ti år yngre end ham, men indimellem føltes det, som om det var tyve.

"Gider du hjælpe mig med slipset?" Han gik hen til hende, og hun rejste sig og bandt slipseknuden med øvet hånd. Den blev perfekt allerede i første forsøg, og hun trådte et skridt tilbage for at betragte sit værk.

"Du bliver en succes i aften."

"Hmm …" sagde han, mest fordi han ikke rigtigt vidste, hvad han forventedes at sige.

"Moar! Nils slår!" Melker kom løbende, som havde han en flok ulve i hælende, og med madfedtede fingre greb han fat i det første, det bedste faste holdepunkt: Christians ben.

"For fanden da!" Christian vristede sig brutalt fri af sin femårige søns greb, men det var allerede for sent. Begge bukseben havde tydelige ketchupaftryk ved knæene, han måtte beherske sig for at bevare roen. Det havde han haft stadigt vanskeligere på det sidste.

"Kan du da ikke holde styr på ungerne!" hvæsede han og begyndte med demonstrative bevægelser at knappe bukserne op for at skifte til nogle andre.

"Jeg kan sikkert vaske det af," sagde Sanna, mens hun jagtede Melker, der var på vej hen til sengen med sine fedtfingre.

"Og hvordan skulle det kunne lade sig gøre, når jeg skal være der om en time? Jeg er nødt til at skifte."

"Jamen ..." Sanna lød grådkvalt.

"Tag hellere at se efter ungerne."

Sanna blinkede ved hans ord, hver en stavelse var et slag i ansigtet. Uden at sige noget greb hun fat i Melker og gennede ham ud af soveværelset.

Da hun var gået, satte Christian sig tungt på sengen, så sig i spejlet ud af øjenkrogen. En sammenbidt mand iført jakke, skjorte, slips og underbukser. Sammensunket, som om alverdens bekymringer hvilede på hans skuldre. Han rettede prøvende ryggen og skød brystet frem. Det så straks bedre ud.

Det var hans aften. Det kunne ingen tage fra ham.

"Noget nyt?" Gösta Flygare løftede spørgende kaffekanden mod Patrik, der netop var trådt ind i stationens lille køkken.

Patrik nikkede bekræftende og tog plads ved bordet. Ernst hørte, at det var kaffetid, kom luntende ind til dem og lagde sig under bordet i håb om, at der skulle falde en lille godbid af, som den kunne guffe i sig.

"Værsgo." Gösta stillede en kop sort kaffe foran Patrik og satte sig over for ham.

"Du ser mig noget blegnæbbet ud," sagde han og studerede indgående sin yngre kollega.

Patrik trak på skuldrene. "Jeg er bare lidt træt. Maja er begyndt at sove uroligt og være trodsig, og Erica er af forståelige grunde temmelig udkørt, så der skal trækkes et ret tungt læs derhjemme."

"Og det bliver værre endnu," konstaterede Gösta tørt.

Patrik lo. "Ja, du forstår sandelig at muntre folk op, Gösta. Det bliver værre endnu."

"Så du har altså ikke fundet ud af mere om Magnus Kjellner?" Gösta listede diskret en småkage ned under bordet, og Ernst dunkede lykkeligt halen mod Patriks fødder.

"Nej, intet," svarede Patrik og tog en slurk kaffe.

"Jeg bemærkede, at hun var her igen."

"Ja, jeg var lige inde og tale med Paula om det. Det er blevet en form for rituel tvangshandling, men det er egentlig ikke så underligt. Hvordan håndterer man, at ens mand bare forsvinder?"

"Vi skulle måske forhøre os hos nogle flere," sagde Gösta og listede endnu en småkage ned under bordet.

"Og hvem skulle det være?" Patrik kunne selv høre, hvor irriteret han lød. "Vi har talt med familien, med hans venner, vi har stemt dørklokker i hele kvarteret omkring hans hjem, vi har sat sedler op og annonceret i den lokale presse. Hvad mere kan vi gøre?"

"Det ligner dig ikke at give op."

"Nej, men hvis du har et godt forslag, så lad mig venligst høre det." Patrik fortrød omgående sit bryske tonefald, selvom Gösta ikke så ud til at tage det ilde op. "Det lyder forfærdeligt at håbe, at han skal dukke op som død," tilføjede han i en venligere tone, "men jeg er overbevist om, at vi først da finder ud af, hvad der er foregået. Jeg tør vædde på, at han ikke er forsvundet frivilligt, og hvis vi har et lig, er der i det mindste noget at arbejde ud fra."

"Ja, det har du ret i. Det er en modbydelig tanke, at fyren skulle drive i land eller komme til syne i skovbunden et eller andet sted, men min fornemmelse siger det samme som din. Og det må være frygteligt …"

"Ikke at have vished, mener du?" sagde Patrik og flyttede lidt på fødderne, der var blevet svedige af at have en varm hundekrop liggende ovenpå.

"Ja, forestil dig lige ikke at have nogen anelse om, hvor den, man elsker, er blevet af. Det er ligesom med forældre, hvis børn forsvinder. Der findes en amerikansk hjemmeside med forsvundne børn. Side op og side ned med billeder og efterlysninger. Føj for den lede, siger jeg bare."

"Jeg ville aldrig overleve det," sagde Patrik. Han så sin vildkat af en datter for sig, tanken om at miste hende var uudholdelig.

"Hvad snakker I om? Der er jo den rene begravelsesstemning herinde." Annikas muntre stemme afbrød øjeblikkets tavshed, da hun kom ind og sluttede sig til dem ved bordet. Stationens yngste medarbejder, Martin Molin, fulgte trop, lokket af stemmerne i køkkenet og duften af kaffe. Han havde forældreorlov på deltid og greb enhver chance for at være sammen med kollegerne og tage del i voksne samtaler til en afveksling.

"Vi snakker om Magnus Kjellner," sagde Patrik i en tone, der antydede, at denne samtale nu var afsluttet. For at der ikke skulle herske tvivl, skiftede han emne.

"Hvordan går det med den lille pige?"

"Åh, vi fik nogle nye billeder i går," sagde Annika og tog en stak fotografier op af jakkelommen.

"Se lige, hvor stor hun er blevet." Hun lagde billederne på bordet, og Patrik og Gösta studerede dem på skift. Martin havde allerede set dem, da han mødte om morgenen.

"Hold da op, hvor er hun køn," sagde Patrik.

Annika nikkede samtykkende. "Hun er ti måneder gammel nu."

"Hvornår var det, I kunne tage ned og hente hende?" spurgte Gösta med oprigtig interesse. Han var sig yderst bevidst, at han havde været medvirkende til, at Annika og Lennart for alvor begyndte at overveje adoption, så i en vis forstand følte han, at pigen på billederne også var hans.

"Vi får lidt forskellige beskeder," svarede Annika. Hun samlede billederne sammen og lagde dem forsigtigt tilbage i lommen. "Om et par måneder, vil jeg tro."

"Jeg kan forestille mig, at det føles som lang tid at vente." Patrik rejste sig og anbragte sin kop i opvaskemaskinen.

"Ja, det gør det, men samtidig ved vi jo … at vi er på vej. Og at hun eksisterer."

"Ja, det gør hun jo," sagde Gösta. Impulsivt lagde han hånden over Annikas, men fjernede den lige så hurtigt igen. "Nå, men arbejdet kalder. Jeg har ikke tid til at sidde her og plapre," mumlede han forlegent og rejste sig.

Hans tre kolleger kiggede muntert efter ham, da han luntede ud af køkkenet.

"Christian!" Forlagschefen kom ham i møde og omsluttede ham i et favntag tungt af parfume.

Christian holdt vejret for at slippe for at indånde den vammelsøde duft. Gaby von Rosen var ikke just kendt for sin diskrete fremtoning. Alting var for meget, hvad Gaby angik: for meget hår, for meget makeup, for meget parfume og tillige en tøjsmag, der mildest talt kunne beskrives som opsigtsvækkende. I aftenens anledning var hun iført en shocking pink dragt med en enorm, grøn stofrose på reverset, og som altid var skohælene livsfarligt høje. Men på trods af hendes til tider lettere lattervækkende fremtoning var der ingen, som ikke tog chefen for Sveriges nye, hotte forlag alvorligt. Hun havde over tredive års erfaring i branchen og et intellekt, der var lige så skarpt som hendes tunge. Den, der én gang havde begået den brøler at undervurdere hende som modstander, gjorde det aldrig igen.

"Det her bliver alle tiders!" Gaby holdt ham ud fra sig i strakt arm og sendte ham et strålende smil.

Christian, der stadig kæmpede for at få vejret i skyen af parfume, var kun i stand til at nikke.

"Lars-Erik og Ulla-Lena på hotellet har været helt fantastiske," fortsatte hun. "Mage til søde mennesker! Og buffeten ser pragtfuld ud. Det føles virkelig som det helt rigtige sted til lanceringen af din fantastiske bog. Hvordan føles det egentlig?"

Christian trak sig forsigtigt fri og trådte et skridt tilbage.

"Tja, lidt uvirkeligt, må jeg indrømme. Jeg har tænkt på den her roman så længe, og nu … ja, nu står jeg her." Han skævede til stakken af bøger, der lå på et bord lige inden for døren. Han kunne læse sit navn på hovedet samt titlen: *Havfruen*. Han mærkede et sug i maven; det *var* ikke desto mindre virkeligt.

"Nu skal du høre, hvad vi gør," sagde hun, trak ham i jakkeærmet, og han fulgte viljeløst med. "Først snakker vi med de fremmødte journalister, så de kan møde dig i fred og ro. Vi er overordentligt tilfredse med presseopbuddet. *Göteborgsposten, Göteborgstidningen, Bohusläningen* og *Strömstads Tidning* er her. Der er jo ikke kommet nogen fra de landsdækkende dagblade, men det kompenseres mere end rigeligt af dagens overstrømmende anmeldelse i *Svenska Dagbladet*."

"Hvad skriver de?" spurgte Christian, idet han blev slæbt op ad en lille trappe til scenen, hvor de tydeligvis skulle tage imod pressen.

"Det får du at høre senere," svarede Gaby og pressede ham ned i stolen nærmest væggen.

Han prøvede at genvinde kontrollen over situationen, men det var, som om han var blevet suget ind i en tørretumbler, som han ikke kunne slippe ud af, og synet af Gaby, der allerede var på vej væk, forstærkede den følelse.

Nede i salen løb personalet frem og tilbage og dækkede op. Ingen tog notits af ham, og han tillod sig at lukke øjnene et øjeblik. Han tænkte på bogen, på *Havfruen*, timerne ved computeren. Hundreder, tusinder af timer. Han tænkte på hende.

"Christian Thydell?"

En stemme afbrød hans tanker, og han kiggede op. Manden foran ham stod med fremstrakt hånd og ventede tilsyneladende på, at han skulle tage den. Så rejste han sig og hilste.

"Birger Jansson, *Strömstads Tidning*." Manden stillede en stor kamerataske fra sig på gulvet.

"Ja, velkommen. Sid ned," sagde Christian, usikker på, hvordan han skulle forholde sig. Han spejdede efter Gaby, men fik kun øje på et glimt af noget shocking pink, der flagrede rundt henne ved indgangen.

"Det er sandelig slået stort op," sagde Birger Jansson og så sig omkring.

"Ja, det ser sådan ud," sagde Christian. Der blev stille, begge flyttede uroligt på sig.

"Skal vi begynde? Eller skal vi vente på de andre?"

Christian stirrede tomt på reporteren. Hvor skulle han vide det fra? Han havde aldrig været med til den slags før. Jansson så ud til at opfatte hans tavshed som et ja, anbragte en båndoptager på bordet og tændte for den.

"Godt …" sagde han og kiggede opfordrende på Christian. "Dette er altså din romandebut."

Christian spekulerede på, om det var meningen, at han skulle gøre andet og mere end blot bekræfte udsagnet. "Ja, det er det," sagde han og rømmede sig.

"Jeg kan virkelig godt lide den," sagde Birger Jansson med et bøst tonefald, der modsagde de rosende ord.

"Tak," sagde Christian.

"Hvad vil du sige med bogen?" Jansson tjekkede båndoptageren for at se, om båndet nu også kørte.

"Hvad jeg vil sige? Det ved jeg ikke rigtigt. Det er en historie, en fortælling, jeg har haft i hovedet, og som skulle ud."

"Den er meget mørk, ja, jeg vil næsten sige dyster," sagde Birger og betragtede Christian, som om han prøvede at kigge ind i hans sinds mest dunkle kroge. "Er det sådan, du anskuer samfundet?"

"Jeg ved ikke, om det er mit syn på samfundet, jeg har forsøgt at formidle i bogen," svarede Christian og ledte febrilsk efter noget begavet at sige. Han havde aldrig tænkt på sine skriverier på den måde. Historien havde ligget der så længe, levet inden i ham, og til sidst var han nødt til at få den ned på papir. Men hvad han ville sige om samfundet? Tanken havde overhovedet ikke strejfet ham.

Til sidst blev han reddet af Gaby. Hun kom med de andre journalister i samlet trop, og Birger Jansson slukkede for båndoptageren, mens folk hilste på hinanden og tog plads ved bordet. Det gik der et par minutter med, og Christian benyttede lejligheden til at genvinde fatningen.

Gaby tog ordet.

"Velkommen til dette møde med det nye stjerneskud på forfatterhimlen, Christian Thydell. På forlaget er vi umådeligt stolte over at kunne udgive hans roman *Havfruen* og tror, den er begyndelsen på en lang og fantastisk forfatterkarriere. Christian har endnu ikke nået at se nogen anmeldelser, og det er med den største glæde, jeg kan fortælle dig, at du i dag har fået strålende anmeldelser i *Svenska Dagbladet*, *Dagens Nyheter* og *Arbeterbladet*, for nu at nævne nogle. Lad mig læse et par sigende passager op."

Hun tog briller på, rakte ud efter en stak papirer på bordet foran sig. Hist og her lyste lyserøde overstregninger mod den hvide baggrund.

"'En sproglig virtuos, der skildrer det lille menneskes udsathed uden dog at miste følingen med det store perspektiv.' Det var *Svenska Dagbladet*," tydeliggjorde Gaby med et nik til Christian og bladrede videre til næste stykke papir. "'Christian Thydell er både en nydelse og en pine at læse, med sin stramme prosa retter han fokus mod samfundets falske forestillinger om tryghed og demokrati. Hans ord skærer som en kniv gennem hud, muskler og samvittighed og får mig til at læse videre med feberagtig iver for som fakiren at søge mere af den pinefulde, men herligt lutrende smerte.' Det var *Dagens Nyheder*," sagde Gaby og tog brillerne af, idet hun rakte det lille bundt anmeldelser til Christian.

Vantro tog han imod dem. Han hørte ordene, og det føltes rart at lade sig overskylle af hyldest, men sandt at sige forstod han ikke rigtigt, hvad de fablede om. Han havde blot fortalt hendes historie. Fået ordene og det, der var hende, ud af sit sind, en forløsning, som til tider havde efterladt ham helt tom. Han ville ikke sige noget om samfundet. Han ville sige noget om hende.

Protesterne blev hængende på tungen. Ingen andre ville forstå det, og det var måske sådan, det burde være. Han ville aldrig kunne forklare det.

"Dejligt," sagde han og kunne selv høre, hvordan ordene skramlede, da de faldt, indholdsløse ud af hans mund.

Derefter fulgte flere spørgsmål. Mere ros og flere tanker om hans bog. Og han følte, at han ikke kunne komme med et fornuftigt svar på ét eneste spørgsmål. Hvordan beskrev man noget, der havde fyldt livet helt ud i alle dets hjørner? Som ikke kun var en fortælling, men også handlede om overlevelse. Om smerte. Han gjorde det, så godt han kunne. Prøvede at komme med tydelige og velovervejede svar. Det lykkedes ham åbenbart, for indimellem nikkede Gaby anerkendende til ham.

Da interviewet var slut, havde Christian mest lyst til at tage hjem. Han følte sig fuldstændigt tom. Men han var nødt til at blive her i den smukke spisesal på Stora Hotellet, og han tog en dyb indånding og gjorde sig klar til at møde gæsterne, der begyndte at strømme ind. Han smilede et smil, der krævede mere af ham, end nogen kunne ane.

"Har du så tænkt dig at holde dig ædru i aften?" hvæsede Erik Lind dæmpet til sin kone, så de andre i køen til festen ikke skulle høre det.

"Har du da tænkt dig at holde grabberne for dig selv i aften?" replicerede Louise uden at bryde sig om at hviske.

"Jeg aner ikke, hvad du snakker om," sagde Erik. "Og gider du lige dæmpe dig, tak."

Louise sendte sin ægtefælle et koldt blik. Han så godt ud, det kunne hun ikke nægte, og engang havde det da også gjort indtryk på hende. De havde mødt hinanden på universitetet, og mange piger havde kigget misundeligt på hende, fordi hun havde fået Erik Lind på krogen. Siden dengang var hendes kærlighed, respekt og tillid langsomt, men sikkert blevet kneppet væk. Ikke de to imellem, hvor herre bevares nej, men uden for ægtesengen havde han tilsyneladende ingen problemer med at få den op at stå.

24

"Halløj, er I her også? Hvor hyggeligt!" Cecilia Jansdotter masede sig hen og kindkyssede dem begge. Hun var Louises frisør og havde desuden været Eriks elskerinde det sidste års tid, hvad de selv troede, Louise var uvidende om.

"Hej, Cecilia," sagde Louise smilende. Cecilia var en sød pige, og hvis hun skulle bære nag til alle, der havde ligget i med hendes mand, ville hun ikke kunne blive boende i Fjällbacka. Det var for øvrigt mange år siden, hun holdt op med at tage sig det nær. Hun havde pigerne. Og papvin – en vidunderlig opfindelse. Hvad skulle hun med Erik?

"Er det ikke bare spændende, at vi har fået os endnu en forfatter her i Fjällbacka! Først Erica Falck og nu Christian." Cecilia nærmest hoppede af begejstring. "Har I læst bogen?"

"Jeg læser kun fagblade og børsnoteringer," svarede Erik.

Louise rullede med øjnene. Hvor typisk af Erik at kokettere med, at han ikke læste bøger.

"Jeg håber, vi får et eksemplar med hjem," sagde hun og trak frakken tættere om sig. Gid køen ville bevæge sig lidt hurtigere, så de snart kunne komme ind i varmen.

"Ja, Louise er familiens læsehest. På den anden side er der jo heller ikke så meget andet at lave, når man ikke går på arbejde, vel, min skat?"

Louise trak på skuldrene og lod den spydige bemærkning prelle af. Det tjente ikke noget formål at påpege, at det var Erik, der havde insisteret på, at hun gik hjemme, mens pigerne voksede op. Eller at hun knoklede fra morgen til aften for at passe maskineriet i den velordnede tilværelse, han tog for givet.

De rykkede langsomt frem i køen. Til sidst kunne de træde ind i receptionen, hænge overtøjet fra sig og gå de få trin ned i spisesalen.

Med Eriks blik brændende i ryggen satte Louise kurs mod baren.

"Tag den nu lidt med ro, ikke?" sagde Patrik og kyssede Erica på munden, før hun baksede sig selv og maven ud ad døren.

Maja klynkede lidt, da hun så sin mor forsvinde, men faldt straks til ro, da Patrik anbragte hende foran fjernsynet, hvor børneprogrammet netop skulle til at gå i gang. Hun havde været betydeligt mere pjevset og besværlig

25

de seneste måneder, og de temperamentsfulde reaktioner på et "nej" ville kunne gøre enhver diva grøn af misundelse. På en måde kunne Patrik godt forstå hende. Hun mærkede den spændte forventning og ængstelsen for de små søskendes ankomst. Tvillinger – helt ærlig! Selvom de havde vidst det lige siden den første ultralydsscanning i uge atten, havde han stadig svært ved helt at fordøje tanken, og af og til spekulerede han på, hvordan de skulle overkomme det. Det havde været svært nok med én nyfødt, så hvordan håndterede man to? Hvordan ville det gå med amning og søvn og alt det der? Og de var nødt til at anskaffe sig en ny bil for at få plads til tre børn med tilhørende barne- og klapvogne. Alene *det*.

Patrik tog plads ved siden af Maja i sofaen og stirrede tomt ud i luften. Han havde været så træt på det sidste. Kræfterne var konstant ved at være opbrugt, nogle morgener orkede han knap nok at stå ud af sengen. Men det var måske ikke så underligt. Ud over alt det derhjemme med en træt Erica, og Maja, der havde forvandlet sig til et veritabelt trodsuhyre, sled jobbet også på ham. I årene efter at han mødte Erica, havde de haft flere vanskelige mordsager, og den evindelige kamp med chefen Bertil Mellberg tog også på kræfterne.

Og nu var der Magnus Kjellners forsvinden. Patrik vidste ikke, om det skyldtes erfaring eller intuition, men han var overbevist om, at der var tilstødt manden noget. En ulykke eller en forbrydelse, det var umuligt at sige hvad, men han turde vædde sit politiskilt på, at Magnus Kjellner ikke længere var i live. Det tærede på ham hver eneste onsdag at møde hans kone, der så lidt mere indskrumpet og udkørt ud for hver gang. De havde simpelthen gjort alt, hvad der stod i deres magt, men ikke desto mindre kunne han ikke slippe billedet af Cia Kjellners ansigt.

"Far!" Maja vækkede ham af grublerierne med uanet stemmekraft. Hendes lille pegefinger var rettet mod fjernsynet, og han forstod øjeblikkelig, hvad der havde forårsaget krisen. Han havde vist været hensunket i egne tanker betydeligt længere, end han havde troet, for børneprogrammet var allerede slut og blevet afløst af en voksenudsendelse, som ikke interesserede Maja det fjerneste.

"Far fikser det," sagde han og holdt afværgende hænderne i vejret. "Hvad siger du til Pippi?"

Pippi Langstrømpe var den absolutte favorit for tiden, så Patrik kendte allerede svaret. Han fandt filmen frem, og da *Pippi på de syv have* gik i gang, satte han sig ved siden af sin datter og lagde armen om hende. Hun satte sig tilfreds til rette under hans armhule som et lille, varmt kæledyr, og fem minutter senere sov han.

Christian var begyndt at svede. Gaby havde netop sagt, at han snart skulle op på scenen. Spisesalen var langtfra proppet, men der sad trods alt omkring tres forventningsfulde gæster med en tallerken mad og et glas øl eller vin foran sig. Selv havde Christian ikke kunnet få noget ned, bortset fra rødvin. Lige nu tømte han sit tredje glas, skønt han var klar over, at han ikke burde drikke så meget. Det ville ikke tage sig godt ud, hvis han sad og snøvlede i mikrofonen, når han blev interviewet, men uden vinen ville han ikke kunne gennemføre det.

Han lod blikket feje hen over lokalet og mærkede så en hånd på sin arm.

"Hej, hvordan går det? Du ser mig noget anspændt ud." Erica kiggede bekymret på ham.

"Jeg er en smule nervøs," tilstod han og fandt en vis trøst i at kunne sige det til nogen.

"Jeg ved nøjagtigt, hvordan det føles," sagde Erica. "Første gang, jeg optrådte, var ved et debutantarrangement i Stockholm, og de måtte praktisk taget skrabe mig op fra gulvet bagefter. Og jeg kunne ikke huske ét ord af det, jeg havde sagt på scenen."

"Jeg har på fornemmelsen, at der også bliver brug for en skovl til mig," sagde Christian og tog sig til halsen. Et kort sekund tænkte han på brevene, og panikken slog til med fuld styrke. Han vaklede, og hvis ikke Erica havde støttet ham, ville han være dejset om.

"Halløjsa," sagde Erica. "Man har vist forsøgt at drikke sig mod til, kan jeg se, men du bør nok ikke drikke mere, før du skal på scenen." Hun lirkede forsigtigt glasset med rødvin ud af hans hånd og stillede det på nabobordet. "Jeg lover dig, at det nok skal gå. Gaby indleder med at præsentere dig og bogen, og bagefter stiller jeg nogle spørgsmål, men dem har vi jo allerede gennemgået. Stol nu bare på mig. Det eneste problem bliver at få bakset mig op på scenen."

Hun lo, og Christian grinede med. Ikke helhjertet, og en anelse for skingert, men det virkede. Noget af anspændelsen slap taget, og han mærkede, hvordan han igen kunne trække vejret ubesværet. Han skubbede tanken om brevene fra sig. Det måtte ikke påvirke ham i aften. Havfruen havde fået lov at komme til orde i bogen, og nu var han færdig med hende.

"Hej, skat." Sanna sluttede sig til dem, og hendes øjne tindrede, da hun så sig om i salen. Han vidste, at dette var et stort øjeblik for hende. Måske tilmed større end for ham.

"Hvor ser du dejlig ud," sagde han, og hun labbede de pæne ord i sig. Og hun *var* dejlig. Han vidste, han var heldig, at han havde mødt hende. Hun affandt sig med meget fra hans side, mere, end de fleste ville kunne klare. Det var ikke hendes skyld, at hun ikke kunne udfylde tomrummet inden i ham. Det var der formentlig ingen, der kunne. Han lagde armen om hende og kyssede hende på håret.

"Hvor ser I nuttede ud!" Gaby kom fejende forbi igen med klaprende hæle. "Og du har fået blomster, Christian."

Han stirrede på buketten, hun holdt i favnen. Det var en smuk buket, om end enkel. Lutter hvide liljer.

Med en hånd, der rystede ubehersket, rakte han ud efter den hvide konvolut, der var fæstet til buketten. Han rystede så meget, at han dårlig nok kunne åbne den, og var kun delvis bevidst om de undrende blikke, han fik fra kvinderne ved siden af sig.

Kortet var også enkelt. Et hvidt kort af kraftigt papir, teksten med sort blæk og en nydelig håndskrift, den samme som på konvolutten. Han stirrede på linjerne. Så blev alting sort.

Hun var det smukkeste, han nogensinde havde set. Hun duftede godt, og hendes lange hår var redt tilbage og samlet med et hvidt bånd. Det skinnede, så han næsten måtte knibe øjnene sammen. Han trådte prøvende et skridt hen mod hende, usikker på, om han måtte tage del i alt det smukke. Hun strakte armene frem som tegn på, at det måtte han godt, og med hurtige skridt løb han ind i hendes favn. Væk fra det sorte, væk fra det onde. I stedet blev han omsluttet af lys, hvidt, af blomsterduft og silkeblødt hår mod sin kind.

"Er du min mor nu?" sagde han og trådte modstræbende et skridt tilbage. Hun nikkede. "Passer det?" Han forventede, at nogen ville komme ind og med en brysk bemærkning ødelægge alting, fortælle ham, at han drømte. At så vidunderlig en person ikke kunne være mor til en som ham.

Men der lød ingen stemme. I stedet nikkede hun blot igen, og han kunne ikke holde sig tilbage. Han kastede sig i hendes favn og ville aldrig, aldrig forlade den. Et sted inde i hovedet var der andre billeder, andre dufte og lyde, som ville frem, men de druknede i blomsterduften og den sagte knitren fra hendes tøj. Han drev dem væk. Tvang dem til at forsvinde og blive erstattet af det nye fantastiske. Det ufattelige.

Han kiggede op på sin nye mor, og hans hjerte slog dobbelte slag af lykke. Da hun tog hans hånd og førte ham væk, fulgte han villigt med.

"JEG HØRTE, DET blev dramatisk i aftes. Hvad tænkte Christian på? Hvad ligner det at drikke sig fuld i sådan en situation?" Kenneth Bengtsson mødte sent på kontoret efter en hektisk formiddag derhjemme. Han lagde jakken over sofaryggen, men efter et misbilligende blik fra Erik tog han den op igen og hængte den på knagen i entreen.

"Ja, aftenen fik unægtelig en kedelig afslutning," svarede Erik. "På den anden side så Louise ud til at være klar til den store tur, så den oplevelse slap jeg i det mindste for."

"Står det virkelig så galt til?" sagde Kenneth og betragtede Erik. Det var sjældent, Erik indviede ham i noget personligt. Sådan havde det altid været, både da de var børn og legede sammen, og nu som voksne. Erik behandlede Kenneth, som om han kun lige akkurat tolererede ham, som om han gjorde ham en tjeneste ved at nedlade sig til at omgås ham. Hvis det ikke var, fordi Kenneth faktisk havde noget at tilbyde Erik, ville deres venskab for længst være løbet ud i sandet. Hvad det da også havde gjort de år, hvor Erik gik på universitetet og arbejdede i Göteborg. Kenneth var blevet hjemme i Fjällbacka og havde startet sit lille revisionsfirma. Et firma, der var blevet stadigt mere succesrigt med årene.

For Kenneth havde et talent. Han var klar over, at han hverken var specielt pæn eller charmerende, og han gjorde sig heller ikke nogen illusioner om, at hans intelligensniveau lå over middel, men han havde en særlig evne til at trylle med tal. Han kunne drible med summerne i resultat- og balanceopgørelser som en regnskabernes David Beckham. Det i kombination med en evne til at opnå skattemyndighedernes velvilje betød, at han pludselig og for første gang blev en person af den største værdi for Erik. Han blev den selvfølgelige makker, da Erik besluttede sig for at kaste sig over ejendoms-markedet på Vestkysten, der de senere år havde vist sig overordentligt lukrativt. Erik havde ganske vist gjort det klart, at han skulle kende sin plads, og han ejede da også kun en tredjedel af firmaet og ikke den halvdel, som han med sit bidrag til foretagendet burde, men det gjorde ikke så meget. Kenneth stræbte ikke efter at blive rig eller have magt. Han var tilfreds med at beskæftige sig med det, han var god til, og være Eriks kompagnon.

"Ja, jeg ved ikke rigtigt, hvad jeg skal stille op med Louise," sagde Erik og rejste sig fra kontorstolen. "Hvis det ikke var for børnene …" Han rystede på hovedet og tog sin frakke på.

Kenneth nikkede forstående. I virkeligheden vidste han udmærket, hvor skoen trykkede, og det var ikke børnene, det handlede om. Det, der afholdt Erik fra at lade sig skille fra Louise, var, at hun ville rende med halvdelen af pengene og aktiverne.

"Jeg går til frokost og er nok væk et stykke tid. Der er tale om en lang frokost."

"Okay," sagde Kenneth. Kald det bare en lang frokost.

"Er han hjemme?" Erica stod ude på trappen foran familien Thydells hus.

Sanna så ud til at tøve et øjeblik, men trådte så til side og lukkede hende ind.

"Han er oppe i arbejdsværelset. Han sidder bare og glor foran compute-ren."

"Må jeg gå derop?"

Sanna nikkede. "Ja, intet af det, jeg siger, ser ud til at trænge ind, men du har måske mere held med dig."

Tonen var en anelse bitter, og Erica så granskende på hende. Hun så træt ud. Træt og noget andet, som Erica ikke helt kunne præcisere.

"Jeg skal se, hvad jeg kan gøre." Erica begav sig med besvær op ad trappen, mens hun støttede maven med hånden. Selv en simpel udfordring var efterhånden en stor anstrengelse.

"Hej." Hun bankede forsigtigt på den åbne dør, og Christian vendte sig om. Han sad på sin kontorstol foran den sorte computerskærm. "Du gjorde os forskrækket i går," sagde hun og satte sig i lænestolen i hjørnet.

"Jeg var bare lidt overanstrengt," sagde Christian, men furerne omkring hans øjne var dybe, og hænderne rystede. "Og så er jeg jo bekymret over det med Magnus."

"Er du sikker på, det ikke er noget andet?" Hun lød skarpere, end det havde været hendes hensigt. "Jeg fandt det her i går og tog det med." Hun stak hånden i jakkelommen og trak det kort frem, der havde været fæstet til buketten med de hvide liljer. "Du må have tabt det."

Christian stirrede på kortet.

"Tag det væk."

"Hvad betyder det, der står her?" Erica så med bekymring på den mand, hun var begyndt at betragte som sin ven.

Han svarede ikke, og Erica gentog, nu lidt blidere:

"Christian, hvad betyder det? Du reagerede meget voldsomt i går, så prøv ikke at bilde mig ind, at det kun handler om, at du er overanstrengt."

Han tav stædigt, men pludselig blev tavsheden brudt af Sannas stemme henne fra døren.

"Fortæl om brevene."

Hun blev stående på dørtrinnet og ventede på ægtefællens svar. Der var stille endnu et stykke tid, hvorpå Christian med et suk trak den nederste skrivebordsskuffe ud og smed en lille stak breve på bordet.

"Jeg har modtaget sådan nogle gennem et stykke tid."

Erica tog brevene op og bladrede dem forsigtigt igennem. Hvide ark med sort skrift. Og uden tvivl samme håndskrift som på det kort, hun havde haft med. Også ordene forekom bekendte. Forskellige formuleringer, men samme tema. Hun læste højt fra det øverste brev:

"Hun går ved din side, hun følger dig. Du ejer ikke retten til dit liv. Det gør hun."

Erica kiggede forvirret op fra papiret. "Hvad betyder det? Forstår du noget af det her?"

"Nej." Svaret kom hurtigt og bestemt. "Nej, jeg har ingen anelse om det. Jeg kender ingen, der skulle ønske mig noget ondt, så vidt jeg ved. Og jeg ved ikke, hvem 'hun' er. Jeg burde have smidt dem ud," sagde han og rakte hånden frem for at tage brevene, men Erica holdt dem tilbage.

"Du burde gå til politiet."

Christian rystede på hovedet. "Nej, det er sikkert bare nogen, der laver fis med mig."

"Det her lyder ikke, som om det er for sjov, og det virker heller ikke, som om du finder det specielt morsomt."

"Det samme har jeg sagt," indskød Sanna. "Jeg synes, det er uhyggeligt, med tanke på børnene og alting. Tænk, hvis det er en eller anden syg person, der …" Hun stirrede på Christian, og det gik op for Erica, at det ikke var første gang, de havde denne diskussion. Men han rystede endnu en gang stædigt på hovedet.

"Jeg vil ikke gøre et stort nummer ud af det her."

"Hvornår begyndte det? Helt præcist?"

"Da du gik i gang med bogen," sagde Sanna og modtog et irriteret blik fra sin mand.

"Ja, det var vel omkring det tidspunkt," medgav han. "For halvandet år siden."

"Kan der være nogen forbindelse? Optræder der nogen virkelig person eller begivenhed i bogen? Nogen, der ville føle sig truet af det, du har skrevet?" Erica stirrede vedholdende på Christian, der virkede ilde berørt. Det var tydeligt, at det var en samtale, han ikke brød sig om.

"Nej, det er ren fiktion," sagde han og kneb læberne sammen. "Der er ingen, som kan føle sig udleveret. Du har jo selv læst manuskriptet. Virker det som en selvbiografi?"

"Nej, ikke umiddelbart," sagde Erica og trak på skuldrene, "men jeg ved jo selv, at man ofte væver sin egen virkelighed ind i teksten, bevidst eller ubevidst."

"Nej, sagde jeg!" udbrød Christian, idet han skubbede stolen tilbage og rejste sig. Erica var klar over, at det var signalet til hende om at gå, og prøvede at komme op af stolen, men de fysiske love arbejdede imod hende, og det eneste resultat af hendes anstrengelser var prustelyde. Christians bistre ansigtsudtryk mildnedes en anelse, og han rakte hende en hjælpende hånd.

"Det er sikkert bare en eller anden tosse, der hørte, at jeg skrev på en bog, og fik sære ideer. Ikke andet," sagde han i et roligere tonefald.

Erica tvivlede på, at det var hele sandheden, men det var mere en fornemmelse end noget, hun havde belæg for. Da hun gik hen til bilen, håbede hun, at Christian ikke ville bemærke, at der nu kun lå fem og ikke seks breve i hans skuffe. På vej ud havde hun listet et af dem ned i sin håndtaske. Hun fattede ikke, at hun turde, men hvis Christian ikke selv ville ud med sproget, måtte hun forske videre på egen hånd. Tonen i brevene var truende, og hendes ven kunne være i fare.

"Var du nødt til at aflyse aftaler?" Erik nippede til Cecilias ene brystvorte. Hun stønnede og strakte sig i sengen. Hendes lejlighed lå i bekvem afstand til frisørsalonen i husets stueetage.

"Det kunne du lide, hva'? At jeg begyndte at aflyse kundeaftaler for at gøre plads til dig i kalenderen. Hvad får dig til at tro, at du er så vigtig?"

"Kan der måske være noget, som er vigtigere end det her?" Han lod tungen spille hen over hendes bryster, og hun trak ham ned over sig, ude af stand til at vente.

Bagefter lå hun med hovedet på hans arm, stive hår kildede hende på kinden.

"Det føltes lidt underligt at rende ind i Louise i går. Og dig."

"Mmm," svarede Erik og lukkede øjnene. Han følte ingen trang til at diskutere sin kone eller sit ægteskab med sin elskerinde.

"Jeg kan jo godt lide Louise" – Cecilias fingre legede med hårene på hans brystkasse – "og hvis hun vidste ..."

"Men det gør hun altså ikke," afbrød Erik hende studst og rejste sig halvt op. "Og hun vil heller aldrig opdage noget."

Cecilia kiggede op på ham, og han vidste af erfaring, hvor diskussionen nu var på vej hen.

"Før eller siden er hun nødt til at få det at vide."

Erik sukkede dybt indvendigt. Kunne man da aldrig slippe for disse diskussioner om fremtiden. Han svingede benene ud over sengekanten og begyndte at klæde sig på.

"Skal du allerede gå?" spurgte Cecilia, og hendes sårede ansigtsudtryk gjorde ham bare endnu mere irriteret.

"Der er travlt på jobbet," sagde han kort for hovedet og knappede skjorten. Han fornemmede duften af sex i næseborene, men han kunne tage sig et bad på kontoret, hvor han også havde skiftetøj til situationer som denne.

"Det er altså sådan her, det skal være?" Cecilia havde rejst sig halvt op i sengen, Erik kunne ikke lade være med at lade blikket glide hen over hendes nøgne krop. Hendes bryster pegede opad med store, mørke vorter, der atter var blevet stive i den kølige luft. Han foretog en hurtig afvejning af situationen. Ret beset hastede det ikke så meget at komme tilbage på kontoret, og han ville ikke have noget imod en tur til. Der skulle formentlig lidt overtalelse og lirken til nu, men spændingen, der allerede var ved at bygge sig op i kroppen, fortalte ham, at det ville være besværet værd. Han tog igen plads på sengekanten, gjorde stemmen blid og blikket smægtende, lagde hånden på hendes kind og kærtegnede den.

"Cecilia," indledte han og fortsatte derpå med ord, der flød lige så let over tungen, som de havde gjort så mange gange før. Da hun reagerede med at presse sig op mod ham, mærkede han hendes bryster gennem skjorten og knappede den op igen.

Efter en sen frokost på restaurant Källaren parkerede Patrik foran den lave, hvide bygning, der aldrig ville vinde nogen arkitektpris, og trådte ind i receptionen på Tanumshede Politistation.

"Du har en gæst," sagde Annika og kiggede på ham hen over brillerne.

"Hvem?"

"Det ved jeg ikke, men hun ser godt ud. Måske lige en anelse for kraftig, men jeg tror, hun vil falde i din smag."

"Hvad fabler du om?" spurgte Patrik forvirret og undrede sig over, hvorfor Annika var begyndt at bedrive kobleriuvirksomhed for lykkeligt gifte kolleger.

"Ja, du kan jo gå ind og se. Hun sidder inde hos dig," sagde Annika og blinkede til ham.

Patrik gik hen til sit kontor og standsede op i døren.

"Hej, skat, hvad laver du her?"

Erica sad i gæstestolen foran hans skrivebord og bladrede åndsfraværende i politifunktionærernes fagblad.

"Du kommer sent," sagde hun uden at svare på spørgsmålet. "Er det sådan her, ordensmagtens hektiske arbejdsdage ser ud?"

Patrik nøjedes med en fnysen. Han vidste, Erica elskede at drille.

"Nå, men hvad bestiller du her?" gentog han og tog plads i kontorstolen, lænede sig frem og kiggede på sin kone. Endnu en gang slog det ham, hvor smuk hun var. Han mindedes første gang, hun besøgte ham på stationen i forbindelse med mordet på hendes veninde Alexandra Wijkner, og som han så det, var hun kun blevet smukkere siden da. Til daglig havde han det med at glemme det, når den ene dag gled over i den anden med arbejde, henten og bringen i børnehaven, indkøb og trætte aftener i sofaen foran fjernsynet. Men af og til slog det ham med fuld styrke, hvor langt fra hverdagsagtig hans kærlighed til hende var. Og som hun sad her nu foran ham på kontoret med vintersolen, der skinnede ind ad vinduet og fremhævede hendes lyse hår, og med deres to babyer i maven, var følelsen så stærk, at han vidste, at disse øjeblikke ville glimte hele livet.

Det gik op for Patrik, at han ikke havde hørt, hvad Erica svarede, og han bad hende gentage det.

"Jeg sagde, at jeg har været henne og tale med Christian nu til formiddag."

"Hvordan har han det?"

"Han så ud til at have det nogenlunde, om end noget klatøjet. Men ..." Hun bed sig i læben.

"Men hvad? Havde han ikke bare fået lidt for meget at drikke og var nervøs?"

"Jo, men det er vist ikke hele sandheden." Erica tog forsigtigt en plasticpose op af håndtasken og rakte den til Patrik.

"Det lille kort fik han i går sammen med en buket blomster, og brevet er ét af seks stykker, han har modtaget inden for det sidste halvandet år."

Patrik sendte sin kone et langt blik og begyndte at åbne posen.

"Jeg tror, det er bedst, du prøver at læse dem uden at tage dem ud af posen. Christian og jeg har allerede rørt ved dem, og der er jo ingen grund til at afsætte flere fingeraftryk."

Hun modtog endnu et blik, men han gjorde, som hun sagde, og læste forsigtigt teksten på kortet og i brevet gennem plasticen.

"Hvordan vil du tolke det?" Erica rykkede sig lidt frem på sædet, men måtte i al hast flytte vægten igen, da stolen truede med at vippe.

"Tja, det kunne lyde som trusler, selvom de ikke er direkte."

"Ja, sådan opfatter jeg det også. Og sådan oplever Christian det helt klart, selvom han prøver at bagatellisere det hele. Han vil ikke engang vise brevene til politiet."

"Så det her …?" Patrik holdt posen op foran Erica.

"Ups, jeg kom vist til at tage dem med. Hvor dumt af mig." Hun lagde hovedet på skrå og prøvede at tage sig allermest nuttet ud, men den bed hendes mand ikke på.

"Du har altså stjålet det her fra Christian?"

"Stjålet og stjålet. Jeg lånte det bare lidt."

"Og hvad vil du have mig til at stille op med dette … lånte materiale?" spurgte Patrik, om end han udmærket vidste, hvad svaret ville være.

"Nogen truer tydeligvis Christian, og han er bange. Jeg kunne også se det på ham i dag. Han tager det yderst alvorligt. Jeg forstår ikke helt, hvorfor han ikke vil melde det til politiet, men kunne du ikke sådan lidt diskret finde ud af, om der er noget i brevet og kortet, som kan bruges?" Ericas stemme var bedende, og Patrik vidste allerede, at han måtte kapitulere. Når hun var i det her humør, var hun umulig at have med at gøre, det vidste han af dyrekøbt erfaring.

"Okay, okay," sagde han og holdt hænderne i vejret. "Du vinder. Jeg skal se, om det er muligt at finde noget, men det står ikke øverst på prioriteringslisten."

Erica smilede. "Tak, skat."

"Og smut så hjem med dig og hvil dig lidt," sagde Patrik og kunne ikke lade være med at læne sig frem og kysse hende.

Da hun var gået, begyndte han at pille planløst ved posen med de truende ord. Hans hjerne føltes sløv og tung, men et eller andet begyndte alligevel at røre på sig. Christian og Magnus var venner. Kunne det …? Han skubbede omgående tanken fra sig, men den vendte stædigt tilbage, og han kiggede på fotoet, der var sat op på væggen foran ham. Kunne der være en sammenhæng?

Bertil Mellberg skubbede barnevognen foran sig. Leo var som altid glad og fornøjet og frembragte fra tid til anden et smil, der viste hans to tænder i undermunden. Ernst havde måttet blive henne på stationen i dag, skønt den ellers plejede at holde sig tæt op ad barnevognen og sørge for, at intet truede det nye midtpunkt i dens verden. Det var han helt afgjort i Mellbergs.

Mellberg havde aldrig troet, at man kunne føle sådan for nogen. Lige siden han var med til fødslen og som den første holdt ham i sine arme, havde Leo holdt hans hjerte i et jerngreb. Ja, Leos mormor havde skam også en høj stjerne, men øverst på listen over de vigtigste mennesker i Mellbergs verden stod denne lille krabat.

Modstræbende begav Mellberg sig tilbage mod stationen. Paula skulle egentlig have passet Leo i frokostpausen, mens hendes samlever Johanna ordnede nogle ærinder, men da Paula blev nødt til at tage hjem til en kvinde, hvis eksmand var på vej for at "banke hende sønder og sammen", havde Mellberg hurtigt meldt sig som frivillig til at gå en tur med knægten. Nu var tiden ved at være inde til at levere ham tilbage. Mellberg var dybt misundelig på Paula, der snart skulle have forældreorlov, og selv ville han ikke have noget imod at trappe lidt ned for at få tid til at være mere sammen med Leo. Det var måske en god idé, for resten; som en god chef og leder burde han give sine underordnede en chance for at udvikle sig. Desuden havde Leo brug for et stærkt mandligt forbillede allerede fra starten. Med to mødre og ingen far i sigte burde de faktisk tænke på drengens tarv og sørge for, at han fik chancen for at tage ved lære af et ordentligt mandfolk. Eksempelvis en som ham.

Mellberg skubbede den tunge dør ind til stationen op med hoften og trak barnevognen med ind efter sig. Annika lyste op, da hun fik øje på dem, og Mellberg svulmede af stolthed.

"Nå, man har nok været ude at spadsere," sagde Annika og rejste sig for at hjælpe Mellberg med vognen.

"Ja, pigerne havde brug for en hjælpende hånd," svarede Mellberg og begyndte varsomt at tage overtøjet af drengen. Annika betragtede ham fornøjet. Miraklernes tid var ikke forbi.

"Kom her, lille skat, så ser vi, om mor er her," pludrede Mellberg og tog Leo op.

"Paula er ikke kommet tilbage endnu," sagde Annika og tog atter plads ved sit skrivebord.

"Jamen sikken skam. Så må du jo trækkes med din gamle morfar lidt længere," sagde Mellberg tilfreds og gik hen mod køkkenet med Leo på armen. Det havde været pigernes forslag, da han flyttede hjem til Rita for et par måneder siden. At han skulle kaldes morfar Bertil. Og nu benyttede han enhver lejlighed til at bruge ordet, vænne sig til det og glæde sig over det. Morfar Bertil.

Ludvig fyldte år, og Cia prøvede at lade, som om det var en helt almindelig fødselsdag. Tretten år. Så lang tid var der gået, siden hun lå på fødeafdelingen og lo ad den næsten komiske lighed mellem far og søn. En lighed, der ikke var mindsket med årene, men snarere forstærket. Nu betød den, at hun, når hun var allerlængst nede, knap nok kunne få sig selv til at se på Ludvig. Se på kombinationen af brune øjne med et stænk af grønt og blondt hår, der allerede tidligt på sommeren blev så lyst, at det næsten virkede hvidt. Ludvig havde også samme kropsbygning, samme bevægelser som Magnus. Høj, ranglet og med arme, der føltes som hans, når han lagde dem om hende. De havde sågar samme slags hænder.

Med rystende hånd forsøgte Cia at skrive Ludvigs navn på lagkagen. Det var endnu en ting, de havde tilfælles. Magnus havde kunnet sætte en hel lagkage til livs, og uretfærdigt nok uden at det satte sig på sidebenene. Selv behøvede hun bare at *kigge* på en kanelsnegl for at tage et halvt kilo på. Nu var det anderledes, hun var blevet tyndere, end hun havde drømt om, efter Magnus' forsvinden var kiloene raslet af hende. Hver en bid mad voksede i munden på hende, og den store klump, hun havde i maven, fra hun vågnede, til hun gik i seng og faldt i en urolig søvn, medførte tilsyneladende, at der kun var plads til bittesmå portioner. Alligevel interesserede hun sig ikke det fjerneste for, hvordan hun så ud, ja, hun så sig knap nok i spejlet. Hvilken rolle spillede det, når Magnus ikke var der?

Sommetider ville hun ønske, at han var død for øjnene af hende. Havde fået et hjerteanfald eller var blevet kørt ned af en bil. Hvad som helst, bare hun havde haft vished og kunne beskæftige sig med begravelse, boopgørelse og alt det praktiske, der fulgte med, når nogen døde. I så fald kunne sorgen måske være begyndt at brænde og svie for siden hen langsomt at klinge af og efterlade en murrende følelse af savn iblandet smukke minder.

Nu havde hun ingenting. Alting var som ét stort tomrum. Han var væk, og der var intet at hænge sorgen op på og ingen måde at komme videre på. Hun kunne ikke engang gå på arbejde længere, vidste ikke, hvor længe hun ville være sygemeldt.

Hun kiggede ned på lagkagen. Hun havde kludret fuldstændigt med glasuren. Det var umuligt at udskille nogen bogstaver i de uregelmæssige klumper oven på marcipanen, det sugede de sidste kræfter ud af hende. Hun sank sammen med ryggen mod køleskabet, gråden kom indefra og overaltfra og ville ud.

"Du må ikke græde, mor." Cia mærkede en hånd på sin skulder. Det var Magnus' hånd. Nej, det var Ludvigs. Cia rystede på hovedet. Virkeligheden var ved at glide hende af hænde, og hun ønskede at slippe taget i den og forsvinde ind i det mørke, som hun vidste ventede. Et dejligt, varmt mørke, der ville omslutte hende for evigt, hvis hun tillod det. Men gennem tårerne så hun de brune øjne og det lyse hår, og hun vidste, at hun ikke kunne give efter.

"Lagkagen," hulkede hun og forsøgte at rejse sig. Ludvig støttede hende, hjalp hende på benene og tog derefter varsomt sprøjten med glasur ud af hånden på hende.

"Jeg skal nok ordne det, mor. Læg dig nu og hvil dig lidt, så klarer jeg lagkagen."

Han strøg hende over kinden; tretten år, men ikke længere et barn. Han var sin far nu, han var Magnus, hendes klippe. Hun vidste, at hun ikke burde lade ham være det, at han stadig var for lille, men hun magtede ikke andet end taknemmeligt at bytte roller med ham.

Hun tørrede øjnene i bluseærmet. Ludvig fandt en kniv frem og skrabede forsigtigt de klistrede klumper af fødselsdagskagen. Det sidste, Cia så, før hun gik ud af køkkenet, var hendes søn, der koncentreret prøvede at forme det første bogstav i sit navn. L som i Ludvig.

"Du er min smukke dreng, ved du det?" sagde mor og redte forsigtigt hans hår.

Han nøjedes med at nikke. Ja, det vidste han. Han var mors smukke dreng. Det havde hun fortalt ham igen og igen, siden han fik lov at tage med dem hjem, og han blev aldrig træt af at høre det. Sommetider tænkte han på det, der var engang. På mørket og ensomheden. Men han behøvede blot at kigge et øjeblik på den skønne åbenbaring, der nu var hans mor, så forsvandt det, trak sig tilbage og opløste sig. Som havde det aldrig eksisteret.

Han havde lige været i bad, og mor havde svøbt ham ind i den grønne badekåbe med gule blomster.

"Vil min lille skat have en is?"

"Du forkæler ham." Fars stemme henne fra døren.

"Hvad galt er der i at forkæle ham?" sagde mor.

Han krøb sammen dybt inde i frottébadekåben og trak hætten op for at gemme sig fra ordenes hårde tone, der blev kastet tilbage fra fliserne. Gemme sig fra mørket, der kom op til overfladen igen.

"Jeg siger bare, at du ikke gør ham nogen tjeneste ved at forkæle ham."

"Mener du dermed, at jeg ikke ved, hvordan vores søn skal opdrages?" Mors øjne blev sorte og bundløse. Hun ville tilintetgøre far med sit blik. Og som altid så hendes raseri ud til at få det vrede i far til at smelte bort. Når hun rejste sig og gik hen mod ham, krympede han. Faldt sammen og blev lille. En lille, grå far.

"Du ved sikkert bedst," mumlede han og gik sin vej med sænket blik. Derefter fulgte lyden af sko, der blev taget på, og hoveddøren lukkede forsigtigt. Far skulle ud at gå tur igen.

"Vi tager os ikke af ham," hviskede mor med munden mod hans øre, skjult under den grønne frotté. "Det er dig og mig, der elsker hinanden. Bare dig og mig."

Han trykkede sig ind til hendes bryst som et lille dyr og lod sig trøste.

"Bare dig og mig," hviskede han.

"**N**EJ! VIL IKKE!" Maja demonstrerede en stor del af sit begrænsede ordforråd, da Patrik fredag morgen gjorde et desperat forsøg på at aflevere hende til pædagogen Ewa henne i børnehaven. Datteren klamrede sig hylende til hans bukseben, og til sidst måtte han vriste hendes fingre løs én for én. Det skar i hjertet, da hun blev båret væk med armene rakt frem mod ham, hendes grådkvalte "Far!" rungede i hans hoved, da han gik hen til bilen. Bagefter blev han siddende i lang tid med bilnøglerne i hånden og stirrede ud af frontruden. Sådan her havde det været i to måneder, og det var sandsynligvis endnu en af Majas måder at reagere på Ericas graviditet.

Det var ham, der måtte tage slagsmålet hver morgen, og han havde selv tilbudt det. Det var alt for belastende for Erica at klæde Maja af og på, og at bukke sig ned og snøre hendes sko kunne slet ikke komme på tale. Der var altså intet alternativ, men det var hårdt, og det begyndte længe før, de overhovedet nåede hen i børnehaven. Allerede når han skulle give hende tøj på, hang Maja på ham og gjorde sig ud til bens, og han måtte med skam erkende, at han indimellem blev så frustreret, at han tog hårdt fat i hende, og hun skreg i vilden sky. Bagefter følte han sig som verdens dårligste forælder.

Han strøg sig træt over øjnene, tog en dyb indånding og startede bilen, men i stedet for at sætte kurs mod Tanumshede fik han den indskydelse at dreje af mod villakvarteret bag Kullenområdet. Han parkerede uden for familien Kjellners hus og gik tøvende hen til døren. Egentlig burde han have varslet sin ankomst, men nu var han her jo, så … Han løftede hånden og bankede hårdt med knoen på den hvide trædør. Der hang stadig en juledekoration, som ingen havde tænkt på at fjerne.

Der var ingen lyde at høre inde fra huset, og Patrik bankede en gang til. Måske var der ikke nogen hjemme. Men så hørte han skridt, og Cia åbnede døren. Hun stivnede ved synet af ham, og han skyndte sig at ryste på hovedet.

"Nej, jeg kommer ikke i den anledning," sagde han, og begge vidste, hvad han mente. Hendes skuldre slappede af, og hun trådte til side for at lukke ham ind.

Patrik tog skoene af og hængte jakken på en af de få knager, der ikke allerede var fyldt med børnenes overtøj.

"Jeg fik lyst til at kigge forbi og sludre lidt," sagde han og følte sig med ét usikker på, hvordan han skulle fremlægge det, som jo bare var løse betragtninger.

Cia nikkede og gik ud i køkkenet, der lå til højre for entreen, og Patrik fulgte efter. Han havde været der et par gange før. I dagene efter Magnus' forsvinden havde de siddet her ved fyrretræsbordet og gennemgået alting om og om igen. Han havde stillet spørgsmål om den slags, der burde forblive privat, men som ophørte med at være det i samme øjeblik, Magnus Kjellner gik ud ad hoveddøren for ikke siden at vende tilbage.

Hjemmet lignede sig selv. Hyggeligt og almindeligt, en anelse rodet med spor af sløsede teenagere. Men sidst de sad her sammen, havde der stadig været en gnist af håb. Nu lå modløsheden der som et låg. Også over Cia.

"Jeg har lidt lagkage tilbage. Ludvig havde fødselsdag i går," sagde Cia sløvt, rejste sig og tog en kvart lagkage ud af køleskabet. Patrik prøvede at protestere, men Cia var allerede begyndt at sætte tallerkener og skeer frem.

"Hvor gammel blev han?" Patrik skar så lille et stykke af lagkagen, som han kunne være bekendt.

"Tretten," svarede Cia og smilede næsten umærkeligt og tog et lillebitte stykke. Patrik ville ønske, han kunne tvinge hende til at spise noget mere, så mager som hun var blevet de sidste måneder.

"Skøn alder. Eller måske ikke," sagde Patrik og kunne selv høre, hvor anstrengt han lød. Flødeskummet voksede i munden på ham.

"Han ligner sin far utrolig meget," sagde Cia, og hendes ske klirrede mod tallerkenen. Hun lagde den fra sig og kiggede på Patrik. "Hvad vil du?"

Han rømmede sig. "Jeg er måske helt galt afmarcheret, men jeg ved jo, at du vil have os til at gøre alt, hvad vi kan, og du må undskylde, hvis …"

"Kom nu bare med det," afbrød Cia ham.

"Jo, altså, der er noget, jeg har tænkt på. Magnus så Christian Thydell. Hvor godt kendte de hinanden?"

Cia kiggede undrende på ham, men stillede ingen modspørgsmål og så ud til at tænke efter.

"Det ved jeg faktisk ikke. Jeg tror, de lærte hinanden at kende kort tid efter, at Christian flyttede hertil sammen med Sanna. Hun kommer jo her fra Fjällbacka. Det er vist omkring syv år siden. Ja, det stemmer, for Sanna blev gravid med Melker ikke så længe efter, og han er fem år nu. Jeg husker, vi tænkte, at det gik pænt stærkt."

"Mødtes de gennem dig og Sanna?"

"Nej, Sanna er ti år yngre end mig, så vi havde ikke tidligere set noget til hinanden. Sandt at sige kan jeg ikke rigtigt huske, hvordan det gik til. Jeg husker bare, at Magnus foreslog, at vi inviterede dem hjem på middag, og derefter sås vi en hel del. Sanna og jeg har ikke så meget tilfælles, men hun er en sød pige, og både Elin og Ludvig har det rigtig sjovt med at lege med de to smådrenge. Jeg synes helt afgjort bedre om Christian end om Magnus' andre venner."

"Hvem tænker du på?"

"Magnus' gamle barndomskammerater Erik Lind og Kenneth Bengtsson. Jeg så først og fremmest dem og deres ægtefæller for Magnus' skyld. De er nogle helt andre typer."

"Og Magnus og Christian? Hvor nær stod de hinanden?"

Cia smilede. "Christian har vist ikke nogen nære venner. Han kan virke en smule tungsindig og er ikke lige sådan at komme ind på livet af. Men sammen med Magnus var han helt anderledes. Min mand havde den virkning på folk. Alle kunne lide ham. Han fik folk til at slappe af." Hun sank en klump, og det gik op for Patrik, at hun havde omtalt sin mand, som om han ikke længere eksisterede.

"Hvorfor spørger du for resten om Christian? Der er vel ikke sket ham noget?" tilføjede Cia bekymret.

"Nej da, ikke noget alvorligt."

"Jeg har jo hørt, hvad der skete til hans launchparty. Jeg var også inviteret, men det ville have føltes underligt at tage derhen uden Magnus. Christian tog mig det forhåbentlig ikke ilde op, at jeg blev væk."

"Det kan jeg ikke tro," sagde Patrik. "Det ser derimod ud til, at nogen har sendt ham trusselsbreve gennem mere end et år. Jeg er måske helt ude på gyngende grund her, men jeg ville alligevel høre, om Magnus også har modtaget den slags. De kendte jo hinanden, så der kunne muligvis være en eller anden forbindelse."

"Trusselsbreve?" sagde Cia. "Tror du ikke, jeg ville have fortalt det i så fald? Hvorfor skulle jeg tilbageholde oplysninger, der kunne hjælpe jer med at opklare, hvad der er sket med Magnus?" Hendes stemme steg og blev skinger.

"Jeg er helt overbevist om, at du ville have fortalt det, hvis du havde vidst noget," skyndte Patrik sig at indskyde, "men kunne det ikke tænkes, at Magnus undlod at sige noget om det for ikke at gøre dig urolig?"

"Jamen hvordan skulle jeg i så fald vide noget om det?"

"Det er min erfaring, at hustruer fornemmer det meste, uden at man nødvendigvis behøver at fortælle noget. Det gør min egen kone i hvert fald."

Cia smilede igen. "Ja, det kan du såmænd have ret i, og jeg ville nok have vidst det, hvis noget plagede Magnus. Men han var sit sædvanlige ubekymrede jeg. Han var verdens mest stabile og pålidelige menneske, næsten altid glad og positiv. Nogle gange har det drevet mig til vanvid, og jeg har tilmed prøvet at fremprovokere en reaktion fra ham, hvis jeg selv har været sur og irriteret, men det er aldrig lykkedes mig. Magnus var, som han var. Hvis noget havde bekymret ham, ville han helt klart have indviet mig i det, og hvis han mod forventning ikke gjorde det, ville jeg alligevel have mærket det. Han vidste alt om mig, og jeg vidste alt om ham. Vi vidste alt om hinanden." Hun lød bestemt, og Patrik var klar over, at hun mente hvert et ord. Ikke desto mindre tvivlede han. Man kan aldrig vide alt om et andet menneske. Ikke engang den, man lever sammen med og elsker.

Han så på hende. "Du må tilgive mig, hvis jeg går for vidt, men kunne jeg få lov til at se mig lidt omkring i huset? For at danne mig et tydeligere indtryk af, hvem Magnus var?" Selvom de allerede havde omtalt Magnus, som om han ikke længere var i live, fortrød Patrik omgående sin formulering.

Men Cia gjorde ingen indvendinger. I stedet pegede hun på døren og sagde:

"Du kan kigge, så meget du vil. Jeg mener det. Gør, hvad I vil, spørg om alt det, I har lyst til, bare I finder ham," sagde hun og tørrede aggressivt en tåre væk med bagsiden af hånden.

Patrik fornemmede, at hun ville være alene, og benyttede anledningen til at rejse sig. Han begyndte med at gå ind i dagligstuen, der lignede tusinder af andre svenske stuer: en stor, mørkeblå Ikea-sofa, et reolsystem med indbygget belysning, et fladskærms-tv på en stereobænk i samme lyse træsort som sofabordet. Små nipsting og rejsesouvenirs, billeder af børnene på væggene. Patrik gik hen til et stort, indrammet bryllupsfoto over sofaen. Det var ikke noget traditionelt atelierportræt. Magnus, der var iført kjole og hvidt, lå på siden i græsset med hovedet hvilende i hånden. Cia stod bag ved ham iført en brudekjole med masser af flæser. Hun smilede over hele hovedet og havde foden solidt plantet på Magnus.

"Vores forældre var ved at dø af forfærdelse, da de så billedet," lød Cias stemme bagved, og Patrik vendte sig om.

"Ja, det er lidt … særpræget." Patrik kiggede på det igen. Han havde ganske vist truffet Magnus et par gange, efter at han flyttede til Fjällbacka, men aldrig udvekslet mere end de sædvanlige høfligheder. Da han nu betragtede det åbne, glade ansigt, følte han spontant, at han ville have syntes om ham.

"Må jeg godt gå ovenpå?" spurgte Patrik. Cia nikkede, mens hun lænede sig op ad dørkarmen.

Langs trappen hang fotografier, og Patrik standsede for at studere dem. De vidnede om et liv med fokus på familien. Det fremgik også tydeligt, at Magnus Kjellner havde været overmåde stolt af sine børn. Særlig ét billede fik det til at krympe sig i maven på Patrik. Et feriebillede. Magnus stod smilende mellem Elin og Ludvig med en arm om hver. Blikket var så strålende lykkeligt, at Patrik næsten ikke kunne bære at se på det. Han vendte sig bort og tog de sidste trin op til første sal.

De to første rum var børneværelserne. Ludvigs var overraskende ryddeligt. Der lå ikke tøj og flød på gulvet, sengen var redt, og på skrivebordet var alting ordnet i nydelige rækker. Drengen var tydeligvis meget sportsinteresseret. En svensk landsholdstrøje med Zlatans autograf havde fået en hædersplads over sengen, men herudover var væggene domineret af billeder af IFK Göteborg.

"Ludvig og Magnus overværede så mange af deres kampe, de havde mulighed for."

Det gav et sæt i Patrik. Cias stemme kom endnu en gang bag på ham. Hun måtte have en evne til at bevæge sig helt lydløst, for han havde ikke hørt hende komme op ad trappen.

"Sikken ordenssans."

"Ja, fuldstændigt som sin far. Det har mest været Magnus, der ryddede op og gjorde rent herhjemme. Jeg er husets rodehoved, og hvis du kigger ind i det næste værelse, vil du se, hvem af ungerne der slægter mig på."

Patrik åbnede den næste dør på trods af advarselsskiltet, der med store bogstaver forkyndte: BANK PÅ, FØR DU GÅR IND!

"Wow." Patrik trådte et skridt tilbage.

"Ja, *wow* er vist det rette ord," sukkede Cia og foldede armene over brystet som for at forhindre sig selv i at begynde rydde op i kaosset. For Elins værelse var i sandhed ubeskriveligt rodet. Og lyserødt.

"Jeg troede, hun ville vokse ud af sin lyserøde fase på et tidspunkt, men det er snarere blevet værre og har udviklet sig fra blegrosa til shocking pink."

Patrik glippede med øjnene. Ville Majas værelse mon komme til at se sådan ud om nogle år? Og sæt, tvillingerne var piger? Han ville drukne i lyserødt.

"Jeg har givet op og bedt hende holde døren lukket, så jeg slipper for at se på det kaos. Jeg nøjes med at foretage et lugttjek en gang imellem, så her ikke begynder at stinke af lig." Hun for sammen ved sit eget ordvalg, men fortsatte straks: "Magnus kunne ikke engang klare *tanken* om rodet, men jeg overtalte ham til at lade hende være. Jeg var ligesådan selv, så jeg ved, at det bare vil føre til en masse gråd og tænders gnidsel. Selv fik jeg mere styr på sagerne, da jeg fik min egen lejlighed, og det samme sker sikkert for Elin." Hun lukkede døren igen og pegede på værelset længst væk.

"Det er vores soveværelse. Jeg har ikke rørt nogen af Magnus' ting."

Det første, der slog Patrik, var, at de havde samme slags sengetøj som han og Erica. Blåt- og hvidternet, købt i Ikea. Af en eller anden grund gjorde det ham ilde til mode. Fik ham til at føle sig sårbar.

"Magnus sov ved vinduet."

Patrik gik hen til hans side af sengen. Han ville have foretrukket at se sig om i fred og ro. Det føltes, som om han snagede i noget, der ikke kom ham ved, og den følelse blev forstærket af, at Cia stod og iagttog ham. Han havde ingen anelse om, hvad han ledte efter. Han følte bare, at han havde brug for at komme tættere ind på livet af Magnus Kjellner, få ham til at blive et menneske af kød og blod og ikke bare et fotografi på kontorets vægge henne på stationen. Cias blik blev ved med at prikke i ryggen, og til sidst vendte han sig om mod hende.

"Ikke for noget, men kunne jeg få lov til at se mig lidt om alene?" Han håbede inderligt, at hun ville være forstående.

"Jamen selvfølgelig, undskyld," sagde hun og smilede forlegent. "Jeg kan godt se, at det må være irriterende at have mig hængende over skulderen. Jeg går ned og ordner nogle ting, så du kan husere frit."

"Tak," sagde Patrik og satte sig på kanten af sengen. Han begyndte med at kigge på natbordet. Briller, manuskriptet på *Havfruen*, et tomt vandglas og et glas hovedpinepiller, andet var der ikke. Han trak skuffen ud og undersøgte forsigtigt indholdet. Ikke noget, der vakte hans interesse. Carin Gerhardsens *Pandekagehuset* i paperback, en æske med ørepropper og en pose halspastiller.

Patrik rejste sig og gik hen til klædeskabet, der dækkede hele den ene endevæg. Han lo sagte, da han trak skydedørene til side og fik endnu en tydelig illustration af det, Cia havde sagt om deres forskellige ordenstærskel. Den halvdel af klædeskabet, der var nærmest vinduet, var et studie i organisering. Alt var nydeligt lagt sammen og sorteret i trådkurve: sokker, underbukser, slips og halstørklæder. Oven over hang der nystrøgne skjorter og jakker sammen med polotrøjer og T-shirts. T-shirts på bøjler – hvilken svimlende tanke. Selv plejede Patrik at proppe dem ned i en kommodeskuffe for siden hen, når han skulle bruge en af dem, at bande over, at de var krøllede.

Så lignede Cias halvdel mere hans eget system. Alting var blandet sammen hulter til bulter, som om nogen havde åbnet dørene og kylet tingene derind for derpå hurtigt at lukke efter sig igen.

Han skubbede skydedørene på plads og betragtede sengen. Der var noget hjerteskærende sørgeligt ved en seng, hvor kun den ene side var redt, og han spekulerede på, om man nogensinde ville kunne vænne sig til at sove alene i en dobbeltseng. Den blotte tanke om at sove uden Erica forekom umulig.

Da han vendte tilbage til køkkenet, var Cia ved at rydde af bordet. Hun kiggede spørgende på ham, og han sagde venligt:

"Tak, fordi jeg fik lov til at se mig om. Jeg ved ikke, om det får nogen betydning, men nu føler jeg, at jeg ved lidt mere om Magnus, og hvem han var ... er."

"Det betyder noget for mig."

Han sagde farvel og gik ud ad gadedøren, blev stående på trappen og betragtede den visne juledekoration. Efter en kort tøven tog han den ned. Et ordensmenneske som Magnus ville ikke have ladet den blive hængende.

Begge børn hylede i vilden sky, og lyden rungede mellem væggene i køkkenet, så han troede, hans hoved skulle sprænges. Han havde ikke sovet ordentligt i flere nætter. Tankerne kværnede og kværnede, som om hver enkelt tanke skulle bearbejdes grundigt, før han kunne gå videre til den næste.

Han havde endog overvejet at gå ned i bådeskuret og sætte sig til at skrive, men nattestilheden og mørket udenfor ville blot give spøgelserne frit spillerum, og han var ude af stand til at overdøve dem med sine ord. Så han blev liggende og stirrede op i loftet, mens håbløsheden trængte sig på fra alle kanter.

"Nu styrer I jer!" Sanna skilte drengene, der sloges hidsigt om en pakke kakaopulver, som ved et uheld var blevet anbragt lidt for tæt på dem. Hun vendte sig om mod Christian, der sad og kiggede tomt ud i luften med urørt mad og en kop kaffe foran sig på bordet.

"Det ville være skønt med lidt hjælp her!"

"Jeg har sovet dårligt," svarede han og tog en slurk af den kolde kaffe. Rejste sig og hældte den ud i vasken, hvorpå han skænkede noget nyt op og kom lidt mælk i.

"Jeg har fuld forståelse for, at du har meget at slås med lige nu, og du ved, at jeg har støttet dig i al den tid, du arbejdede med bogen, men der er også grænser for mine kræfter." Sanna vristede en ske ud af hånden på Nils, netop som han skulle til at knalde den i panden på sin storebror, og smed den larmende ned i vasken. Hun snappede efter vejret, samlede kræfter, før hun kunne slippe alt det løs, der havde hobet sig op indvendig. Christian ville ønske, han kunne trykke på pauseknappen og få hende til at vente. Han orkede det ikke.

"Jeg har ikke sagt en lyd, når du er gået direkte fra arbejde og hen i bådehuset og har siddet og skrevet dernede hele aftenen. Jeg har hentet børnene i børnehaven, lavet aftensmad, sørget for, at de fik noget at spise, ryddet op, børstet deres tænder, læst godnathistorie, lagt dem i seng. Alt det har jeg gjort uden at kny, mens du har kunnet hengive dig til din skide *skabertrang*!"

Det sidste dryppede af en sarkasme, han ikke tidligere havde hørt hos hende, og han lukkede øjnene og forsøgte at lukke ordene ude, der strømmede imod ham. Men hun fortsatte ubønhørligt.

"Og jeg synes, det er superfedt, at det går godt. At du har fået bogen udgivet, og at du åbenbart er et nyt stjerneskud. Jeg synes, det er alle tiders, og jeg under dig hvert et minut, men hvad med mig? Hvor kommer jeg ind i billedet? Der er ingen, som roser mig, ingen kigger på mig og siger: 'Hold da kæft, hvor er du dygtig, Sanna. Christian må sandelig prise sig lykkelig over, at han har dig.' Ikke engang *du* siger det. Du tager det bare for givet, at jeg knokler som en gal herhjemme med børn og husarbejde, mens du gør det, *du er nødt til.*" Hun lavede citationstegn i luften. "Og selvfølgelig gør jeg det. Jeg skal gerne trække læsset. Du ved jo, at jeg elsker at være sammen med børnene, men det gør det ikke mindre krævende. Og som et minimum kunne du jo takke mig! Er det så helvedes meget forlangt?"

"Sanna, ikke mens børnene hører på …" sagde Christian, men indså, at han havde trykket på den helt forkerte knap.

"Nå nej, du har jo altid et påskud til ikke at snakke med mig, ikke tage mig alvorligt! Enten er du for træt, eller så har du ikke tid, fordi du skal skrive på den der bog, eller også vil du ikke diskutere for øjnene af børnene, eller …"

Drengene var helt stille, kiggede med forskræmte øjne på ham og Sanna, og Christian mærkede, hvordan trætheden langsomt blev afløst af raseri. Det her var noget, han hadede ved Sanna, og som de havde diskuteret masser af gange. At hun ikke holdt sig tilbage fra at blande børnene ind i deres konflikter. Han vidste, at hun ville forsøge at gøre drengene til sine allierede i den magtkamp, der var blevet stadigt mere udtalt mellem dem. Men hvad kunne han gøre? Han var klar over, at alle deres uoverensstemmelser skyldtes, at han ikke elskede hende og aldrig havde gjort det. Og at hun vidste det, selvom hun ikke ville indrømme det over for sig selv. Han havde oven i købet valgt hende af samme grund: fordi hun var en, han ikke ville komme til at elske. Ikke på samme måde som …

Han hamrede sin knyttede hånd ned i bordkanten, og både Sanna og børnene gav et spjæt ved den uventede bevægelse. Det gjorde vildt ondt i hånden, hvad der var lige nøjagtigt det, han havde ønsket. Smerten fortrængte alt det, som han ikke kunne tillade sig at tænke på, og han mærkede, at han var ved at genvinde fatningen.

"Vi tager den diskussion en anden gang," sagde han kort for hovedet og undgik at se Sanna i øjnene. Han mærkede hendes blik i ryggen, da han gik ud i entreen, tog jakke og sko på og gik ud. Det sidste, han hørte, før døren smækkede, var Sanna, der sagde til børnene, at deres far var en idiot.

Det var kedsomheden, der var det værste. At få tiden til at gå, når pigerne var i skole, med noget, der føltes bare en smule meningsfuldt. Det var ikke sådan, at hun ikke havde noget at lave; man kunne ikke ligge på den lade side, hvis Eriks tilværelse skulle glide problemløst. Rene og nystrøgne skjorter på bøjlerne, der skulle planlægges og afholdes forretningsmiddage, og hjemmet skulle stråle. De havde godt nok en hushjælp, der kom en gang om ugen, "sort", men der var alligevel altid en masse at holde styr på. Millioner af små ting, der skulle fungere og være til rådighed, uden at Erik behøvede mærke, at der lå den mindste anstrengelse bag. Problemet var bare, at det var så fandens kedeligt. Hun havde elsket at være hjemmegående, da pigerne var små. Elsket alle syslerne med små børn, ja, endda bleskiftene, som Erik aldrig havde brugt så meget som et sekund på. Men det havde ikke gået hende på, hun havde følt, at der var brug for hende. Det var meningsfuldt. Hun havde været midtpunktet i deres verden, den, der stod op før dem om morgenen og fik solen til at skinne.

Nu var de tider forbi for længe siden. Pigerne gik i skole. De havde deres kammerater og fritidsbeskæftigelser og opfattede hende efterhånden mest som en slags serviceordning. Nøjagtig som Erik gjorde. Til sin sorg så hun desuden, at de begge begyndte at blive temmelig utålelige. Erik kompenserede for sit manglende engagement i døtrenes hverdag ved at forære dem alt, hvad de pegede på, og hans foragt for hende havde smittet af på dem.

Louise lod hånden glide hen over køkkenbordet. Italiensk marmor, specialimporteret. Erik havde egenhændigt valgt det på en af sine forretningsrejser. Hun brød sig ikke om det, det var for koldt og for hårdt. Hvis hun havde kunnet vælge, var det blevet noget i træ, måske mørk eg. Hun åbnede en af de blanke, glatte skabslåger. Til sin bordplade i mørk eg ville hun have valgt hvide skabslåger i almuestil, og de skulle have malet dem, så penselstrøgene var synlige og gav liv til overfladen.

Hun rundede hånden omkring et af de store vinglas. En bryllupsgave fra Eriks forældre og håndblæste, naturligvis. Allerede under bryllupsmiddagen havde hun fået en lang forelæsning af Eriks mor om det lille, men eksklusive glasværk i Danmark, hvor de havde fået specialfremstillet de dyre glas.

Et eller andet inden i hende spjættede, og hånden åbnede sig som af egen vilje. Glasset splintrede i tusind stykker mod det sorte granitgulv. Som naturligvis også var fra Italien. Det var én af flere ting, som Erik åbenbart havde tilfælles med sine forældre: Det svenske var aldrig godt nok. Jo længere væk noget kom fra, desto bedre. Ja, medmindre det var fra Taiwan, selvsagt. Louise fnisede, greb et nyt glas og trådte målbevidst hen over glasskårene med sine hjemmesko i retning af kartonen med vin på køkkenbordet. Erik havde kun fnysen tilovers for hendes papvin. Efter hans mening skulle vin købes i flasker til flere hundrede kroner stykket, og han ville ikke drømme om at besudle sine smagsløg med treliters papvin til en hund eller to. Sommetider skænkede hun ham for sjov noget af sin egen vin i stedet for de fisefornemme franske eller sydafrikanske mærker, der altid afstedkom lange udredninger om deres specielle karakter. Sjovt nok syntes hendes billige sprøjt at have samme specielle karakterfuldhed; han lagde i hvert fald ikke mærke til forskellen.

Det var den slags små hævnaktioner, der hjalp hende med at udholde tilværelsen og gjorde det muligt for hende at blæse på, at han fortsatte med at vende pigerne mod hende, behandlede hende som lort og kneppede en skide damefrisør.

Louise satte glasset under aftapningshanen og fyldte det til randen, hvorpå hun skålede med sit spejlbillede i køleskabsdørens rustfri stål.

Erica kunne ikke slippe tanken om brevene. Hun vandrede frem og tilbage derhjemme, men måtte til sidst sætte sig ved bordet i køkkenet, da hun mærkede en murrende smerte i lænden. Hun greb en blok og en kuglepen på bordet og begyndte hurtigt at skrive det ned, hun huskede fra de breve, hun havde set hjemme hos Christian. Hun var god til at memorere tekster, så hun var næsten sikker på, at det var lykkedes hende at få det meste med.

Igen og igen læste hun det, hun havde nedfældet, og for hver gennemlæsning blev de korte sætninger mere og mere truende. Hvem havde grund til at nære sådan en vrede mod Christian? Erica rystede stille på hovedet. Det var for så vidt umuligt at afgøre, om brevenes afsender var en kvinde eller en mand, men der var et eller andet ved tonen, ved sætningsopbygningen og ordvalget, der gav hende følelsen af en kvindes had. Ikke en mands.

Tvivlrådigt greb hun ud efter den trådløse telefon, men trak så hånden tilbage. Det var måske dumt. Men efter at have læst ordene på notesblokken endnu en gang greb hun atter telefonen og tastede et mobilnummer, hun kunne udenad.

"Gaby." Forlagschefen svarede efter første ringetone.

"Hej, det er Erica."

"Erica!" Gabys skingre stemme steg en oktav med det resultat, at Erica måtte holde røret et stykke væk fra øret. "Hvordan går det, skat? Ingen nært forestående fødsel? Du ved vel, at tvillinger plejer at komme for tidligt!" Det lød, som om Gaby var klar til at fare ud ad døren.

"Nej, de holder sig i skindet," svarede Erica og prøvede ikke at afsløre sin irritation. Hvorfor skulle folk partout fortælle hende, at tvillinger havde det med at blive født for tidligt? Det ville hun jo lissom nok opdage selv. "Jeg ringer angående Christian."

"Ja, hvordan har han det?" spurgte Gaby. "Jeg har prøvet at ringe til ham flere gange, og hans kære kone siger bare, at han ikke er hjemme, men den køber jeg selvfølgelig ikke. Det var virkelig uhyggeligt at se ham bryde sammen på den måde. Han har sine første signeringer i morgen, og vi må melde ud snarest muligt, hvis de skal aflyses, hvad der jo vil være frygtelig ærgerligt."

"Jeg har besøgt ham, og han har det godt nok til at signere i morgen, så det skal du ikke bekymre dig om," sagde Erica og tog tilløb til at sige det, hun i virkeligheden ville tale om. Hun tog en så dyb indånding, som hendes begrænsede lungevolumen nu tillod, og fortsatte: "Der er noget, jeg godt vil spørge dig om."

"Spørg løs."

"Har forlaget modtaget noget, der vedrører Christian?"

"Hvad tænker du på?"

"Nja, jeg tænker på, om I har modtaget breve eller mails om eller til Christian? Der virker truende?"

"Trusselsbreve?"

Erica begyndte mere og mere at føle sig som et barn, der sladrede om en klassekammerat, men nu var det for sent at bakke ud.

"Jo, altså, sagen er den, at Christian gennem det sidste halvandet års tid har modtaget trusselsbreve; omkring fra det tidspunkt, hvor han gik i gang med bogen. Og jeg kan se, at det går ham på, selvom han ikke rigtigt vil indrømme det. Jeg tænkte, at forlaget måske også havde modtaget noget."

"Jamen hvad er det, du siger? Nej, vi har ikke modtaget sådan noget. Står der, hvem afsenderen er? Ved Christian, hvem det er fra?" Gaby snublede over ordene, og lyden af stiletter, der klaprede hen over asfalt forstummede.

"Brevene er anonyme, og jeg tror ikke, Christian ved, hvem der har sendt dem. Men du kender ham jo, så det er ikke sikkert, han ville sige noget, hvis han overhovedet vidste det. Hvis det ikke var for Sanna, havde jeg slet ikke opdaget det. At han kollapsede under festen i onsdags, skyldtes, at det kort, der fulgte med blomsterbuketten, tilsyneladende var fra samme person, der har sendt brevene."

"Det lyder jo totalt vanvittigt! Har det noget at gøre med bogen?"

"Det samme spurgte jeg Christian om, men han hævder, at ingen kan føle sig udleveret af noget af det, han har skrevet."

"Ja, det her er virkelig ubehageligt. Du lader vel høre fra dig, hvis du finder ud af mere?"

"Jeg skal gøre mit bedste," sagde Erica. "Og vær sød ikke at fortælle Christian, at jeg har fortalt det her."

"Det bliver selvfølgelig mellem os, og jeg skal nok holde et vågent øje med den korrespondance til Christian, som bliver sendt til os. Vi kan nok forvente noget nu, hvor bogen er kommet i handlen."

"Det var ellers nogle gode anmeldelser," sagde Erica for at skifte emne.

"Ja, det er helt fantastisk!" sagde Gaby med en sådan begejstring, at Erica endnu en gang måtte holde telefonrøret ud fra øret. "Jeg har allerede hørt Christians navn blivet nævnt i samme sætning som Augustprisen. For ikke at tale om, at der allerede er ti tusind eksemplarer på vej ud i butikkerne."

"Det er bare helt utroligt," sagde Erica med hjertet svulmende af stolthed. Hun om nogen vidste, hvor hårdt Christian havde arbejdet med den bog, og det glædede hende enormt, at anstrengelserne så ud til at bære frugt.

"Ja, ikke?" kvidrede Gaby. "Nå, men skat, der er en hel masse, jeg skal ringe til, så jeg er nødt til at smutte."

Et eller andet i Gabys sidste sætning gav Erica en dårlig smag i munden. Hun burde have overvejet sagen en gang til, før hun ringede til forlaget. Hun burde have slået koldt vand i blodet. Som en bekræftelse sparkede en af tvillingerne hende hårdt i ribbenene.

Det var en underlig følelse. Lykke. Anna havde gradvis accepteret den og lært at leve med den. Men det var så længe siden, hun havde oplevet den, om overhovedet nogensinde.

"Hit med den!" Belinda kom spænende efter Lisen, Dans yngste datter, der skrigende gemte sig bag Anna. Lillesøsteren holdt krampagtigt Belindas hårbørste i hånden.

"Du må ikke låne den! Giv mig den så!"

"Anna …" Lisens stemme var bedende, men Anna halede hende frem og holdt hende fast.

"Hvis du har taget Belindas børste uden at få lov, skal du levere den tilbage."

"Der kan du selv se!" sagde Belinda.

Anna sendte hende et advarende blik.

"Og Belinda, du behøver faktisk ikke at jagte din lillesøster rundt i hele huset."

Belinda trak på skuldrene. "Hvis hun tager mine ting, er det hendes egen skyld."

"Vent bare, til lillebror kommer," sagde Lisen. "Han smadrer garanteret alle dine ting!"

"Jeg flytter snart hjemmefra, så det er dine ting, han smadrer!" svarede Belinda og rakte tunge.

"Sig mig, er du atten år eller fem?" sagde Anna, men kunne ikke lade være med at grine. "Hvorfor er I så sikre på, det bliver en dreng?"

"Fordi min mor siger, at hvis man har sådan en bred røv som dig, så bliver det en dreng."

"Schh," sagde Belinda og skulede vredt til Lisen, der ikke helt forstod, hvad problemet var. "Undskyld," tilføjede hun.

"Det er helt i orden." Anna smilede, men følte sig lidt stødt. Dans ekskone syntes altså, at hun var bredrøvet, men end ikke den slags bemærkninger – som hun sandt at sige måtte tilstå ikke var uberettigede – kunne lægge en dæmper på hendes gode humør. Hun havde været helt nede på bunden, bogstavelig talt, og det samme gjaldt børnene, men nu var Emma og Adrian to trygge og harmoniske børn på trods af alt det, de havde oplevet. Sommetider kunne hun knap nok tro, at det var sandt.

"*Nu opfører du dig vel ordentligt, når gæsterne kommer?*" *sagde mor og kiggede alvorligt på ham.*

Han nikkede. Han kunne aldrig drømme om at opføre sig så slemt, at mor ville skamme sig over ham. Han ønskede intet højere end at gøre hende tilpas, så hun ville blive ved med at elske ham.

Det ringede på døren, og mor rejste sig hurtigt. "*Nu er de her.*" *Han hørte forventningen i hendes stemme, et tonefald, der fyldte ham med uro. Nogle gange forvandlede mor sig til en anden, efter at han havde hørt denne lille klemten, der nu vibrerede mellem væggene i hendes soveværelse. Men sådan behøvede det ikke gå denne gang.*

"*Skal jeg tage din frakke?*" *Han hørte fars stemme nede i entreen og gæsternes mumlende stemmer.*

"*Gå du bare derned, så kommer jeg om lidt.*" *Mor viftede ham af med hånden, og han fornemmede et pust af hendes parfume. Hun satte sig ved toiletbordet og kontrollerede en sidste gang hår og makeup, mens hun beundrede sig selv i det store spejl. Han blev stående og betragtede hende fascineret. Hun rynkede brynene, da deres blikke mødtes i spejlet.*

"*Sagde jeg ikke, du skulle gå ned?*" *sagde hun skarpt, og et kort øjeblik mærkede han det mørke gribe fat i sig.*

Skamfuldt bøjede han hovedet og begav sig ned mod de summende stemmer i entreen. Han skulle nok opføre sig pænt. Mor behøvede ikke at skamme sig over ham.

D<small>EN KOLDE LUFT</small> sved langt ned i halsen. Han elskede den følelse. De troede han ikke var rigtig klog, når han tog sine løbeture om vinteren, men han foretrak at træne i frostvejr frem for i kvælende sommervarme. Og i weekender som nu benyttede han chancen for at løbe en ekstra runde.

Kenneth skævede til sit armbåndsur. Det havde alt, han skulle bruge for at få det meste ud af sin løbetræning. Pulsmåler, skridttæller, ja, endda de opnåede tider under de sidste løb var registreret.

Målet var det næste Stockholm Marathon. Han havde løbet det to gange før, ligesom Copenhagen Marathon. Han havde løbetrænet i tyve år, og hvis det stod til ham, måtte han godt falde død om midt i et løb om tyve-tredive år. Følelsen, når han løb, når fødderne for hen over jorden, taktfast og trommende, i et stabilt tempo, der til sidst føltes, som om det smeltede sammen med hjerteslaget, lignede ikke noget andet. Selv trætheden, den sovende fornemmelse i benene, når mælkesyren tog over, var noget, han havde lært at påskønne mere og mere for hvert år. Han følte sig i den grad levende, når han løb. Bedre kunne han ikke forklare det.

Da han nærmede sig hjemmet, satte han tempoet ned. Han joggede lidt på stedet lige foran døren og tog fat i trappegelænderet, mens han strakte lårmusklerne. Ånden pulsede hvid ud af munden på ham, og han følte sig ren og stærk efter tyve kilometer i rimeligt hurtigt tempo.

"Er det dig, Kenneth?" lød Lisbets stemme inde fra gæsteværelset, da hoveddøren smækkede bag ham.

"Ja, det er mig, skat. Jeg snupper lige et hurtigt bad, så kommer jeg."

Han skruede op for det varme vand og stillede sig ind under bruseren. Det her var det allerfedeste. Det var bare så skønt, at han næsten ikke kunne rive sig løs, og han hakkede tænder, da han trådte ud af brusekabinen. Badeværelset føltes som en iglo til sammenligning.

"Gider du hente avisen?"

"Selvfølgelig, skat." Cowboybukser, T-shirt og en sweater, så var han klar. Han stak de bare fødder i et par Crocs, som han havde købt i sommer, og løb ud til postkassen. Da han tog avisen op, fik han øje på en hvid konvolut, der havde klemt sig fast nede i bunden, og som han måtte have overset dagen før. Han mærkede et sug i maven ved synet af sit navn, skrevet med sort pen. Ikke et til!

Straks han kom ind i entreen igen, sprættede han konvolutten op og læste det vedlagte kort. Teksten bestod af nogle få, kryptiske linjer.

"Hvor bliver du af, Kenneth?"

Han gemte hurtigt brevet.

"Jeg skulle lige tjekke noget. Jeg kommer nu."

Han gik hen til hendes dør med avisen i hånden. Det hvide kort med den sirlige håndskrift brændte i baglommen.

Det var blevet en slags doping. Hun var afhængig af det kick, hun fik, når hun tjekkede hans e-mails, gennemrodede hans lommer, nærlæste telefonregningen. Hver gang hun ikke fandt noget, mærkede hun, hvordan hun slappede af i hele kroppen, men det holdt ikke ret længe. Kort efter begyndte angsten at bygge sig op igen, og gradvist steg spændingen i kroppen, indtil hendes logiske sans, der bød hende at lade være, at lægge bånd på sig selv, måtte give fortabt, og hun tog plads foran computeren igen, tastede adressen på hans mailkonto og pinkoden, som det ikke havde været noget problem at regne ud. Han brugte den samme overalt. Sin fødselsdato, som han let ville kunne huske.

I virkeligheden havde hun ikke noget belæg for den følelse, der flåede i brystet på hende, der sved i hendes indvolde, så hun næsten måtte skrige. Christian havde aldrig gjort noget, der gav hende grund til at nære mistro til ham. I løbet af de år, hun havde overvåget ham, havde hun ikke fundet det mindste spor af noget, der ikke burde være der. Han var som en åben bog, og så alligevel ikke. Sommetider kunne hun mærke, at han befandt sig et helt andet sted, hvortil hun ikke havde adgang. Hans forældre var døde for længe siden, og det var aldrig kommet på tale, at hun skulle møde nogen fra hans øvrige familie. Barndomsvenner og gamle bekendte hørte han aldrig fra. Det var, som om han først var begyndt at eksistere i det øjeblik, han mødte hende og flyttede til Fjällbacka. Hun havde ikke engang haft mulighed for at se den lejlighed, han havde i Göteborg, da de mødte hinanden. Han var selv taget af sted med en flyttebil og havde hentet et sparsomt læs ejendele.

Sanna lod blikket glide ned over mailene i hans indbakke. Et par stykker fra forlaget, nogle henvendelser fra aviser, der ville interviewe ham, diverse information fra Kommunen vedrørende hans arbejde på biblioteket. Ikke andet.

Følelsen var lige så befriende som altid, da hun loggede ud fra hans konto. Før hun slukkede for computeren, tjekkede hun imidlertid rutinemæssigt tidligere søgninger på nettet, men heller ikke her var der noget usædvanligt. Christian havde været inde på *Expressens*, *Aftonbladets* og forlagets hjemmesider, og han havde ledt efter en ny babyautostol på Den Blå Avis.

Men der var det med brevene. Han påstod hårdnakket, at han ikke vidste, hvem der skrev de kryptiske linjer til ham, men der var noget i hans tonefald, som modsagde det. Sanna kunne ikke helt sætte fingeren på hvad, og det var ved at drive hende til vanvid. Hvad var det, han ikke fortalte hende? Hvem var det, der sendte brevene? Var det en gammel elskerinde? En nuværende elskerinde?

Hun åbnede og knyttede hænderne og tvang sig selv til at trække vejret roligt igen. Den midlertidige lettelse var allerede forsvundet, og hun prøvede forgæves at overbevise sig selv om, at alt var i den skønneste orden. Tryghed. Det var det eneste, hun forlangte. Hun ville bare vide, at Christian elskede hende.

Men inderst inde vidste hun, at han aldrig havde tilhørt hende. At han i alle de år, de havde været sammen, altid havde ledt efter noget andet, en anden. Hun vidste, at han aldrig havde elsket hende. Ikke rigtigt. Og en dag ville han finde den, han virkelig ville være sammen med, den, han virkelig elskede, og så ville hun blive alene.

Sanna krydsede armene, holdt om sine skuldre. Så rejste hun sig. Christians mobilregning var kommet med posten i går. Det ville tage et stykke tid at gennemgå den.

Erica gik planløst rundt i huset. Denne evige venten var ved at gøre hende skør. Hendes seneste bog var færdig, og hun havde ikke kræfter til at kaste sig over et nyt projekt lige nu. Hun kunne ikke lave ret meget i hjemmet, før ryg og led begyndte at protestere, så hun læste mest eller så fjernsyn. Eller gjorde som nu: vadede frustreret rundt i huset. I dag var det i det mindste lørdag, og Patrik var hjemme. Han havde taget Maja ud en tur, så hun kunne få lidt frisk luft, Erica talte minutterne, til de kom tilbage.

Det ringede på, og hendes hjerte sprang næsten et slag over. Før hun nåede hen for at åbne, blev døren flået op, og Anna trådte ind i entreen.

"Er du også ved at få spat af det her?" spurgte hun og tog jakke og halstørklæde af.

"Om!" sagde Erica og følte sig pludselig meget gladere.

De gik ud i køkkenet, og Anna smed en dugget plasticpose på køkkenbordet. "Lune kanelsnegle. Belinda har bagt."

"Har Belinda bagt?!" sagde Erica og prøvede at se Annas ældste steddatter for sig med forklæde på og de sortlakerede negle begravet i bolledejen.

"Hun er forelsket," sagde Anna, som om det forklarede alt. Hvad det måske også gjorde.

"Jaså. Jeg mindes nu ikke, at det er en bivirkning, jeg nogensinde har mærket noget til," sagde Erica og lagde kanelsneglene på et fad.

"Han fortalte hende tydeligvis i går, at han godt kan lide huslige piger." Anna løftede et bryn og kiggede sigende på Erica.

"Nå, så det gjorde han."

Anna lo og snuppede en snegl. "Bare rolig. Du behøver ikke tage hjem til ham og give ham tørt på. Jeg har mødt fyren, og tro mig, inden en uge er Belinda blevet træt af ham og vender tilbage til sine sortklædte drys, der spiller i obskure bands og skider højt og flot på, om hun er huslig eller ej."

"Lad os håbe det. Men kanelsneglene fejler nu ikke noget." Erica tog en bid med lukkede øjne. Nybagte kanelsnegle var det tætteste på en orgasme, hun kom i sin nuværende tilstand.

"Ja, fordelen ved at se ud som os er jo, at vi kan proppe os med lige så mange kanelsnegle, vi har lyst til," sagde Anna og kastede sig over nummer to.

"Sandt nok, men regningen kommer senere," svarede Erica, fulgte Annas eksempel og tog endnu en snegl.

"Du skal have tvillinger, du kommer til at tabe det hele og mere til," sagde Anna grinende.

"Ja, det har du nok ret i." Ericas tanker drog på langfart, og hendes søster fornemmede tilsyneladende, hvad hun tænkte på.

"Det skal nok gå, og desuden er du ikke alene denne gang. Du har jo mig. Vi kan stille to lænestole ved siden af hinanden foran *Oprah* og sidde og amme dagen lang."

"Og skiftes til at ringe til vores kære mænd og bede dem tage takeaway med hjem."

"Lige netop. Det bliver kanon." Anna slikkede sine fingre, lænede sig tilbage med en stønnen. "Hold da kæft, hvor er jeg mæt." Hun lagde sine hævede ben op på stolen ved siden af og foldede hænderne over maven. "Har du fået snakket med Christian?"

"Ja, jeg var derhenne i torsdags." Erica fulgte Annas eksempel og smækkede benene op. Den sidste kanelsnegl på fadet formelig råbte på hende, og efter en kort indre kamp rakte hun ud efter den.

"Hvad skete der egentlig?"

Erica tøvede et øjeblik. Hun var ikke vant til at have hemmeligheder for sin søster og fortalte om brevene med den truende tone.

"Uf, hvor væmmeligt," sagde Anna og rystede på hovedet. "Det er også underligt, at de begyndte at komme, før bogen overhovedet var udgivet. Det havde jo været mere logisk, hvis de først kom nu, hvor han har fået opmærksomhed i pressen. Det må jo være en eller anden med knald i låget, mener jeg."

"Ja, det skulle man tro. Christian gider ikke lægge noget særligt i det. Det siger han i hvert fald, men jeg kunne se, at Sanna var bekymret."

"Det tror da pokker," sagde Anna og vædede pegefingeren, så hun kunne opfange resterne af flormelis på fadet.

"I dag har han i hvert fald sine første signeringer," sagde Erica ikke uden stolthed. På mange måder følte hun sig delagtig i Christians succes og genoplevede samtidig sin egen forfatterdebut gennem ham. De første signeringer. Det var stort, rigtig stort.

"Hvor sejt. Hvor skal det foregå?"

"Først i *Böcker och Blad* i Torp og derefter i *Bokia* inde i Uddevalla."

"Man må håbe, der kommer nogle. Det ville være synd, hvis han skal sidde og kukkelure helt alene," sagde Anna.

Erica skar ansigt ved erindringen om sin første signering i en boghandel i Stockholm. I en time havde hun siddet og prøvet at se upåvirket ud, mens alle gik forbi hende, som var hun luft.

"Han har fået så meget presseomtale, at der med garanti dukker nogen op, om ikke andet så af nysgerrighed," sagde hun og håbede, hun havde ret.

"Det er godt nok heldigt, at aviserne ikke har fået nys om det med truslerne," sagde Anna.

"Ja, det må man sige," svarede Erica og skiftede emne, selvom de bange anelser ikke helt ville slippe taget i hende.

De skulle på ferie, og han kunne næsten ikke vente. Han vidste ikke rigtigt, hvad det betød, men ordet lød forjættende. Ferie. Og de skulle med campingvognen, der stod parkeret ude i haven.

Han fik normalt aldrig lov at lege i den. Nogle gange havde han prøvet at kigge ind ad vinduerne, ind bag de brune gardiner, men han kunne ikke skelne noget, og den var altid låst. Nu var mor ved at gøre rent derinde. Døren stod på vid gab for at "lufte ordentligt ud", som mor sagde, og en masse puder blev smidt i vaskemaskinen for at fjerne den jordslåede lugt.

Alting føltes som et uvirkeligt, vidunderligt eventyr. Han spekulerede på, om han ville få lov til at sidde inde i campingvognen, mens de kørte, som i et lille, rullende hus på vej mod noget nyt og ukendt, men han turde ikke spørge. Mor havde været i sådan et mærkeligt humør den senere tid. Det skarpe og stikkende kom tydeligt frem, og far gik stadigt oftere tur, hvis han da ikke gemte sig bag en avis.

Nu og da havde han grebet hende i at kigge underligt på ham. Der var noget forandret i hendes blik, der skræmte ham.

"Har du bare tænkt dig at stå der og glo, eller vil du hjælpe?" Mor stod med hænderne i siden.

Han for sammen ved hårdheden i hendes stemme, der var vendt tilbage, og løb hen til hende.

"Tag dem her og læg dem i bryggerset," sagde hun og smed nogle ildelugtende tæpper hen til ham med en sådan kraft, at han var lige ved at miste balancen.

"Ja, mor," sagde han og skyndte sig ind.

Hvis bare han vidste, hvad han havde gjort forkert. Han adlød jo mors mindste vink. Svarede aldrig igen, opførte sig pænt og grisede sig aldrig til. Alligevel var det, som om hun indimellem dårlig nok kunne få sig selv til at se på ham.

Han havde prøvet at spørge far. Havde taget mod til sig en af de få gange, de var alene, og spurgt, hvorfor mor ikke kunne lide ham mere. Far havde sænket avisen et kort øjeblik og studst svaret, at det var noget vrøvl, og at han ikke ville høre tale om den slags. Mor ville blive frygteligt ked af det, hvis hun hørte ham sige sådan noget. Han skulle være taknemmelig over, at han havde fået sådan en mor.

Han spurgte ikke igen. At gøre mor ked af det var det sidste, han havde lyst til. Han ønskede bare, at hun skulle være glad, og at hun ville stryge ham over håret igen og kalde ham sin smukke dreng. Det var alt, hvad han higede efter.

Han lagde tæpperne foran vaskemaskinen og tvang de dystre og mørke tanker på afstand. De skulle jo på ferie. I campingvognen.

CHRISTIAN TROMMEDE MED kuglepennen på det lille bord, der var stillet frem. Ved siden af ham lå en stor stak med *Havfruen*. Han kunne stadig ikke se sig mæt på den, så uvirkeligt føltes det at have sit eget navn på en bog. En rigtig bog.

Foreløbig var det ikke just noget tilløbsstykke, og det troede han heller ikke, det ville blive. Det var kun forfattere som Marklund og Guillou, der tiltrak så mange mennesker. Selv var han såmænd tilfreds med de fem eksemplarer af bogen, han hidtil havde signeret.

Alligevel følte han sig en smule fortabt, som han sad der. Folk hastede forbi, kiggede nysgerrigt på ham, men standsede ikke op. Han vidste ikke, om han skulle hilse, når de kiggede, eller måske forsøge at se ud, som om han var optaget af noget.

Gunnel, boghandlens indehaver, kom ham til undsætning. Hun gik hen til ham og nikkede i retning af bogstakken.

"Kunne du have lyst til at signere nogle stykker? Det er rart at have nogle signerede eksemplarer at sælge bagefter."

"Ja da, hvor mange vil du have?" spurgte Christian, glad for at have noget at tage sig til.

"Tja, måske en ti stykker," svarede Gunnel og rettede på nogle bøger, der lå en smule skævt i stakken.

"Det er ikke noget problem."

"Vi har skam annonceret det her," sagde Gunnel.

"Det tvivler jeg ikke på," sagde Christian og smilede. Han var klar over, at hun var bange for, han skulle tro, at den manglende tilstrømning skyldtes boghandlens dårlige markedsføring. "Jeg er jo ikke et kendt navn, så jeg havde ikke regnet med så mange."

"Men nogle eksemplarer er der trods alt solgt," sagde hun venligt og gik tilbage til kassen.

Han greb en bog og tog hætten af kuglepennen for at begynde. Ud af øjenkrogen bemærkede han, at nogen havde stillet sig lige foran bordet, og da han kiggede op, fik han en stor, gul mikrofon stukket i synet.

"Vi står her i boghandlen, hvor Christian Thydell lige nu sidder og signerer sin debutroman *Havfruen*. Christian, du dominerer jo avisernes spisesedler i dag. Hvor bekymret er du over de trusler, du har modtaget? Er politiet koblet på sagen?"

Journalisten, der endnu ikke havde præsenteret sig, men som efter logoet på mikrofonen at dømme kom fra lokalradioen, kiggede spørgende på ham.

Han blev helt tom i hovedet. "Spisesedlerne?" gentog Christian.

"Ja, du er på *GT*'s spiseseddel, har du ikke set det?" Reporteren ventede ikke på Christians svar, men gentog sit tidligere spørgsmål: "Er du bekymret over truslerne? Er du under politiovervågning i dag?"

Journalisten kiggede rundt i lokalet, men henvendte sig så atter til Christian, der sad med kuglepennen løftet over den bog, han netop skulle til at signere.

"Jeg forstår ikke, hvordan …" stammede han.

"Men det er da korrekt, ikke? Du har modtaget trusler under dit arbejde med bogen og kollapsede i onsdags, da du fik endnu et brev ved selve launchpartyet?"

"Jo," svarede Christian og mærkede, hvordan han snappede efter vejret.

"Ved du, hvem truslerne kommer fra? Ved politiet det?" Mikrofonen blev igen stukket op under næsen på ham, og Christian måtte beherske sig for ikke at skubbe den væk. Han ville ikke svare på de spørgsmål. Han forstod ikke, hvorfra pressen havde fået nys om det her, han tænkte på det brev, han havde i jakkelommen. Det var kommet i går, og han havde nået at fjerne det fra poststakken, inden Sanna opdagede det.

Panikslagen spejdede han efter en flugtvej. Han mødte Gunnels blik, og det virkede, som om hun øjeblikkelig forstod, at noget ikke var, som det skulle være.

Hun kom hen til dem. "Hvad foregår der?"

"Jeg laver et interview."

"Har du spurgt Christian, om han vil interviewes?" Hun kiggede på Christian, der rystede på hovedet.

"I så fald …" Hun stirrede stift på journalisten, der nu havde sænket mikrofonen. "For øvrigt er Christian ved at signere bøger, så jeg må bede dig lade ham være i fred."

"Jamen …" begyndte journalisten, men lukkede så munden. Han trykkede på en af knapperne på sit optagerudstyr. "Jeg kunne måske lave et kort interview efter …"

"Forsvind," sagde Gunnel, og Christian måtte trække på smilebåndet.

"Tak," sagde han, da journalisten var forsvundet.

"Hvad drejede det sig om? Han virkede ualmindeligt påtrængende."

Lettelsen over, at journalisten var gået, forsvandt hurtigt, og han sank en klump, før han svarede:

"Han påstod, at der står noget om mig på *GT*'s spiseseddel. Jeg har modtaget nogle trusselsbreve, og det er åbenbart kommet medierne for øre."

"Du milde." Gunnel kiggede først bestyrtet og derefter bekymret på ham. "Skal jeg gå ud og købe avisen, så du kan se, hvad de skriver?"

"Gider du?" sagde han med hjertet hamrende i brystet.

"Ja, det klarer jeg." Hun klappede ham trøstende på skulderen og gik.

Christian blev siddende ubevægelig et øjeblik og stirrede frem for sig. Så greb han kuglepennen og begyndte at skrive sit navn i bøgerne, som Gunnel havde bedt ham om. Lidt efter mærkede han, at han måtte på toilettet og lette trykket. Der var stadig ingen trængsel ved bordet, så han kunne sikkert godt tillade sig at være væk et kort øjeblik.

Han skyndte sig gennem boghandlen og ud til personaleafdelingen bagest i lokalet, og blot et par minutter senere indtog han atter sin post ved bordet. Gunnel var endnu ikke vendt tilbage med avisen, og han stålsatte sig over for det, der måtte komme.

Christian rakte ud efter kuglepennen, men kiggede så forvirret på bøgerne, der skulle signeres. Havde han virkelig efterladt dem sådan her? De lå på en anden måde, end da han gik på toilettet. Han tænkte, at nogen måske havde benyttet chancen for at snuppe et eksemplar, mens han var væk. Han syntes imidlertid ikke, at stakken så mindre ud, så han blev enig med sig selv om, at han sikkert tog fejl, og slog op i den øverste bog for at skrive en hilsen til læseren.

Siden var ikke længere blank. Håndskriften var velkendt. Hun havde været her.

Gunnel kom hen til ham med *GT*, og han så et stort billede af sig selv på forsiden. Han vidste, hvad det betød. Fortiden var ved at indhente ham. Hun ville aldrig give op.

"Gud fri mig, er du klar over, hvor mange penge du klattede væk, sidst du var i Göteborg?" Erik sad med bankudskriften og stirrede på beløbet.

"Ja, det løb vist op i omkring ti tusind," svarede Louise og fortsatte uanfægtet med at lakere negle.

"Ti tusind! Hvordan kan man bruge ti tusind på en enkelt shoppingtur?" Erik viftede med udskriften og smed den så ned på bordet foran sig.

"Hvis jeg havde købt den håndtaske, jeg havde tænkt mig, var det snarere blevet tredive," sagde hun og betragtede tilfreds sine lyserøde negle.

"Du er fandeme ikke rigtig klog!" Han tog bankudskriften op igen og stirrede på den, som kunne han med viljens kraft få beløbet til at ændre sig.

"Vi har måske ikke råd?" spurgte hans kone og sendte ham et skævt smil.

"Det er ikke et spørgsmål, om vi har råd eller ej. Det handler om, at jeg knokler i døgndrift for at tjene penge, og at du bare klatter dem væk på … tåbeligheder."

"Ja, jeg laver jo ikke noget herhjemme om dagen," sagde Louise og rejste sig, mens hun viftede med hænderne, så neglelakken kunne tørre. "Jeg sidder jo bare og spiser chokolade og kigger på tv-serier dagen lang. Du har sikkert også opdraget pigerne, for det har jeg vel heller ikke haft noget med at gøre? Du har skiftet bleer, givet dem mad, hentet og bragt, taget dig af hjemmet. Er det ikke rigtigt?" Hun fejede forbi uden at se på ham.

Det var en diskussion, de havde haft tusind gange før. Og sikkert ville have tusind gange mere, medmindre der indtraf noget drastisk. De var som to rutinerede dansepartnere, der kendte hvert et trin og førte sig med upåvirket elegance.

"Det her er et af de fund, jeg gjorde i Göteborg. Lækker, ikke?" Hun hentede en skindjakke, der hang på en bøjle i entreen. "Den var på udsalg og sat ned til kun fire tusind." Hun holdt den op foran sig, hvorpå hun hængte den tilbage og gik op ad trappen til første sal.

Der var formodentlig heller ikke nogen af dem, der ville vinde denne omgang. De var jævnbyrdige modstandere, og alle deres dyster gennem årene var endt uafgjort. Ironisk nok havde det måske været bedre, hvis den ene var stærkere end den anden. I så fald havde de kunnet se en ende på deres ulykkelige ægteskab.

"Næste gang klipper jeg dit kreditkort over!" råbte han til hende. Pigerne var hjemme hos en kammerat, så der var ingen grund til at dæmpe stemmen.

"Så længe du fortsætter med at bruge penge på dine elskerinder, har du fandeme at holde fingrene fra mit kreditkort. Tror du, at du er den eneste, der kan læse en kontoudskrift?"

Erik bandede. Han vidste, at han burde have ændret adressen, så udskrifterne blev sendt hen på kontoret i stedet. Det kunne ikke nægtes, at han var rundhåndet mod dem, der tilfældigvis havde fornøjelsen og æren af ham i sin seng. Han bandede igen og stak fødderne i skoene, idet han erkendte, at Louise trods alt havde vundet denne runde. Og at hun udmærket var klar over det.

"Jeg kører hen efter avisen!" råbte han og smækkede døren efter sig.

Gruset sprøjtede, da BMW'en forsvandt med hvinende dæk, og pulsen begyndte først at falde, da han nærmede sig bymidten. Hvis han dog bare havde oprettet ægtepagt. I så fald havde Louise været en saga blot på nuværende tidspunkt. Men dengang havde de været fattige studerende, og da han havde bragt det på bane for et par år siden, havde hun bare leet ham op i ansigtet. Nu vægrede han sig ved at lade hende rende med halvdelen af det, han havde bygget op, som han havde kæmpet og knoklet for. Aldrig i livet! Han hamrede hånden ned i rattet, men faldt lidt til ro, da han drejede ind på Konsums parkeringsplads.

Han smuttede hurtigt forbi hylderne med madvarer, indkøb sorterede under Louise. Blev stående et øjeblik foran sliksektionen, men besluttede sig for at afstå. Da han gik hen til stativet med formiddagsblade ved siden af kassen, standsede han brat op midt i et skridt. Spisesedlens sorte bogstaver formelig skreg til ham: "Den nye stjerneforfatter Christian Thydell lever under dødstrusler!" Og nedenunder med mindre typer: "Modtog trusselsbrev ved launchparty, kollapsede."

Erik måtte tvinge fødderne til at bevæge sig fremad. Det føltes som at gå i dybt vand. Han tog avisen op, og med skælvende fingre bladrede han hen til midtersiderne. Da han havde læst artiklen, løb han hen til udgangen. Han havde ikke betalt for avisen, og et sted langt borte hørte han kassedamen råbe efter ham, men han løb videre. Han måtte hjem.

"Hvordan fanden har aviserne fået færten af det her?"

Patrik og Maja havde været ude at købe ind, og Patrik smed et eksemplar af *GT* på bordet, før han begyndte at lægge madvarerne i køleskabet. Maja var kravlet op på en stol og hjalp ivrigt til med at tømme indkøbsposerne.

"Øh …" var alt, hvad Erica fik frem.

Patrik stivnede midt i en bevægelse. Kendte sin kone godt nok til at kunne tyde visse tegn.

"Hvad har du gjort, Erica?" Han stod med en pakke plantemargarine i hånden og spiddede hende med blikket.

"Det kan godt være lækket via mig."

"Hvordan? Hvem har du talt med?"

Selv Maja opfattede den spændte atmosfære i køkkenet og sad urørlig og kiggede på sin mor. Erica gjorde en synkebevægelse og tog tilløb. "Gaby."

"Gaby!" Patrik var lige ved at kvæles. "Fortalte du det til Gaby? Du kunne jo lige så godt have ringet til pressen."

"Jeg tænkte ikke …"

"Nej, det kan man vist roligt sige, at du ikke gjorde. Hvad siger Christian til det her?" spurgte han og pegede på de fede overskrifter.

"Det ved jeg ikke," svarede Erica. Hele hendes indre krympede sig ved tanken om, hvordan Christian ville reagere.

"Som politimand kan jeg kun sige, at det her er det værste, der kunne ske. Denne opmærksomhed kan anspore ikke bare den, der har skrevet brevene, men også nye brevskrivere."

"Du behøver ikke overfuse mig. Jeg ved godt, det var dumt af mig." Erica mærkede gråden nærme sig. Hun havde normalt let til tårer, og graviditetshormonerne gjorde det ikke bedre. "Jeg tænkte mig ikke om. Jeg ringede til Gaby for at høre, om forlaget havde modtaget lignende trusselsbreve, men så snart jeg havde sagt det, vidste jeg, det var dumt at fortælle hende det. Men da var det for sent ..." Stemmen druknede i tårerne, og næsen begyndte at løbe.

Patrik rakte hende noget køkkenrulle, hvorpå han lagde armene om hende og strøg hende over håret, mens han talte beroligende til hende.

"Du skal ikke være ked af det, skat. Det var ikke min mening at skælde ud, og jeg ved, du ikke drømte om, at det skulle gå sådan. Så, så ..." Han vuggede hende i sine arme, og hun mærkede gråden begynde at stilne af.

"Jeg troede ikke, hun kunne finde på at ..."

"Jeg ved det, jeg ved det, men hun er en helt anden type menneske end dig. Du må lære, at ikke alle tænker ligesom dig." Han holdt hende lidt ud fra sig og så hende i øjnene.

Erica tørrede kinderne med køkkenrullen.

"Hvad gør jeg så nu?"

"Du må tage hen og snakke med Christian. Sig undskyld og forklar sammenhængen."

"Men ..."

"Ikke noget men. Det er den eneste løsning."

"Du har ret," sagde Erica, "men jeg er helt ærlig ikke meget for det. Og jeg har tænkt mig at tale et par alvorsord med Gaby."

"Først og fremmest bør du nok overveje, hvad du siger til hvem. For Gaby kommer forlaget i første række, mens I kommer i anden. Sådan fungerer virkeligheden."

"Ja, det har jeg fattet. Du behøver ikke belære mig." Erica skulede vredt til sin mand.

"Vi lader det ligge," sagde Patrik og fortsatte med at lægge varer på plads.

"Har du nået at kigge mere på brevet og kortet?"

"Nej, jeg har ikke haft tid," svarede Patrik.

"Men du vil se nærmere på det, ikke?" insisterede Erica.

Patrik nikkede, mens han gik i gang med at ordne grøntsager til aftensmaden.

"Jo, selvfølgelig, men det ville godt nok hjælpe på sagen, hvis Christian samarbejdede. Jeg kunne for eksempel godt tænke mig at se de andre breve også."

"Jamen så snak med ham. Du kan måske få ham overtalt."

"I så fald finder han jo ud af, at du har talt med mig om det."

"Jeg har fået ham hængt ud i et af Sveriges største formiddagsblade, så du kan lige så godt gribe chancen nu, hvor han ønsker mig hen, hvor peberet gror."

"Så slemt behøver han da ikke at tage det."

"Havde det været mig, ville jeg aldrig have talt med ham igen."

"Hold nu op med at være så forbandet pessimistisk," sagde Patrik og løftede Maja op på køkkenbordet. "Tag derhen i morgen og forklar ham, hvordan det gik til, og at det på ingen måde var din hensigt, at det skulle komme så vidt. Bagefter tager jeg mig en snak med ham og prøver at få ham til at samarbejde." Han rakte Maja et stykke agurk, som hun ivrigt begyndte at bearbejde med sine få, men så meget desto skarpere tænder.

"I morgen, altså." Erica sukkede.

"I morgen," gentog Patrik og bukkede sig ned og kyssede sin kone på munden.

Han greb sig selv i gang på gang at skæve ud mod sidelinjen af fodboldbanen. Det var ikke det samme uden ham.

Han havde altid været med til træningen, uanset vejret. Fodbold var deres fælles projekt. Det, der holdt liv i deres venskab, selvom han ønskede at løsrive sig fra forældrene. For de havde været venner, han og hans far. Selvfølgelig havde de skændtes nu og da, som alle fædre og sønner gjorde, men i bund og grund havde de været venner.

Ludvig lukkede øjnene og så ham for sig. Iført cowboybukser og hætteblusen med *Fjällbacka* printet på brystet, den, han altid gik med, til sin mors ærgrelse. Hænderne i lommen og øjnene på bolden. Og på Ludvig. Men han skældte aldrig ud, ikke som flere af de andre fædre, der mødte op til træningen og kampene og brugte tiden på at råbe ad deres sønner. "For fanden, så tag dig dog sammen, Oskar!" eller "Danne, få så fingeren ud, for helvede!" Den slags hørte han aldrig fra sin far. Kun "Flot, Ludvig!", "Smuk aflevering!", "Giv dem tørt på, Ludde!"

Ud af øjenkrogen så han bolden blive sparket hen til sig, og han sendte den mekanisk videre. Glæden ved fodbold fandtes ikke længere, men han prøvede at finde tilbage til den, løb rundt her og kæmpede trods vinterkulden. Han kunne have skudt skylden på alt det, der var sket, og givet op. Droppet træningen, givet fanden i den og holdet. Ingen ville have bebrejdet ham noget, alle ville have forstået det. Men ikke hans far. At give op havde aldrig været noget alternativ for ham.

Så her var han altså. En af holdet. Men glæden manglede, og sidelinjen var tom. Far var væk, det vidste han. Væk.

Han måtte ikke sidde inde i campingvognen, og det var kun den ene af mange skuffelser under det, der blev kaldt ferie. Intet var blevet, som han havde håbet. Tavsheden, der kun blev brudt af de hårde ord, blev ligesom presset sammen, når den ikke havde et helt hus at bevæge sig rundt i. Det var, som om ferie betød mere tid til skænderier, mere tid til mors raserianfald. Far blev mindre og mere grå.

Det var første gang, han var med, men han havde forstået, at mor og far hvert år plejede at tage med campingvognen hen til dette sted med det mærkelige navn. Fjällbacka. Han kunne ikke se nogen fjelde og kun ganske få bakker. Og der var desuden helt fladt på campingpladsen, hvor de havde klemt campingvognen ind mellem en masse andre. Han var ikke sikker på, at han kunne lide det her sted, men far havde fortalt, at mors familie kom herfra, og at det var derfor, hun ville herhen.

Det var også mærkeligt, for han mødte ikke noget af familien. Under et af skænderierne i den trange vogn havde han til sidst fundet ud af, at her måtte bo nogen, der hed Kællingen, og at det var hende, der var familien. Det var et sjovt navn. Kællingen. Men det virkede ikke, som om mor kunne lide hende, for stemmen blev endnu hårdere, når hun talte om hende, og de besøgte hende aldrig. Hvorfor var de så nødt til at være her?

Det, han hadede mest ved Fjällbacka og ferie, var at bade. Han havde aldrig badet i havet tidligere. Først var han ikke sikker på, hvad han skulle mene, men mor havde presset på. Sagt, at hun ikke ville have en søn med vandskræk, at han skulle holde op med at skabe sig. Så han tog en dyb indånding og vadede forsigtigt ud i det kolde vand, skønt kulden og saltvandet mod benene fik ham til at snappe efter vejret. Da vandet nåede ham til livet, standsede han. Det var for koldt, han kunne ikke få luft. Og det føltes, som om noget rørte ved fødderne, ved læggene, kriblede og kravlede på ham. Mor vadede ud til ham, lo og tog ham i hånden, førte ham med udad. Han var pludselig lykkelig. Hans hånd i mors, hendes latter, der klingede mod vandoverfladen og mod ham. Fødderne bevægede sig af sig selv, svævede og slap bunden. Til sidst kunne han ikke mærke fast grund under fødderne, men det gjorde ikke noget, mor holdt ham, bar ham, hun elskede ham.

Så slap hun taget. Han mærkede hendes håndflade glide af på hans, derefter fingrene og fingerspidserne, indtil ikke kun fødderne, men også hans hånd famlede i tomrummet. Han mærkede atter kulden mod brystet, og vandet steg. Det nåede hans skuldre, hans hals, og han løftede hagen for at forhindre vandet i at nå munden, men det nærmede sig alt for hurtigt, og han nåede ikke at lukke den, munden blev fyldt med salt, med kulde, der skyllede ned i struben, og vandet blev ved med at stige, op over kinderne, over øjnene, og han mærkede, hvordan vandet lagde sig som et låg over hans hoved, indtil alle lyde forsvandt, og det eneste, han hørte, var bruset af det, der kravlede og kriblede.

Han fægtede med armene, slog til det, der ville trække ham ned. Men han kunne intet stille op mod den massive mur af vand, og da han til sidst mærkede nogens hud mod sin, en hånd på armen, var hans første indskydelse at kæmpe imod. Så blev han trukket op, hans hoved brød gennem overfladen. Den første indånding var brutal og pinefuld, han trak grådigt vejret igen og igen. Mors greb om hans arm var hårdt, men det gjorde ikke noget, for vandet kunne ikke længere tage ham.

Han kiggede op på hende, taknemmelig over, at hun havde reddet ham og ikke ladet ham forsvinde. Men det, han så i hendes øjne, var foragt.

De blå mærker blev på armen i flere dage efter.

"VAR DU VIRKELIG nødt til at slæbe mig herind i dag?" Det var sjældent, Kenneth lod sin irritation skinne igennem – han gik ind for at bevare roen og overblikket i enhver situation – men Lisbet havde set så nedtrykt ud, da han fortalte, at Erik havde ringet og bedt ham komme hen på kontoret et par timer, selvom det var søndag. Hun havde ikke protesteret, og det var næsten det værste. Hun vidste, hvor få timer de havde tilbage sammen. Hvor vigtige de var, hvor uvurderlige. Alligevel protesterede hun ikke. I stedet så han, hvordan hun opbød alle sine kræfter for at kunne smile og sige: "Selvfølgelig, smut du bare. Jeg kan sagtens klare mig så længe."

Han ville næsten ønske, hun var blevet vred og havde råbt ad ham. Sagt, at nu måtte han fandengaleme begynde at prioritere. Men det lå ikke til hende. Han kunne ikke mindes, at hun én eneste gang under deres næsten tyveårige ægteskab havde hævet stemmen for alvor over for ham. Eller nogen anden, for den sags skyld. Hun havde taget al modgang og alle sorger med sindsro og oven i købet trøstet ham, når det var ham, der brød sammen. Når han ikke magtede at være stærk, havde hun været det for ham også.

Nu forlod han hende for at tage på arbejde. Han forspildte nogle timer af deres dyrebare tid, og han hadede sig selv, fordi han altid kom løbende, når Erik knipsede med fingrene. Han forstod det ikke. Det var et mønster, der var dannet så tidligt, at det nærmest var blevet en del af hans personlighed. Og det var altid hende, der måtte betale prisen.

Erik svarede ikke engang, men stirrede blot på computerskærmen, som om han befandt sig i en anden verden.

"Var det virkelig nødvendigt at bede mig komme herind i dag?" gentog Kenneth. "På en søndag? Havde det ikke kunnet vente til i morgen?"

Erik vendte sig langsomt om mod Kenneth.

"Jeg har fuld respekt for din private situation," sagde han omsider, "men hvis vi ikke får styr på alting før tilbudsrunden i den kommende uge, kan vi godt dreje nøglen om. Vi må alle yde vores ofre."

Kenneth spekulerede i sit stille sind på, hvilke ofre Erik mente, han selv ydede. Situationen var ikke nær så akut, som Erik gav det udseende af. Han ville sagtens kunne få styr på papirerne i løbet af i morgen, og at firmaet stod og faldt med det, var en grov overdrivelse. Erik havde sandsynligvis bare haft brug for et påskud til at slippe hjemmefra, men hvorfor skulle han partout slæbe Kenneth med herind? Svaret var formentligt: fordi han kunne.

De gik sammenbidt i gang med deres opgaver og arbejdede et stykke tid i tavshed. Kontoret bestod af ét stort lokale, så det var umuligt at lukke døren bag sig og sidde i fred. Kenneth kiggede i smug på Erik. Der var noget forandret ved ham. Det var svært at sætte fingeren på, hvad det var, men Erik så på en eller anden måde mere sjusket ud. Han virkede opkørt, håret sad ikke lige så perfekt som normalt, skjorten en anelse krøllet. Nej, han var ikke helt sig selv. Kenneth overvejede at spørge, om alt var ok på hjemmefronten, men lod være. I stedet sagde han så roligt, han kunne:

"Læste du det om Christian i går?"

Erik for sammen. "Ja."

"Sikken historie. Bliver truet af en eller anden galning," sagde Kenneth i et afslappet, næsten spøgefuldt tonefald. Men hjertet hamrede i brystet på ham.

"Hmm ..." Erik flyttede ikke blikket fra skærmen, men han rørte hverken tastaturet eller musen.

"Har Christian nævnt det over for dig?" Det var lidt, som når man prøver at lade være med at pille i en sårskorpe. Han ville ikke tale om det, og Erik så heller ikke ud til at have lyst til at diskutere sagen. Alligevel kunne han ikke lade være. "Har han?"

"Nej, han har ikke sagt noget til mig om nogen trusler," svarede Erik og begyndte at rode med dokumenterne på skrivebordet. "Men han har jo haft nok at se til med bogen, så vi har ikke haft så meget kontakt den senere tid. Og den slags holder man måske for sig selv."

"Burde han ikke tale med politiet?"

"Hvordan ved du, at han ikke allerede har gjort det?" Erik fortsatte med at flytte planløst rundt på sine bunker.

"Tja, det kan du have ret i …" Kenneth sank hen i tavshed. "Men hvad kan politiet gøre, hvis det er anonymt? Det kan jo være en hvilken som helst tosse, mener jeg."

"Hvordan skulle jeg vide det?" sagde Erik og bandede højt, da han skar sig på kanten af et stykke papir. "Satans også." Han suttede på den skadede finger.

"Tror du, truslerne er alvorligt ment?"

Erik sukkede. "Hvorfor skal vi bryde vores hoved med det? Jeg aner det jo ikke, siger jeg." Stemmen steg en anelse og knækkede over, og Kenneth kiggede overrasket på ham. Erik var virkelig ikke sig selv. Havde det mon noget med firmaet at gøre?

Kenneth havde aldrig stolet på Erik, så kunne han tænkes at have gjort noget uklogt? Han afviste omgående tanken. Han havde fuldstændigt styr på regnskaberne og ville have bemærket, hvis Erik havde fundet på narrestreger. Det var sikkert noget med Louise. Det var en gåde, at de havde holdt sammen så længe, og alle på nær de selv vidste, at de ville gøre hinanden en stor tjeneste, hvis de sagde farvel og tak og gik hver til sit. Men det var ikke op til ham at påpege det, og desuden havde han nok med sit eget.

"Ok, sorry," sagde Kenneth.

Han klikkede excel-arket frem med den seneste månedsrapport, men hans tanker var et helt andet sted.

Kjolen lugtede stadig af hende. Christian pressede den ind mod næsen og indsnusede de mikroskopiske rester af hendes parfume, der hang fast i stoffet. Da han lukkede øjnene og mærkede duften i næseborene, kunne han tydeligt se hende for sig. Det mørke hår, der gik hende til livet, og som hun oftest havde samlet i en fletning eller en knold i nakken. Det kunne have set gammeldags og konet ud, men ikke på hende.

Hun havde bevæget sig som en danserinde, skønt hun havde lagt dansekarrieren på hylden. Hun var ikke dedikeret nok, havde hun sagt. Talentet havde været der, men hun havde manglet viljen til at sætte dansen i første række, til at ofre kærligheden og tiden og latteren og vennerne. Hun havde elsket det at leve for højt.

Så hun var holdt op med at danse, men da de mødtes – og helt frem til det sidste – havde hun stadig haft dansen i kroppen. Han kunne sidde og kigge på hende i timevis. Iagttage hende, når hun gik nynnende omkring i huset, mens hendes fødder bevægede sig så graciøst, at det så ud, som om hun svævede.

Han holdt kjolen op til ansigtet igen. Mærkede det kølige stof mod kinden, hvordan skægstubbene hægtede sig fast i det, svalede hans feberhede kinder. Sidste gang, hun havde båret kjolen, var en midsommeraften. Det blå stof havde reflekteret hendes øjenfarve, og den mørke fletning ned ad ryggen havde været lige så skinnende som det blanke materiale.

Det havde været en fantastisk aften. En af de få midsomre, der havde budt på strålende solskin, og de havde siddet ude i gården. Sild og nye kartofler. De havde hjulpet hinanden med maden. Den lille havde ligget i skyggen, og myggenettet havde sluttet tæt til om barnevognen, så ingen insekter kunne komme ind. Barnet havde været beskyttet.

Han for sammen ved tanken om barnet, som havde han stukket sig. I stedet tvang han sig selv til at tænke på duggede glas, vennerne, der løftede dem til en skål for sommeren, for kærligheden, for dem. Han tænkte på jordbærrene, som hun bar ud i en stor skål. Mindedes, hvordan hun havde siddet ved bordet i køkkenet og renset dem, mens han drillede hende på grund af svindet, idet hvert tredje eller hvert fjerde jordbær havde det med at finde vej ind mellem hendes læber i stedet for ned i skålen. Den, der skulle stilles frem til gæsterne sammen med flødeskum, der var tilsat en lille smule sukker, sådan som hun havde lært det af sin mormor. Hun havde grinet ad hans drillerier, trukket ham ind til sig og kysset ham med læber, der smagte af modne bær.

En hulken undslap ham. Han kunne ikke holde den tilbage. Stoffet fik mørke pletter af tårer, som han tørrede væk i bluseærmet. Ville ikke tilsmudse, *måtte* ikke tilsmudse den smule, han havde tilbage.

Christian lagde varsomt kjolen tilbage. Det var det eneste, der var tilbage af dem. Det eneste, han havde kunnet få sig selv til at beholde. Han lukkede æsken og skubbede den forsigtigt ind i hjørnet igen. Sanna måtte ikke finde den. Den blotte tanke om, at hun skulle åbne den, kigge i den og røre ved kjolen, fik det til at vende sig i maven på ham. Han vidste, det var forkert af ham, men han havde valgt Sanna af én eneste grund: at hun ikke lignede hende. At hun ikke havde læber, der smagte af jordbær, og at hun ikke bevægede sig som en danserinde.

Men det havde ikke hjulpet. Fortiden havde alligevel indhentet ham. Lige så ondskabsfuldt som den havde indhentet hende i den blå kjole. Og nu kunne han ikke se nogen udvej.

"Gider I passe Leo et øjeblik?" Paula kiggede på sin mor, men skævede imidlertid mest forhåbningsfuldt til Mellberg. Både hun og Johanna havde ret hurtigt efter sønnens fødsel indset, at de i Paulas mors nye mand havde fået en perfekt babysitter. Mellberg var ganske enkelt ude af stand til at sige nej.

"Nej, vi ..." begyndte Rita, men hendes samlever afbrød hende og svarede ivrigt:

"Ingen problemer. Konen og jeg skal nok passe lillebror, så smut I bare."

Rita sukkede opgivende, men kunne ikke lade være med at kigge ømt på den mildest talt uslebne diamant, som hun havde besluttet sig for at bo sammen med. Hun var klar over, at mange opfattede ham som en børste, en grovkornet og ubehøvlet mand, men helt fra begyndelsen havde hun set andre kvaliteter hos ham, kvaliteter, som den rigtige kvinde nok skulle vide at fremelske.

Og hun havde haft ret. Han behandlede hende som en dronning. Hun behøvede bare se ham kigge på hendes barnebarn for at forstå, hvilke ressourcer han rummede. Han elskede drengen helt utroligt højt. Det eneste problem var, at hun selv hurtigt var havnet på en andenplads, men det kunne hun leve med. Desuden var hun ved at få skik på ham på dansegulvet. Han ville næppe blive nogen salsakonge, men hun behøvede i det mindste ikke længere bære sko med stålforstærkede snuder.

"Hvis du gider se efter ham alene lidt, så kunne mor måske tage med os? Johanna og jeg har tænkt os at tage ind til Torp og købe nogle ting til Leos værelse."

"Bare kom med ham," sagde Bertil og rakte ivrigt ud efter drengen i Paulas arme. "Selvfølgelig klarer vi os et par timer. En flaske eller to, når han bliver sulten, og derefter lidt kvalitetstid med morfar Bertil. Kan noget barn forlange mere?"

Paula holdt sønnen frem, og Bertil tog imod ham. Gudfader, sikket umage par, men de havde en speciel kontakt, det kunne hun ikke nægte. Selvom Bertil Mellberg i hendes øjne stadig var den mest elendige chef, man kunne forestille sig, havde han vist sig at være verdens bedste morfar.

"Tror du, det går?" spurgte Rita en smule bekymret. Selvom han gik en del til hånde med Leo, var hans erfaring med spædbørn og deres pasning mildest talt begrænset. Hans egen søn Simon var først kommet ind i hans liv som teenager.

"Selvfølgelig," svarede Bertil fornærmet. "Spise, skide, sove. Hvor svært kan det være? Det har jeg selv gjort i tres år." Han gennede dem ud og lukkede døren bag dem. Nu skulle de hygge sig i fred og ro, han og knægten.

To timer senere drev sveden af ham. Leo vrælede af fuld hals, og lugten af lort hang som en tåge i dagligstuen. Morfar Bertil prøvede desperat at lulle Leo i søvn, men drengen hylede bare højere og højere. Mellbergs hentehår, der normalt lå omhyggeligt friseret hen over issen, var faldet ned over højre øre, og sveden bredte sig i tallerkenstore skjolde under armene.

Panikken var overhængende, og han skævede til mobiltelefonen på sofabordet. Skulle han ringe til pigerne? De var sikkert stadig inde i Torp, og det ville vare over tre kvarter, før de kunne være hjemme, selvom de satte sig ind i bilen med det samme. Og hvis han ringede efter hjælp, ville de måske ikke turde lade ham passe lillebror igen. Nej, det her var han nødt til at klare på egen hånd. Han havde bakset med en hel del rigtigt slemme drenge gennem tiden, været med til både skudvekslinger og sindssyge narkomaners knivstikkerier, så han burde vel nok kunne tackle den her situation. Knægten var jo trods alt ikke større end et franskbrød, om end han havde en stemmepragt som en granvoksen mand.

"Så, så, makker, lad os nu prøve at få skik på det her," sagde Mellberg og lagde den rasende baby ned. "Du har måske gjort i bleen, og du er sikkert også sulten. Der er med andre ord krise i begge ender, så spørgsmålet er, hvilken en der skal prioriteres." Mellberg snakkede højt for at overdøve skrigeriet. "Tja, maden kommer altid i første række, i hvert fald for mig, så lad os gøre en stor flaske vælling klar til dig."

Bertil tog Leo op igen og bar ham ud i køkkenet. Han havde fået udførlig instruktion i, hvordan han tilberedte vælling, og med mikroovnens hjælp var den hurtigt klar. Han tjekkede omhyggeligt temperaturen ved selv at sutte en tår i sig.

"Føj for pokker, det var sgu klamt. Du må nok vente med de lækre sager, til du bliver større."

Leo skreg endnu højere ved synet af flasken, og Bertil tog plads ved bordet i køkkenet og lagde ham til rette på venstre arm. Han stak flasken i munden på Leo, der grådigt gik i gang med at sutte indholdet i sig. Flasken var tømt på et øjeblik, og Mellberg kunne mærke, hvordan den lille krop slappede af. Kort efter begyndte drengen imidlertid at vride sig utålmodigt igen, og lugten var nu så ubehagelig, at selv ikke Mellberg kunne klare det ret meget længere. Problemet var bare, at bleskift var en beskæftigelse, det indtil nu med stor succes var lykkedes ham at undgå.

"Så, så, nu er den ene ende klaret, og vi mangler bare den anden," sagde han med et kækt tonefald, der på ingen måde afspejlede hans følelser over for opgaven.

Mellberg bar den klynkende Leo ud på badeværelset. Han havde hjulpet pigerne med at installere et puslebord på væggen, og der fandtes alt, hvad der var nødvendigt til operation bleskift.

Han anbragte drengen på puslebordet og lirkede bukserne af ham. Han forsøgte at trække vejret gennem munden, men lugten var så gennemtrængende, at selv ikke dét hjalp. Mellberg løsnede tapen på siden af bleen og var en besvimelse nær, da hele herligheden åbenbarede sig for øjnene af ham.

"Milde skaber." Han kiggede sig desperat omkring og fik øje på en pakke vådservietter. Han rakte ud efter den, og da han slap grebet om Leos ben, greb drengen chancen for at bore fødderne godt og grundigt ned i bleen.

"Nej, nej, det må du ikke," sagde Mellberg, trak en hel håndfuld servietter op og begyndte at vaske ham af. Det lykkedes ham dog bare at tvære lorten endnu mere ud, inden det gik op for ham, at han var nødt til at fjerne selve kilden til problemet. Han løftede Leo i fødderne og lirkede bleen fri, og med afskyen malet i ansigtet lagde han den i affaldsspanden på gulvet.

En halv pakke vådservietter senere begyndte han at se lys for enden af tunnelen. Det meste var vasket af, og Leo var faldet lidt til ro. Mellberg fjernede nænsomt det sidste og tog en ny ble fra hylden over puslebordet.

"Nå, nu er vi vist på rette vej," sagde han tilfreds, og Leo sprællede med benene, så ud til at påskønne at have numsen bar et lille stykke tid. "Hvilken vej skal den mon vende?" Mellberg vendte og drejede bleen og blev til sidst enig med sig selv om, at de små dyreprint sikkert skulle være bagpå ligesom mærket i et stykke tøj. Pasformen virkede lidt aparte, og tapen sad så som så. At det skulle være så svært at fremstille nogle ordentlige bleer. Til alt held var han jo en handlekraftig mand, der så ethvert problem som en udfordring.

Mellberg tog Leo op, bar ham med ud i køkkenet og holdt ham hen over skulderen, mens han rodede i nederste køkkenskuffe, hvor han fandt, hvad han søgte. Rullen med tape. Han gik ind i dagligstuen, lagde Leo på sofaen, og efter at have viklet tapen et par gange rundt om bleen beskuede han med tilfredshed sit værk.

"Sådan. Og pigerne, der var bange for, at jeg ikke kunne passe dig. Nå, hvad siger du så? Har vi ikke gjort os fortjent til en lille lur på sofaen?"

Bertil løftede den nu veltapede dreng op og lagde sig til rette på sofaen med ham i favnen. Leo rodede lidt rundt og borede så tilfreds ansigtet ind i hulningen på politiinspektørens hals.

En halv time senere sov begge dybt.

"Er Christian hjemme?" Da Sanna åbnede døren, havde Erica mest af alt lyst til at dreje om på hælen og løbe sin vej, men Patrik havde ret. Hun havde ikke noget valg.

"Ja, han er lige oppe på loftet, men nu skal jeg kalde på ham." Sanna vendte sig om mod trappen til første sal. "Christian! Der er besøg til dig!" råbte hun og så derefter på Erica igen. "Kom indenfor, han er her lige straks."

"Tak." Erica følte sig forlegen, mens hun stod og ventede i entreen sammen med Sanna, men lidt efter hørte hun skridt på trappen. Da Christian kom til syne, slog det hende, hvor medtaget han så ud, og den dårlige samvittighed ramte hende hårdt og skånselsløst.

"Hej?" sagde han spørgende og kom hen og gav hende et knus.

"Der er noget, jeg er nødt til at tale med dig om," sagde Erica og fik atter lyst til at dreje om på hælen og styrte ud ad døren.

"Jaså? Jamen kom dog indenfor." Christian vinkede hende nærmere, og hun trak overtøjet af.

"Vil du have noget at drikke?"

"Nej tak." Hun rystede på hovedet. Hun ville bare have det her overstået.

"Hvordan gik det med signeringerne?" spurgte hun og lod sig synke ned i det ene hjørne af sofaen i dagligstuen.

"Fint," svarede Christian på en måde, der ikke inviterede til flere spørgsmål. "Så du avisen i går?" spurgte han i stedet, og hans ansigt så gråt ud i vinterlyset, der sivede ind ad vinduet.

"Ja, det var det, jeg ville snakke med dig om." Erica gjorde sig rede til fortsættelsen. I det samme sparkede en af tvillingerne hende hårdt i ribbenene, og hun gispede.

"Sparker de?"

"Ja, det kan man roligt sige." Hun trak vejret dybt og fortsatte: "Det var min skyld, at det lækkede til pressen."

"Hvad mener du?" Christian rettede sig op i sofaen.

"Ja, det var altså ikke mig, der gav dem et tips," skyndte hun sig at tilføje, "men jeg var så dum at fortælle det til den forkerte person." Hun kunne ikke møde Christians blik, men kiggede ned på sine hænder.

"Gaby?" sagde Christian træt. "Men kunne du ikke regne ud, at hun …"

Erica afbrød ham. "Patrik sagde nøjagtigt det samme, og I har ret. Jeg burde have indset, at jeg ikke kunne stole på hende, at hun ville se det som en mulighed for at få medieomtale. Jeg føler mig torskedum. Jeg burde virkelig ikke have været så naiv."

"Nej, men det er der jo ikke så meget at gøre ved nu," sagde Christian.

Hans resignation fik Erica til at få det endnu dårligere. Hun ville næsten ønske, at han ville skælde hende huden fuld; hellere det end at se hans trætte, skuffede ansigtsudtryk.

"Tilgiv mig, Christian. Jeg er frygteligt ked af det her."

"Tja, vi må jo håbe, at hun får ret."

"Hvem?"

"Gaby. Så det i det mindste vil fremme salget af min bog."

"Om jeg begriber, at man kan være så kynisk. At hænge dig ud på den måde bare for at tjene flere penge."

"Hun er jo ikke nået dertil, hvor hun er i dag, ved at gøre sig gode venner med alle."

"Men alligevel. At det kan være dét værd." Erica var fortvivlet over det svig, hun havde gjort sig skyldig i – ved en fejltagelse og af godtroenhed – og hun kunne ved gud ikke begribe, at man kunne gøre den slags helt bevidst. For vindings skyld.

"Stormen lægger sig sikkert," sagde Christian, men lød ikke helt overbevist.

"Er du blevet kimet ned af journalister i dag?"

"Efter den første opringning i går slukkede jeg for mobilen. Jeg har ikke tænkt mig at fyre mere op under dem."

"Og hvordan går det med ..." Erica tøvede. "Har du modtaget flere trusler? Jeg forstår godt, hvis du ikke længere har tillid til mig, men tro mig, jeg har fået en lærestreg."

Christians ansigt lukkede sig. Han kiggede ud ad vinduet og svarede ikke lige straks. Da han gjorde det, var det med spag og træt stemme.

"Jeg vil ikke vade mere rundt i det. Det er kommet helt ud af proportioner."

Der lød et brag oppe ovenpå, og et barn begyndte at skrige højt og skingert. Christian gjorde ikke mine til at rejse sig, men bag sig kunne Erica høre Sanna storme op ad trappen.

"Kommer de godt ud af det med hinanden?" spurgte Erica med et nik i retning af førstesalen.

"Ikke specielt. Storebror er ikke vild med konkurrencen, kan man vist sammenfatte problemet." Christian smilede.

"Man har nok en tendens til at fokusere lidt for meget på det første barn, og det har de så vænnet sig til," sagde Erica.

"Ja, det har man vist," svarede Christian, og smilet forsvandt. Oppe ovenpå var begge drenge nu begyndt at skrige, og Sannas vrede stemme sluttede sig til koret.

"Du er nødt til at tale med politiet," sagde Erica. "Som du kan forstå, har jeg snakket med Patrik om det, og det står jeg inde for. Han mener helt afgjort, du skal tage det alvorligt, og første skridt er jo at melde det til politiet. Hvis du synes, kan du nøjes med at tale med ham til en begyndelse, altså helt uofficielt." Hun kunne selv høre, at hun lød bedende, men brevene havde gjort hende ilde til mode, og hun fornemmede, at Christian i virkeligheden havde det på samme måde.

"Jeg vil ikke snakke mere om det her," sagde han og rejste sig. "Jeg ved godt, det ikke var din mening, at det skulle gå sådan her, da du talte med Gaby, men du må respektere, at jeg ikke ønsker at gøre et stort nummer ud af sagen."

Skrigeriet på første sal havde nu nået nye højder, og Christian gik hen mod trappen.

"Du må have mig undskyldt, men jeg er altså nødt til at hjælpe Sanna, inden drengene slår hinanden ihjel. Du finder selv ud, ikke?" Han skyndte sig op uden at sige farvel. Erica fik en følelse af, at han flygtede.

Skulle de aldrig hjem? Campingvognen føltes mindre og mindre, for hver dag der gik, og han havde snart udforsket hver en krog af campingpladsen. Derhjemme ville de måske begynde at interessere sig for ham igen. Her var det, som om han ikke eksisterede.

Far løste krydsord, og mor var syg. Det var i hvert fald den forklaring, han fik, når han prøvede at gå ind til hende i den lille, smalle køje, hvor hun lå dagen lang. De havde ikke været ude at bade sammen igen. Selvom han levende huskede frygten og det, der havde snoet sig rundt om hans fødder, ville han have foretrukket det frem for konstant afvisning.

"Mor er syg. Gå ud og leg."

Og han gik sin vej, fandt selv på noget at få dagene til at gå med. I begyndelsen prøvede de andre børn på campingpladsen at lege med ham, men han var ikke interesseret. Hvis han ikke kunne være sammen med mor, ville han ikke være sammen med nogen.

Da hun blev ved med at være syg, blev han mere og mere bekymret. Sommetider hørte han hende kaste op. Og hun så så bleg ud. Tænk, hvis det var noget farligt? Tænk, hvis hun også ville dø fra ham? Ligesom hans mor.

Bare tanken gav ham lyst til at kravle ind i et hjørne og gemme sig. Presse øjnene så hårdt i, at mørket ikke kunne sætte sig fast inden i ham. Han måtte ikke give sig selv lov til at tænke sådan. Hans smukke mor kunne ikke dø. Ikke også hende.

Han havde fundet sit eget sted oppe på klippen med udsigt over campingpladsen og havet. Hvis han strakte hals, kunne han sågar se taget på deres campingvogn. Heroppe tilbragte han dagene, her kunne han være i fred. Når han sad her, fik han tiden til at gå.

Far ville også hjem, det havde han hørt ham sige, men mor ville ikke. Den tilfredsstillelse skulle Kællingen ikke have, sagde mor, mens hun lå på briksen, bleg og tyndere end normalt. Kællingen skulle vide, at de som altid var her hele sommeren, så tæt på, uden at besøge hende. Nej, de skulle ikke hjem. Så lagde hun sig hellere til at dø.

Mere var der ikke at sige. Det blev, som mor besluttede, og han måtte fortsætte med at gå hen til sit særlige sted hver dag. Sidde med armene om knæene, mens tankerne og fantasierne fik frit løb.

Når først de kom hjem, ville alting blive som før igen. Det ville det.

"**L**ØB NU IKKE for langt væk, Rocky!" Göte Persson råbte af sine lungers fulde kraft, og som sædvanlig hørte hunden tilsyneladende ikke efter. Han så halen på den lyse golden retriever forsvinde til venstre bag en klippe. Göte satte farten op, så godt det nu gik, men det højre ben drillede. Siden slagtilfældet kunne det ikke rigtigt holde trit, men han priste sig nu alligevel lykkelig. Lægerne havde ikke levnet ham meget håb om at genvinde sin fulde førlighed efter lammelsen i højre side, men de havde ikke taget hans stædighed med i beregningen. Takket være en ihærdighed af guds nåde og hans sygegymnast, der havde pacet ham, som befandt han sig i en OL-træningslejr, havde han stille og roligt trænet sig stærkere uge for uge. Indimellem havde der været tilbagefald, han havde flere gange været tæt på at give op, men han havde kæmpet og gjort nye fremskridt, der havde ført ham nærmere målet.

Nu gik han en times tid hver dag sammen med Rocky. Det gik trægt, og han humpede frem, men af sted kom de da. De begav sig ud i al slags vejr, og hver tilbagelagt meter var en sejr.

Hunden kom til syne igen. Den snusede rundt på stranden ved Sälvik-badepladsen og kiggede kun op nu og da for at forvisse sig om, at dens ejer ikke havde forvildet sig bort. Göte benyttede chancen for at tage et lille hvil og få vejret. Som han havde gjort snart hundrede gange, mærkede han efter i lommen, tjekkede at han havde husket telefonen. Jo, den lå der. For en sikkerheds skyld tog han den op, tjekkede, at den var tændt, at han ikke var kommet til at slå lyden fra eller havde overhørt en opringning. Der var stadig ingen opkald til ham, og han lagde utålmodigt mobilen tilbage i lommen.

Han vidste udmærket, det var latterligt af ham at tjekke telefonen hvert femte minut, men de havde lovet at ringe, når de tog af sted. Det første barnebarn. Hans datter Ina var næsten gået to uger over tiden, Göte fattede ikke, hvordan hun og svigersønnen kunne tage det så roligt. Ja, sandt at sige kunne han godt fornemme en vis irritation, når han ringede for tiende gang samme dag og spurgte, om der var sket noget. Men det føltes, som om han var ti gange så nervøs som dem. De sidste nætter havde han sågar ligget vågen meget af tiden, stirret skiftevis på vækkeuret og mobiltelefonen. Den slags havde det jo med at galoppere af sted om natten, og tænk nu, hvis han sov for tungt og ikke hørte dem ringe?

Han gabte. De mange søvnløse nætter var begyndt at tage på kræfterne. Det havde sat så mange tanker i gang, da Ina og Jesper sagde, at de ventede sig. De havde fortalt det et par dage efter, at han var segnet om og akut blevet sendt med ambulance til Uddevalla. Egentlig havde de tænkt sig at vente med at fortælle det – det var jo så tidligt, og de havde først lige selv fået det at vide – men ingen havde troet, at han ville overleve. De havde ikke engang været sikre på, at han kunne høre dem, da han lå i hospitalssengen, koblet til slanger og apparater.

Men han havde hørt dem, hvert eneste ord. Og det havde givet hans bevidsthed det holdepunkt, der skulle til. Noget at leve for. Han skulle være morfar. Hans eneste datter, hans livs lys, skulle have en lille. Hvordan kunne han gå glip af det? Han vidste, at Britt-Marie ventede på ham, og ret beset ville han ikke have haft så meget imod at slippe taget og blive genforenet med hende. Han havde savnet hende hver eneste dag, hvert eneste minut i alle de år, der var gået, siden han blev alene med datteren. Men nu var der brug for ham, og det fortalte han Britt-Marie. Sagde, at hun måtte vente lidt på ham, for deres lille tøs havde brug for ham her.

Det forstod Britt-Marie, det vidste han. Han var vågnet igen, havde forladt søvnen, der havde været så anderledes og på mange måder fristende. Han var steget ud af sengen, og hvert skridt, han siden havde taget, havde været for den lille ny. Han havde så meget at give, og han havde i sinde at udnytte hvert eneste minut, han havde fået, til at forkæle sit barnebarn. Ina og Jesper kunne protestere, så meget de ville. Det var en morfars privilegium.

Telefonen i lommen kimede skingert, og det gav et sæt i ham, da han stod i sine egne tanker. Ivrigt tog han mobilen frem, havde nær tabt den i sin be-fippelse. Han kiggede på displayet, og skuldrene sank sammen af skuffelse, da han så navnet på en af sine bekendte. Han turde ikke besvare opkaldet. Sæt nu, der blev meldt optaget, når de ringede?

Han kunne ikke længere se Rocky, så han lagde telefonen tilbage i lom-men og humpede i den retning, hvor han sidst havde set hunden. En lys skygge bevægede sig i øjenkrogen, og han kiggede ud over vandet.

"Rocky!" råbte han forskrækket. Hunden var gået ud på isen, stod næsten tyve meter ude med sænket hoved. Da den hørte Göte kalde, begyndte den at gø højt og skrabe med poterne. Göte holdt vejret. Hvis det havde været en rigtig isvinter, ville han ikke være så bekymret. Britt-Marie og han havde, specielt før i tiden, masser af gange taget en madkurv og en termokande kaffe med ud på isen og spadseret ud til en af de nærliggende øer. Men nu havde det været tøvejr og frost på skift, og han vidste, at isen var forræde-risk.

"Rocky," kaldte han igen. "Kom her!" Han prøvede at lyde bestemt, men hunden ignorerede ham.

Göte havde kun én tanke. Han måtte ikke miste Rocky. Hunden ville ikke overleve, hvis isen gav efter, og den havnede i det iskolde vand, det ville Göte ikke kunne bære. De havde været kammerater i ti år, og han havde så mange billeder på nethinden af sit kommende barnebarn, der tumlede med hun-den, at en fremtid uden Rocky var utænkelig.

Han gik ned til vandkanten, stak en fod frem og mærkede på isen. Den splintrede i tusind hårtynde stykker på overfladen, men ikke hele vejen igen-nem. Den var sikkert tyk nok til at bære ham. Han fortsatte. Rocky gøede stadig indædt og skrabede med poterne.

"Kom her," prøvede Göte at lokke igen, men hunden blev stående og så ikke ud til at ville rokke sig af stedet.

Isen virkede mere stabil herude end inde ved strandkanten, men Göte besluttede sig alligevel for at minimere risikoen ved at lægge sig ned. Med be-svær kom han ned på maven, prøvede at ignorere kulden, der trængte gen-nem tøjet, skønt han havde klædt sig forsvarligt på.

Det var vanskeligt at mave sig fremad. Fødderne gled bare, når han prø-vede at tage afsæt. Han ærgrede sig over, at han var så forfængelig og ikke havde anskaffet sig et par pigsko, som alle fornuftige pensionister vandrede rundt i nu.

Han kiggede sig omkring og fik øje på to kviste, der måske kunne bruges i stedet. Det lykkedes ham at møve sig hen til dem, hvorefter han brugte dem som en slags provisoriske modhager. Nu gik det hurtigere at bevæge sig frem, og decimeter for decimeter bevægede han sig hen mod køteren. Nu og da forsøgte han at kalde på den, men hvad det så end var, Rocky havde fundet, var det åbenbart for interessant til, at den ville slippe det med blikket så meget som et sekund.

Da Göte næsten var fremme, hørte han isen knage og protestere under sig, og han tillod sig at reflektere over skæbnens ironi: Her havde han genoptrænet måned efter måned, og så endte han måske med at falde gennem isen og drukne uden for Sälvik. Foreløbig så isen dog ud til at bære, og han var nu så tæt på, at han kunne række hånden ud og røre ved Rockys pels.

"Her kan du ikke blive, makker," sagde han beroligende og møvede sig lidt længere frem for at få fat i hundens halsbånd. Hvordan det herefter skulle lykkes ham at få både en modstræbende hund og sig selv tilbage på land, havde han ikke helt overvejet, men det skulle såmænd nok gå.

"Hvad er det, der er så frygtelig interessant?" Han greb fat i halsbåndet, kiggede ned. I det samme ringede telefonen i hans lomme.

Som altid var det svært at få noget fra hånden mandag morgen. Patrik sad på kontorstolen med fødderne oppe på skrivebordet. Stirrede på billedet af Magnus Kjellner, som kunne han få ham til at fortælle, hvor han befandt sig. Eller snarere: Hvor hans jordiske rester befandt sig.

Han var også bekymret for Christian. Patrik trak skuffen ud til højre for sig og tog den lille plasticpose op med brevet og kortet. Hvis det stod til ham, skulle de sendes til analyse for fingeraftryk, men han havde så lidt at arbejde ud fra og ingen konkrete ting at hægte det op på. Selv ikke Erica, der til forskel fra ham havde læst alle brevene, var sikker på, at nogen havde i sinde at udsætte Christian for noget konkret. Ikke desto mindre sagde hendes mavefornemmelse, og Patriks også, noget andet. De fornemmede begge den ondsindede tone i brevene. Han smilede lidt hen for sig. Sikke et ord. Ondsindet. Hvad indebar sådant et ord helt konkret? Men brevene udtrykte helt klart et ønske om at volde fortræd. Han kunne ikke beskrive det bedre end som så. Og den fornemmelse foruroligede ham dybt.

Han havde diskuteret det med Erica, da hun kom tilbage fra Christian. Han havde mest af alt lyst til at tage hen og tale med ham, men det havde Erica frarådet. Hun mente ikke, at Christian var modtagelig, bad Patrik vente, til avisoverskrifterne havde fået en anden ordlyd. Det var han gået med til, men når han sad her nu og kiggede på den sirlige håndskrift, spekulerede han på, om det var det rigtige.

Han for sammen, da telefonen ringede.

"Patrik Hedström." Han lagde plasticposen tilbage i skuffen og lukkede den. Så stivnede han. "Undskyld, hvad sagde du?" Han lyttede koncentreret, og næppe havde han lagt røret, før han gik i aktion. Han foretog et par hurtige opkald, hvorpå han løb ud på gangen og bankede på døren ind til Mellberg. Han afventede ikke noget svar, men gik direkte ind. Vækkede både mand og hund.

"Hvad satan …" Mellberg sprang lysvågen op fra sin henslængte stilling i kontorstolen og stirrede på Patrik.

"Har du ikke lært, at man skal banke på, før man går ind?" Politiinspektøren rettede på håret. "Nå? Kan du ikke se, jeg er optaget? Hvad vil du?"

"Jeg tror, vi har fundet Magnus Kjellner."

Mellberg rankede ryggen. "Det siger du ikke? Og hvor er han så? På en ø i Caribien?"

"Ikke ligefrem. Han ligger under isen. Uden for Sälvik."

"Under isen?"

Ernst fornemmede spændingen og spidsede ører.

"Vi blev ringet op af en ældre mand, der var ude med hunden. Vi kan selvfølgelig ikke vide endnu, om det er Magnus Kjellner, men sandsynligheden taler for det."

"Hvad fanden venter vi på?" sagde Mellberg, flåede sin jakke til sig og masede sig forbi Patrik. "Det var dog helvedes, så sløve i optrækket I er her på stationen! Skulle det virkelig tage så lang tid at opklare det her? Af sted! Du kører!"

Mellberg løb ud til garagen, og Patrik skyndte sig ind på kontoret for at hente sin jakke. Sukkede. Han ville helst være sluppet for at have sin chef med, men samtidig vidste han, at Mellberg ikke ville gå glip af chancen for at befinde sig i begivenhedernes centrum. Bare han slap for benarbejdet.

"Kom nu, sømmet i bund!" Mellberg sad allerede på passagersædet. Patrik tog plads bag rattet og drejede tændingsnøglen.

"Er det første gang, du er i fjernsynet?" kvidrede sminkøren.

Christian mødte hendes blik i spejlet og nikkede. Munden var tør og hænderne svedige. For to uger siden havde han sagt ja til at medvirke i Nyhetsmorgon på TV4, men nu fortrød han bittert. Under hele togturen til Stockholm i går aftes havde han måttet bekæmpe sin lyst til at vende om.

Gaby havde været ellevild, da tv-kanalen henvendte sig. De havde hørt rygter om en ny stjerne på forfatterhimlen og ville være de første til at interviewe ham. Gaby havde forklaret, at man ikke kunne ønske sig nogen bedre markedsføring, og at han ville sælge massevis af bøger alene som følge af sit korte tv-besøg.

Han havde ladet sig forføre. Fået fri fra sit bibliotekarjob, og Gaby havde reserveret togbilletter og hotelværelse i Stockholm til ham. Lige først havde han været eksalteret ved tanken om at skulle i fjernsynet med sin bog, med *Havfruen*. At skulle optræde i en landsdækkende tv-kanal som "forfatter" og tale om sin debutroman. Men weekendens spisesedler havde spoleret det hele. Hvordan kunnet han lade sig narre på den måde? Han havde levet tilbagetrukket i så mange år, at han havde indbildt sig, at han kunne træde frem igen. Selv efter at brevene var begyndt at komme, levede han fortsat i den illusion, at det alt sammen var overstået, at han var fredet.

Avisoverskrifterne havde revet ham ud af den vildfarelse. Nogen ville se det, nogen ville huske. Alt ville vende tilbage igen. Han gyste, sminkøren kiggede på ham.

"Fryser du her i den her varme? Er du ved at blive forkølet?"

Han nikkede og smilede. Det var nok det letteste. Ikke at forklare noget.

Laget af sminke så tykt og unaturligt ud. Endda på ører og hænder havde han fået et lag hudfarvet foundation, hudens naturlige nuance kom åbenbart til at virke bleg og grønlig på skærmen uden makeup. På en måde var det skønt. Som om han bar en maske, han kunne gemme sig bag.

"Godt, så er du klar. Studieværten kommer og henter dig om et øjeblik." Sminkøren inspicerede tilfreds sit værk. Christian stirrede på sig selv i spejlet, og masken stirrede tilbage.

Et par minutter senere blev han ført hen til kantinen uden for studiet. En imponerende frokostbuffet var rettet an, han nøjedes med lidt appelsinjuice. Adrenalinet pumpede i kroppen, og hånden rystede en anelse, da han løftede glasset.

"Følg med mig." Studieværten vinkede ad ham, og Christian efterlod sit halvtomme glas på bordet. Med skælvende knæ fulgte han efter hende og blev sluset ind i studiet på etagen nedenunder.

"Du kan sætte dig her," hviskede studieværten og viste ham hen til en stol. Christian tog plads, for sammen, da han et øjeblik efter mærkede en hånd på skulderen.

"Undskyld, men jeg skal lige anbringe en mikrofon," hviskede en mand med hovedtelefoner. Christian nikkede. Han var om muligt blevet endnu mere tør i munden og tømte glasset med vand foran sig.

"Hej, Christian. Hyggeligt at møde dig. Jeg har læst din bog, og jeg synes virkelig, den er fantastisk." Kristin Kaspersen rakte hånden frem, Christian tog den efter en vis tøven. Sådan som han svedte lige nu, måtte det føles som at gribe fat om en våd svamp. Den mandlige studievært kom også hen og satte sig. Hilste og præsenterede sig som Anders Kraft.

På bordet lå bogen, og bag dem fortalte meteorologen om vejret, de talte hviskende sammen.

"Du er vel ikke nervøs?" spurgte Kristin smilende. "Det behøver du ikke være. Du skal bare fokusere på os, så går det fint."

Igen nikkede Christian stumt. Hans vandglas var blevet fyldt igen, han tømte det i en mundfuld.

"Vi er på om cirka tyve sekunder," sagde Anders Kraft og blinkede til ham. Christian mærkede, hvordan han slappede en smule af ved den tryghed, som parret over for ham udstrålede, gjorde sig umage for ikke at tænke på kameraerne, der var placeret rundt om dem, og som ville sende ham *live* ud til en stor del af den svenske befolkning.

Kristin begyndte at tale mod et punkt bag ham, og det gik op for ham, at de var på. Hjertet bankede vildt, det susede i ørerne på ham, og han måtte tvinge sig til at høre efter, hvad Kristin sagde. Efter en kort præsentation kom første spørgsmål:

"Christian, du er blevet hyldet af anmelderne for din debutroman *Havfruen*, og forhåndsinteressen hos læserne har også været usædvanlig stor for en helt ukendt forfatter. Hvordan føles det?"

Stemmen rystede en smule, da han begyndte at tale, men Kristin så fast og roligt på ham, han koncentrerede sig om hende i stedet for kameraerne i hans øjenkroge, og efter lidt hakken og stammen hørte han, hvordan stemmen blev mere sikker.

"Det er selvfølgelig fantastisk. Jeg har altid haft en drøm om at blive forfatter, og at se den blive opfyldt og få sådan en modtagelse overgår mine vildeste fantasier."

"Forlaget har satset massivt. Vi ser store plakater med dig i boghandlernes udstillingsvinduer, der går rygter om et første oplag på femten tusind eksemplarer, og på kultursiderne kappes man nærmest om at sammenligne dig med litteraturens største. Kan det ikke føles en smule overvældende?" Anders Kraft kiggede på ham med venlige øjne.

Christian følte sig mere selvsikker nu, og hjertet var vendt tilbage til sin normale rytme.

"Det betyder meget, at mit forlag tror på mig og tør satse, men det føles lidt underligt at blive sammenlignet med andre forfattere. Vi skriver jo alle på hver vores helt særlige måde." Nu var han på sikker grund. Han slappede endnu mere af, og et par spørgsmål senere følte han, at han kunne blive siddende ved bordet og snakke, så længe det skulle være.

Kristin Kaspersen tog noget fra bordet og holdt det op foran kameraet. Sveden brød frem igen. Lørdagens *GT* med hans navn med fede typer. Ordet DØDSTRUSLER skreg imod ham. Vandglasset var tomt, han gjorde den ene synkebevægelse efter den anden i et forsøg på at fugte ganen.

"Det er jo blevet et stadigt mere almindeligt fænomen i Sverige, at kendte mennesker udsættes for trusler, men det her begyndte allerede, før du blev kendt i offentligheden. Hvor tror du, truslerne kommer fra?"

Først lød blot en kvækken, så lykkedes det ham at sige:

"Det her er revet ud af dets rette sammenhæng og er kommet helt ud af proportioner. Der vil altid være mennesker, som er misundelige, eller personer med psykiske problemer og … Ja, mere er der ikke rigtigt at sige om det." Hans krop var spændt som en fjeder, og han tørrede hænderne i buksebenene under bordet.

"Jamen så vil vi godt sige tak, fordi du ville komme og fortælle om din anmelderroste roman *Havfruen*." Anders Kraft holdt smilende bogen op foran kameraet, og lettelsen skyllede ind over Christian, da det gik op for ham, at interviewet var forbi.

"Det her gik jo rigtig godt," sagde Kristin Kaspersen og samlede sine papirer.

"Ja, helt bestemt," sagde Anders Kraft og rejste sig. "Nå, men jeg må videre i programmet, I må have mig undskyldt."

Manden med hovedtelefonerne befriede Christian fra mikrofonledningen, og han kom på benene, takkede og fulgte efter værten ud af studiet. Han rystede stadig på hænderne. De gik op ad trappen og forbi kantinen, hvorpå han gik ud i kulden. Han følte sig omtumlet og svimmel og var ikke helt sikker på, at han var i form til at mødes med Gaby henne på forlaget, sådan som de havde aftalt.

Mens taxaen førte ham ind mod centrum, stirrede han ud ad bilruden. Han vidste, at han definitivt havde mistet kontrollen.

"Okay, så hvordan løser vi det her?" Patrik spejdede ud over isen.

Torbjörn Ruud virkede som sædvanlig ikke det mindste bekymret. Han bevarede altid roen, hvor vanskelig en opgave end virkede. Som ansat ved kriminalteknisk afdeling i Uddevalla var han vant til at løse de mest besynderlige problemer.

"Vi må jo slå hul på isen og trække ham op med et reb."

"Men kan isen bære?"

"Hvis mandskabet bare har den rigtige udrustning, skulle det nok gå. Som jeg ser det, er den største risiko, at fyren river sig løs, når vi har slået hul på isen, og bliver ført af sted med strømmen ind under isen."

"Hvordan undgår vi det?" spurgte Patrik.

"Vi må begynde med at hakke et lille hul og hage ham fast, før vi bryder hullet større."

"Har I prøvet det her før?" Patrik følte sig stadig ikke helt tryg ved situationen.

"Nja …" Torbjörn trak på det, mens han overvejede spørgsmålet. "Nej, vi har vist aldrig haft nogen, der har været frosset fast under isen. I så fald ville jeg nok kunne huske det."

"Formentlig," sagde Patrik, rettede atter blikket mod det sted, hvor liget skulle ligge. "Okay, klø I bare på, så går jeg hen og snakker med vidnet." Patrik havde bemærket, at Mellberg stod sammen med den mand, der havde fundet liget. Det var aldrig nogen god idé at lade Bertil være for længe alene sammen med nogen, det være sig vidner eller folk i al almindelighed.

"Hej. Patrik Hedström," sagde han, da han kom hen til Mellberg og den fremmede.

"Göte Persson," svarede manden og tog Patriks hånd, mens han samtidig prøvede at holde fast i en ophidset golden retriever.

"Rocky vil godt derud igen, og det var kun med nød og næppe, jeg fik ham med ind på land," sagde Göte og strammede hundesnoren for at markere, hvem der havde kommandoen.

"Var det hunden, der fandt ham?"

Göte nikkede. "Ja, han stak af sted ud på isen og nægtede at komme ind igen. Stod bare og gøede. Jeg var bange for, at han skulle gå gennem isen, så jeg begav mig derud, og så opdagede jeg …" Han blev bleg, sikkert ved mindet om den dødes ansigt under isens frosne overflade. Skuttede sig og fik atter lidt farve i kinderne. "Er jeg nødt til at blive her ret meget længere? Min datter er på vej til fødeklinikken. Det er mit første barnebarn."

Patrik smilede. "Jamen så forstår jeg godt, du vil af sted, men gider du lige vente lidt? Vi skal nok lade dig gå snart, så du ikke går glip af noget."

Det affandt Göte sig med, og Patrik stillede endnu et par spørgsmål. Det stod dog hurtigt klart, at manden ikke kunne bidrage med mere. Han havde simpelthen været så uheldig at befinde sig på det forkerte sted på det forkerte tidspunkt – eller måske det rette sted på det rette tidspunkt, afhængigt af, fra hvilket perspektiv man så det. Efter at have noteret hans personoplysninger lod Patrik den vordende morfar gå, humpende skyndte han sig op mod parkeringspladsen.

Patrik vendte tilbage til vandkanten ud for det sted, hvor en mand nu forsøgte at fæste en krog af en slags i liget gennem et lille hul i isen. For en sikkerheds skyld lå han på maven og havde et reb bundet om livet. Rebet nåede helt ind til land, og det samme gjorde den line, der var fæstet til krogen. Torbjörn gik aldrig på kompromis med sine folks sikkerhed.

"Når vi har godt fat i ham, borer vi som sagt et større hul og trækker ham op." Torbjörns stemme lød lige til venstre bag Patrik, der for sammen, hensunken i iagttagelsen af arbejdet ude på isen.

"Trækker I ham ind på land?"

"Nej, så risikerer vi at miste eventuelle spor på tøjet. Vi vil hellere prøve at bakse ham ned i ligposen allerede ude på isen og så trække ham ind i den."

"Kan der virkelig stadig være spor, når han har ligget så længe i vandet?" spurgte Patrik skeptisk.

"Nja, hovedparten er nok ødelagt, men man ved aldrig. Der kan ligge noget i lommerne eller i folderne på tøjet, så det er bedst ikke at tage chancer."

"Ja, det kan der være noget om." Patrik troede dog ikke, det var særlig sandsynligt, at de ville finde noget. Han havde tidligere været med til at bjærge lig op af vandet, og hvis de havde ligget der et stykke tid, var der normalt ikke mange brugbare spor tilbage.

Han skærmede for øjnene med hånden. Solen var kommet højere op på himlen, og genspejlingen i isen fik øjnene til at løbe i vand. Han missede mod lyset, kunne konstatere, at krogen nu måtte være blevet hægtet forsvarligt fast i liget, for man var begyndt at save et større hul i isen. Uhyre langsomt blev liget halet op af vågen. Det hele foregik så langt ude, at Patrik ikke kunne se de nærmere detaljer, hvad han kun var taknemmelig for.

Endnu en mand mavede sig forsigtigt ud på isen, og da liget var kommet helt op af vandet, løftede to par hænder det varsomt ned i en sort ligpose, der omhyggeligt blev lynet. Et nik til folkene på land, og linen strammedes. Langsomt blev posen trukket ind på land. Patrik trådte instinktivt baglæns, da den kom nærmere, men bandede så indvendigt af sin egen afsky. Han bad teknikerne åbne posen og tvang sig selv til at kigge på manden i posen. Hans mistanke blev bekræftet. Han var næsten helt sikker på, at det var Magnus Kjellner, de havde fundet.

Patrik følte sig tom indvendig, da han så ligposen blive plomberet og båret hen til helikopteren oven for badestranden, der fungerede som landingsplads. Ti minutter senere var liget på vej til Retsmedicinsk Institut i Göteborg for at blive obduceret. På den ene side betød det, at der ville være svar at give videre og ledetråde at følge. Der ville være en afslutning. På den anden side ville han, så snart identiteten var bekræftet, blive nødt til at overbringe beskeden til familien, og det var ikke noget, han glædede sig til.

Endelig var ferien slut. Far havde pakket alle deres ting og stuvet dem ind i bilen og campingvognen. Mor lå som altid i sengen. Hun var blevet endnu tyndere, endnu blegere. Nu ville hun bare hjem, sagde hun.

Langt om længe havde far fortalt, hvorfor mor havde det så dårligt. I virkeligheden var hun ikke syg. Hun havde et lille barn i maven. En lillebror eller en lillesøster. Han forstod ikke, hvorfor man fik det så dårligt af det, men det kunne man godt, sagde far.

Først var han blevet glad. En søskende, nogen at lege med. Så havde han hørt dem snakke sammen, mor og far, og da gik det op for ham. Nu vidste han, hvorfor han ikke længere var mors smukke dreng, hvorfor hun ikke strøg ham over håret og så på ham med sit kærlige blik. Han vidste, hvem der havde taget hende fra ham.

Dagen før var han kommet hjem til campingvognen som en indianer. Havde listet sig lydløst frem i sine mokkasiner og med en fuglefjer i håret. Han var Vrede Sky, og mor og far var blegansigterne. Han kunne se dem bevæge sig inde bag gardinerne i campingvognen. Mor lå ikke i køjen. Hun var oppe, snakkede, og Vrede Sky blev glad, for nu havde mor det måske bedre, nu gjorde barnet hende måske ikke dårlig mere. Og hun lød lykkelig – træt, men lykkelig. Vrede Sky listede nærmere, ville høre mere af blegansigtets glade stemme. Skridt for skridt nærmede han sig, gled ind under det åbne vindue, og med ryggen mod væggen lukkede han øjnene og lyttede.

Men han havde åbne øjne, da hun begyndte at tale om ham, og bagefter skyllede mørket ind over ham med fuld styrke. Han mærkede den væmmelige lugt i næseborene, hørte stilheden runge i sit hoved.

Mors stemme trængte gennem stilheden, trængte gennem mørket. Hvor lille han end var, forstod han til fulde, hvad han hørte hende sige. Hun fortrød, at hun var blevet hans mor. Nu skulle de have et rigtigt barn, og hvis hun bare havde vidst, at det kunne lade sig gøre, ville hun aldrig have taget ham til sig. Og far, der med sit grå og trætte tonefald sagde, at: "Ja, men nu er knægten her jo, så vi må få det bedste ud af det."

Vrede Sky blev siddende helt stille. I det øjeblik fødtes hadet. Han ville ikke selv have kunnet sætte ord på følelsen, men han vidste, at det var en vidunderlig stærk følelse, og samtidig uendelig smertelig.

Da far pakkede bilen med flaskegas og tøj og konserves og alt muligt andet skrammel, pakkede han sit had. Det fyldte hele bagsædet. Men han hadede ikke mor. Hvordan skulle han kunne det? Han elskede hende jo.

Han hadede den, der havde taget hende fra ham.

ERICA VAR TAGET hen på Fjällbacka bibliotek. Hun vidste, at Christian havde fri i dag, fordi han skulle i fjernsynet, og han havde da også klaret det flot – i det mindste indtil sidste del. Da de begyndte at stille spørgsmål om truslerne, var han blevet synligt nervøs, og det havde været så ubehageligt at se ham rødme og svede, at Erica havde slukket for tv'et, før interviewet var slut.

Hun gik rundt og foregav at lede efter nogle bøger, mens hun spekulerede på, hvordan hun skulle gennemføre sit egentlige ærinde: At få snakket med Christians kollega May. Jo mere Erica grublede over brevene, jo mere overbevist blev hun om, at det ikke var en eller anden fremmed, der truede Christian. Nej, det føltes som noget personligt, og svaret måtte findes i Christians omgivelser eller i hans fortid.

Problemet var bare, at han altid havde været yderst tilbageholdende omkring sit privatliv. Samme morgen havde hun tænkt sig at nedskrive alt, hvad Christian havde oplyst om sin baggrund, men hun var blevet siddende med kuglepennen i hånden og et tomt stykke papir foran sig, og det gik op for hende, at hun ikke vidste noget som helst. Selvom hun og Christian havde tilbragt en del tid sammen under arbejdet med hans manuskript, selvom de efter hendes mening var kommet hinanden nær og blevet venner, havde han aldrig fortalt noget. Hun vidste ingenting.

Alene det fik advarselslamperne til at blinke. Man afslører altid små ting om sig selv, når man taler sammen, små brudstykker af information, der vidner om, hvem man har været, og hvordan man er blevet den person, man er. At Christian havde vogtet sin tunge så nøje, gjorde Erica endnu mere sikker på, at det var dér, svaret skulle findes. Spørgsmålet var bare, om det var lykkedes ham at holde paraderne oppe over for alle. Måske havde en af de kolleger, der arbejdede sammen med ham til daglig, opsnappet noget?

Erica skævede til May, der sad og skrev på sin computer. De var heldigvis alene på biblioteket, de kunne tale uforstyrret, og til sidst besluttede hun sig for en mulig taktik. Hun kunne ikke kaste sig lige ud i det og begynde at udspørge May om Christian, men måtte gå mere forsigtigt til værks.

Hun tog sig til lænden, sukkede og lod sig dumpe tungt ned på stolen foran skranken, hvor May sad.

"Ja, det må være hårdt. Jeg hører, du venter tvillinger," sagde May og kiggede moderligt på hende.

"Ja, der er to stykker herinde." Erica strøg sig over maven og prøvede at se ud, som om hun virkelig havde brug for at hvile sig lidt, hvad der sandt at sige ikke krævede det store komediespil. Da hun satte sig, mærkede hun, hvordan hele det nederste af ryggen taknemmeligt slappede af.

"Hvil du dig bare."

"Jamen så gør jeg det," sagde Erica smilende. "Så du for resten Christian i fjernsynet i morges?" tilføjede hun lidt efter.

"Det gik jeg desværre glip af, for jeg var på arbejde, men jeg har sat dvd'en til at optage udsendelsen. Tror jeg nok. Jeg er ikke helt fortrolig med al den moderne teknik. Klarede han sig godt?"

"Med bravur. Det er jo vidunderligt med bogen."

"Ja, vi er meget stolte af ham," sagde May og lyste op. "Jeg havde ingen anelse om, at han overhovedet skrev, før jeg hørte, den skulle udkomme, men sikken bog. Og sikke anmeldelser!"

"Ja, det er fantastisk." Erica tav et øjeblik. "Alle, der kender Christian, må være utroligt glade på hans vegne. Jeg håber, det også gælder hans gamle kolleger. Hvor var det nu, han arbejdede, før han kom til Fjällbacka?" Hun prøvede at se ud, som om hun egentlig godt vidste det, men bare ikke kunne komme på det.

"Hm ..." Til forskel fra Erica så May ud til at lede i hukommelsen. "Nu jeg tænker efter, ved jeg det faktisk ikke. Men Christian blev jo ansat før mig, og vi har vist ikke snakket om, hvad han lavede tidligere."

"Så du ved heller ikke, hvor han kommer fra, eller hvor han boede, før han flyttede til Fjällbacka?" Erica kunne høre, at hun lød lidt for interesseret, og gjorde sig umage for at anlægge et mere neutralt tonefald. "Jeg tænkte på det i dag, da jeg så interviewet. Jeg har jo altid syntes, han talte smålandsk, men nu syntes jeg, at jeg fornemmede antydningen af en anden dialekt, som jeg ikke rigtigt kunne placere." En noget lam nødløgn, men den måtte gå an.

May købte den tilsyneladende. "Nej, smålandsk er det ikke, det er jeg helt sikker på, men ellers har jeg ingen anelse. Vi taler selvfølgelig med hinanden på jobbet, og Christian er altid venlig og imødekommende." Det virkede, som om hun overvejede, hvordan hun skulle formulere sig. "Samtidig går der en grænse; hertil og ikke længere. Det er måske fjollet af mig, men jeg har aldrig spurgt til hans privatliv, for på en eller anden måde har han altid signaleret, at det ikke var et muligt emne."

"Jeg forstår, hvad du mener," sagde Erica. "Og han har aldrig nævnt noget sådan i forbifarten?"

May tænkte efter igen. "Nej, det kan jeg ikke ... Jo, vent lidt ..."

"Ja?" sagde Erica og forbandede sin utålmodighed.

"Det var bare en lille detalje, men jeg fik en følelse af ... På et tidspunkt talte vi om Trollhättan, efter at jeg havde besøgt min søster, der bor dernede. Det virkede, som om han kendte byen godt. Jeg husker faktisk, at jeg studsede over, at han hurtigt skiftede emne."

"Fik du en fornemmelse af, at han havde boet der?"

"Ja, det tror jeg, men jeg ved det som sagt ikke med sikkerhed."

Det var ikke meget at arbejde videre med, men det var i det mindste en begyndelse. Trollhättan.

"Kom indenfor, Christian!" Gaby bød ham velkommen i døren, og han trådte tøvende ind i det hvide kontorlandskab, hvor forlaget havde til huse. Lige så farvestrålende og sofistikeret dets chef var, lige så neddæmpet og farveløst var kontoret, og det var måske netop meningen, Gaby funklede så meget desto mere.

"Kaffe?" Hun pegede på en stumtjener med nogle bøjler til venstre for døren, og han hængte jakken op.

"Ja tak, meget gerne." Han fulgte efter hende, da hun på høje hæle klaprede hen ad en lang gang. Køkkenet var lige så hvidt som resten af kontoret,

men krusene, som hun tog frem, var shocking pink, og der var tilsynela-
dende ikke andre farver at vælge imellem.

"Latte? Cappuccino? Espresso?" Gaby pegede på en kæmpestor kaffema-
skine, der tronede på køkkenbordet, og han overvejede mulighederne et øje-
blik.

"Latte, tak."

"Jamen det klarer vi." Hun tog hans krus og begyndte at trykke på nogle
knapper. Da maskinen havde prustet færdigt, gjorde hun tegn til ham om at
følge med.

"Vi sætter os ind på mit kontor. Der render alt for mange rundt herude."
Hun nikkede afmålt til en kvinde i trediverne, der kom ud i køkkenet. Efter
hendes forskræmte blik at dømme holdt Gaby sine medarbejdere i en kort
snor.

"Sid ned." Gabys kontor lå dør om dør med køkkenet. Det var flot, men
anonymt. Ingen billeder af familien, ingen små, finurlige nipsting. Intet, der
kunne give et fingerpeg om, hvem Gaby i virkeligheden var. Christian havde
mistanke om, at det var helt bevidst.

"Hvor var du altså god i morges!" Hun tog plads bag skrivebordet og
sendte ham et strålende smil.

Han nikkede og vidste, at hun havde bemærket hans nervøsitet, speku-
lerede på, om hun havde nogen som helst samvittighedskvaler over at have
hængt ham ud og efterladt ham værgeløs over for det, der nu ville komme.

"Du har sådan et nærvær." Hendes tænder glinsede hvidt, da hun smilede
til ham. For hvidt, var antagelig bleget.

Han knugede om det lyserøde krus med svedige hænder.

"Vi vil prøve at få dig med i nogle flere tv-udsendelser," knevrede Gaby
videre. "Carin 21.30, Malou på TV4, måske et af quizprogrammerne. Jeg
tror, at ..."

"Jeg skal ikke i fjernsynet igen."

Gaby stirrede på ham. "Undskyld, men jeg hørte vist forkert. Sagde du,
at du ikke vil i fjernsynet igen?"

"Du hørte rigtigt. Du så selv, hvad der skete i morges, og det vil jeg ikke
udsættes for igen."

"Tv sælger." Gabys næsefløje blafrede. "Alene din korte optræden i TV4 i morges vil sætte yderligere skub i salget." Hun klikkede irriteret de lange negle ned i bordpladen.

"Det vil den uden tvivl, men det er ligegyldigt. Jeg stiller ikke op." Han mente det virkelig. Han hverken ville eller kunne eksponeres mere, end han allerede var blevet. Bare dét var for meget og nok til at fremprovokere en reaktion. Måske kunne han stadig undgå sin skæbne, hvis han sagde stop. Nu.

"Det her er et samarbejde. Jeg kan ikke sælge din bog, ikke få den ud til læserne, hvis du ikke giver dit besyv med, og det indbefatter, at du deltager i markedsføringen af bogen." Stemmen var isnende.

Det snurrede i Christians hoved. Han stirrede på Gabys lyserøde negle på den lyse bordplade og forsøgte at stoppe den susen, der blev højere og højere. Kradsede sig hårdt i venstre håndflade. Det kriblede under huden som et usynligt udslæt, der kun blev værre af, at han rørte ved det.

"Jeg stiller ikke op," gentog han, turde ikke møde hendes blik. Den lette nervøsitet, han havde følt inden mødet, var nu forvandlet til panik. Hun kunne ikke tvinge ham. Eller kunne hun? Hvad stod der egentlig i den kontrakt, han havde underskrevet, men som han i sin glæde over at få bogen antaget slet ikke havde læst?

Gabys stemme brød gennem den snurrende susen. "Vi forventer, at du stiller op, Christian. *Jeg* forventer det." Det kriblede og kløede inden i ham. Han kradsede sig endnu hårdere i håndfladen, indtil det begyndte at svide, og da han kiggede på hånden, så han de blodige striber, hans negle havde afsat. Han løftede blikket.

"Jeg er nødt til at tage hjem nu."

Gaby betragtede ham med rynkede bryn. "Hvordan går det egentlig med dig?" Hendes panderynke blev endnu dybere, ved synes af blodet i håndfladen. "Christian …" Hun virkede usikker på, hvordan hun skulle fortsætte, og han kunne ikke klare det længere. Tankerne snurrede mere og mere, sagde ting, han ikke ville høre. Alle spørgsmålstegnene, alle sammenfaldene, det hele blev blandet sammen, indtil han ikke kunne opfatte andet end kriblen under huden.

Han rejste sig og stormede ud af kontoret.

Patrik stirrede på telefonen. Der ville gå et godt stykke tid, før de kunne forvente en fuldstændig rapport om liget, de havde fundet under isen, men han regnede med meget snart at modtage en bekræftelse på, at det virkelig var Magnus Kjellner. Rygtet var sandsynligvis allerede ved at sprede sig i Fjällbacka, og han ønskede ikke, at Cia skulle høre det fra anden hånd.

Telefonen forholdt sig imidlertid stadig tavs.

"Noget nyt?" Annika stak hovedet indenfor og kiggede spørgende på ham.

Patrik rystede på hovedet. "Niks, men Pedersen kan ringe når som helst."

"Ja, det må vi jo håbe," sagde Annika, og netop som hun vendte sig om for at gå tilbage til receptionen, ringede telefonen, og Patrik fláede røret af.

"Hedström." Han lyttede et øjeblik og gjorde så tegn til Annika. Det var Tord Pedersen fra Retsmedicinsk, der ringede. "Ja ... Okay ... Ja ... Tak." Han lagde på og pustede ud. "Pedersen bekræfter, at det er Magnus Kjellner. Han kan først fastslå dødsårsagen efter obduktionen, men han tør sige med sikkerhed, at Kjellner har været udsat for vold. Han har nogle dybe snitsår."

"Stakkels Cia."

Patrik nikkede. Hjertet føltes tungt i brystet ved tanken om den opgave, der forestod, men ikke desto mindre ville han selv tage hen og overbringe beskeden. Det skyldte han hende efter alle de besøg, hun havde aflagt på stationen, hver gang lidt mere bedrøvet, lidt mere hærget, men dog stadig med noget, der lignede håb. Nu fandtes det håb ikke længere, det eneste, han kunne tilbyde, var en form for vished.

"Det er nok bedst, at jeg tager hen og snakker med hende med det samme," sagde han og rejste sig. "Inden hun hører det fra andre."

"Tager du alene derhen?"

"Nej, jeg tager Paula med."

Han gik hen til kollegaen og bankede på den åbne dør.

"Er det ham?" Paula gik som altid lige til sagen.

"Ja. Jeg kører hen og taler med hans kone. Tager du med?"

Paula tøvede et øjeblik, men hun var ikke typen, der løb fra sine pligter.

"Ja, selvfølgelig," svarede hun, trak i jakken og fulgte efter Patrik, der allerede var på vej hen mod udgangen.

I receptionen blev de standset af Mellberg.

"Har du hørt noget?" spurgte han ophidset.

"Ja, Pedersen har bekræftet, at det er Magnus Kjellner." Patrik drejede omkring for at gå ud til patruljevognen, der holdt parkeret foran stationen, men Mellberg var ikke færdig endnu.

"Han har druknet sig, ikke? Jeg vidste, han havde taget livet af sig. Det er garanteret dameproblemer eller det der pokerhalløj på nettet. Jeg vidste det."

"Det ser ikke ud til at dreje sig om selvmord." Patrik vejede sine ord på en guldvægt. Han vidste af bitter erfaring, at Mellberg behandlede informationer efter forgodtbefindende, og inden man vidste et ord af det, kunne han forårsage en katastrofe.

"For fanden da! Vi taler altså om mord?"

"Vi ved ikke så meget endnu." Patrik stemme havde fået en advarende tone. "Det eneste, Pedersen kunne oplyse lige nu, var, at Magnus Kjellner havde omfattende skader i form af snitsår."

"For fanden da," sagde Mellberg igen. "Det betyder naturligvis, at efterforskningen skal have en helt anden prioritet. Vi må sætte tempoet op, vi må betragte alt, hvad der er blevet gjort og ikke gjort, under lup. Jeg har jo ikke hidtil taget så meget del i sagen, men nu bliver vi selvfølgelig nødt til at koble stationens vigtigste ressourcer på."

Patrik og Paula vekslede blikke. Mellberg viste som sædvanlig ingen tegn på manglende selvtillid, men fortsatte entusiastisk:

"Vi skal foretage en minutiøs gennemgang af samtligt materiale, og jeg forventer, at alle møder sultne og tændte op klokken 15.00. Vi har spildt alt for meget tid. Gud fri mig, behøvede det virkelig tage tre måneder at finde stodderen? Man må jo skamme sig!" Han kiggede strengt på Patrik, der måtte opbyde al sin viljestyrke for at modstå en barnlig lyst til at sparke sin chef over skinnebenet.

"Klokken 15.00. Ja. Men nu ville jeg sætte pris på, at vi kunne komme af sted. Paula og jeg er på vej hjem til Magnus Kjellners kone."

"Jamen så okay," sagde Mellberg utålmodigt og verfede dem af. Han virkede allerede dybt hensunken i spekulationer om, hvordan han skulle uddelegere arbejdsopgaverne i det, der nu viste sig at være en drabsefterforskning.

Hele sit liv havde Erik haft kontrollen. Han havde været den, der bestemte, han havde været jægeren. Nu var der nogen, som jagtede ham, en ukendt person, som han ikke kunne se. Det skræmte ham mere end noget andet. Alting ville være nemmere, hvis han kunne få greb om, hvem der var efter ham, men han vidste det virkelig ikke.

Han havde brugt ganske meget tid på at gruble over det, på at kulegrave sit liv. Han havde gennemgået sine kvindebekendtskaber, sine forretningsforbindelser, sine venner og uvenner. Han kunne ikke benægte, at han havde affødt både bitterhed og vrede. Men had? Det var han ikke lige så sikker på. De breve, han modtog, emmede derimod af had og hævntørst. Hverken mere eller mindre.

For første gang følte Erik sig alene i verden. For første gang gik det op for ham, hvor tynd fernissen var, hvor lidt succes og rygklap betød, når det virkelig gjaldt. Han havde oven i købet overvejet at betro sig til Louise. Eller Kenneth. Men det lykkedes ham aldrig at finde et øjeblik, hvor hun ikke kiggede på ham med foragt, og Kenneth betragtede ham altid med underdanighed. Ingen af delene indbød til fortrolighed eller til at delagtiggøre dem i den bekymring, der havde naget ham, siden brevene begyndte at komme.

Der var ingen, han kunne vende sig til, og han var klar over, at han selv var skyld i sin isolation. Han havde tillige selverkendelse nok til at vide, at han ikke ville have handlet anderledes, hvis han havde haft mulighed for at gøre alting om. Smagen af succes var for sød. Følelsen af at være overlegen og tilbedt, for berusende. Han angrede intet, men han ville alligevel ønske, at der havde været nogen.

I mangel på andet besluttede han at søge det næstbedste: sex. Der var intet, der fik ham til at føle sig så uovervindelig samtidig med, at han slap kontrollen på en måde, han ellers aldrig gjorde. Det havde intet med den pågældende kvinde at gøre. De havde vekslet gennem årene, og det i en sådan grad, at han ikke længere kunne forbinde navn med udseende i hukommelsen. Han huskede, at en af dem havde haft perfekte bryster, men hvor meget han end anstrengte sig, kunne han ikke komme i tanker om, hvilket ansigt der hørte til brysterne. En anden havde smagt utrolig godt, havde givet ham lyst til at bruge tungen, suge duften til sig. Men navnet? Han anede det ikke.

112

Lige nu hed kvinden Cecilia, og han troede ikke, hun ville efterlade noget specielt aftryk i hans hukommelse. Hun var middelmådig. I enhver henseende. Fuldt ud acceptabel i sengen, men ikke en, der fik englene til at synge. En krop, der var tilpas veldrejet til, at han kunne få den op at stå, men ikke en, han så for sig, når han lå hjemme i sengen med lukkede øjne og rev den af. Hun var der, hun var til rådighed og villig. Deri lå hendes primære tiltrækningskraft, og han vidste, at han snart ville blive træt af hende.

Men lige nu var det nok. Utålmodigt ringede han på hendes dør og håbede, at han ikke behøvede snakke alt for meget, før han kunne trænge ind i hende og mærke spændingerne slippe taget i kroppen.

Allerede da hun åbnede døren, stod det ham klart, at det håb ville blive gjort til skamme. Han havde sendt hende en sms og spurgt, om han kunne kigge forbi, havde fået et ja til svar. Nu tænkte han, at han nok burde have ringet i stedet og tjekket, hvilket humør hun var i. For hun så beslutsom ud. Ikke vred eller sur, det kunne han ikke påstå, men bare beslutsom og rolig, hvad der føltes endnu mere foruroligende, end hvis hun havde været skidetosset.

"Kom indenfor, Erik," sagde hun og lukkede ham ind.

Erik. Det var aldrig gode tegn, når nogen brugte ens navn på den måde. Det betød, at man ville lægge vægt bag sine ord. At man ville have den andens fulde opmærksomhed. Han overvejede, om han kunne dreje om på hælen, sige, han blev nødt til at gå igen, og undgå at træde ind i hendes beslutsomhed.

Men døren stod allerede på vid gab, og Cecilia var på vej ud i køkkenet. Han havde ikke noget valg, lukkede modstræbende døren efter sig, hængte overtøjet op og fulgte efter hende.

"Det var godt, du kom. Jeg skulle lige til at ringe til dig," sagde hun.

Han stillede sig med ryggen mod køkkenbordet, lænede sig tilbage og foldede armene over brystet. Ventede. Nu kom det, som altid. Den sædvanlige historie. De ville tage føringen, overtage kommandoen og gå videre til en ny fase, hvor de stillede betingelser og afkrævede ham løfter, som han aldrig kunne give. Nogle gange kunne disse øjeblikke give ham en slags tilfredsstillelse. Han nød langsomt og omhyggeligt at gøre deres latterlige forhåbninger til skamme. Men ikke i dag. I dag trængte han til at mærke nøgen hud og sødmefulde dufte, stige opad og opleve den befriende forløsning. Han havde behov for at holde den, der jagtede ham, på afstand. Og så skulle det stupide kvindemenneske vælge lige netop denne dag til at få sine drømme knust.

Erik stod ubevægelig og så koldt på Cecilia, der fattet gengældte hans blik. Dette var noget nyt. Han plejede at se nervøsitet, blussende kinder før det afgørende skridt, oprømthed over, at de havde fundet "den indre styrke" og krævede det, som de mente sig berettiget til. Men Cecilia stod bare der foran ham uden at slå blikket ned.

Hun åbnede munden, netop som telefonen i hans bukselomme begyndte at vibrere. Han klikkede beskeden frem og læste den. En enkelt sætning. En sætning, der fik hans ben til at vakle. Et sted i det fjerne hørte han Cecilias stemme. Hun talte til ham, sagde et eller andet. Han kunne ikke få ordene til at give mening, men hun tvang ham til at høre efter, tvang hans hjerne til at omdanne lydene til en meddelelse.

"Jeg skal have et barn, Erik."

De havde siddet i tavshed hele vejen til Fjällbacka. Paula havde forsigtigt spurgt Patrik, om hun skulle føre ordet, men han havde blot rystet på hovedet. De havde samlet Lena Appelgren, præsten, op på vejen, og nu sad hun omme på bagsædet. Heller ikke hun sagde noget, efter at være blevet sat ind i situationen.

Da de drejede ind i familien Kjellners indkørsel, fortrød Patrik, at de havde taget patruljevognen og ikke hans egen Volvo. At en politibil holdt foran huset, kunne Cia kun tolke på én måde.

Han satte fingeren på dørklokken. Cia åbnede efter fem sekunder, og ud fra hendes ansigtsudtryk vidste han, at hun havde set bilen og draget sin konklusion.

"I har fundet ham," sagde hun og trak trøjen tættere omkring sig, da vinterkulden fejede ind ad den åbne gadedør.

"Ja," svarede Patrik. "Vi har fundet han."

Først så Cecilia fattet ud, men så var det, som om benene gav efter under hende, og hun sank om på entrégulvet. Patrik og Paula fik hende op at stå, støttet til dem vaklede hun ud i køkkenet, hvor de fik hende anbragt på en stol.

"Skal vi ringe efter nogen?" Patrik satte sig ved siden af Cia og tog hendes hånd.

Hun så ud til at overveje tilbuddet. Blikket var glasagtigt, og Patrik gættede på, at hun havde svært ved at samle tankerne.

"Skal vi hente Magnus' forældre?" spurgte han blidt, og hun nikkede.

"Ved de det?" spurgte hun med skælvende stemme.

"Nej," svarede Patrik, "men to af vores betjente er taget hjem til dem, jeg kan ringe og høre, om de har lyst til at komme herover."

Det blev ikke nødvendigt. Endnu en patruljevogn parkerede ved siden af Patriks, og han forstod, at Gösta og Martin allerede havde fået underrettet Magnus' forældre. De gik ind uden at ringe på, og Patrik hørte Paula gå ud i entreen og tale dæmpet med Gösta og Martin. Fra køkkenvinduet så han dem gå ud i kulden igen og køre væk.

Paula vendte tilbage til køkkenet sammen med Margareta og Torsten Kjellner.

"Jeg syntes, det var for meget med fire af os, så jeg sendte dem tilbage på stationen. Håber, du er enig?" sagde hun, og Patrik nikkede.

Margareta gik hen til Cia og lagde armene om hende. Indesluttet i svigermoderens favn undslap der Cia det første hulk, som om en dæmning blev gennembrudt og gav tårerne frit løb. Torsten så bleg og rådvild ud, præsten gik hen til ham og præsenterede sig.

"Sæt dig nu bare, så laver jeg os en kop kaffe," sagde Lena. De kendte kun hinanden af udseende, og hun vidste, at hendes opgave nu var at holde sig i baggrunden og bare stå til rådighed, hvis der var behov for hende. Det var forskelligt, hvordan mennesker reagerede ved budskabet om en pårørendes død, og sommetider var det nok, at hun udstrålede ro og tilbød noget varmt at drikke. Hun begyndte at lede i skabene, og lidt efter havde hun fundet, hvad hun skulle bruge.

"Så, så, Cia," sagde Margareta og strøg hende over ryggen. Over Cias hoved mødte hun Patriks blik, og han måtte stålsætte sig for ikke at vige tilbage for den dybe sorg i øjnene på en mor, der netop havde modtaget beskeden om, at hun havde mistet sit barn. Alligevel havde hun styrke nok til at trøste sin søns hustru. Nogle kvinder har noget i sig, der er så stærkt, at intet kan knække dem. Bøje dem, ja, men ikke knække dem.

"Det gør mig inderligt ondt." Patrik henvendte sig til Magnus' far, der stirrede tomt frem for sig på sin plads ved bordet. Torsten svarede ikke.

"Så er der kaffe." Lena stillede en kop foran ham og lagde hånden på hans skulder. Først reagerede han ikke, men så lød det sagte:

"Kan man få sukker?"

"Det kommer nu." Lena ledte endnu en gang i skabene og fandt kort efter en pakke sukkerknalder, som hun anbragte på bordet.

"Jeg forstår ikke …" sagde Torsten og lukkede øjnene, men åbnede dem så igen. "Jeg forstår det ikke. Hvem kan have ønsket at gøre Magnus noget ondt? Kan nogen have ønsket at gøre vores dreng fortræd?" Han så på sin kone, men hun hørte ham ikke. Hun stod stadig med Cias arme om livet, mens en våd plet på hendes grå bluse bredte sig.

"Det ved vi ikke, Torsten," sagde Patrik og nikkede taknemmeligt til præsten, der også rakte ham en kop, før hun tog plads ved siden af dem.

"Hvad ved I så?" Torstens hals snørede sig sammen af raseri og sorg.

Margareta sendte ham et advarende blik: ikke nu. Det her er ikke rette tid og sted.

Han adlød sin kones strenge blik og tog i stedet et par sukkerknalder, som han sammenbidt rørte ud i kaffen.

Der blev stille omkring bordet. Cias gråd var begyndt at stilne af, men Margareta knugede hende stadig ind til sig, holdt sin egen sorg stangen et øjeblik endnu.

Cia løftede hovedet. Hendes kinder var strimede af tårer, stemmen knap til at høre, da hun sagde:

"Børnene. De ved jo ikke noget. De er i skole, de skal komme hjem."

Patrik nøjedes med at nikke, hvorpå han rejste sig og gik ud til bilen sammen med Paula.

Han holdt sig for ørerne. Han fattede ikke, hvordan nogen, der var så lille, kunne larme så meget, og hvordan noget så hæsligt kunne få så megen opmærksomhed.

Alting havde forandret sig efter ferieugerne på campingpladsen. Mor var blevet tykkere og tykkere, indtil hun forsvandt hjemmefra en uge og derefter kom tilbage med en lillesøster. Han havde ikke helt kunnet forstå det, men ingen havde gidet svare på hans spørgsmål.

Der var i det hele taget ingen, som interesserede sig for ham mere. Med far var alt som vanligt, og mor havde kun øje for den lille, rynkede bylt. Hun slæbte hele tiden rundt på lillesøster, der bare vrælede uafbrudt. Hun lavede ikke andet end at made og skifte bleer og nusse og pusse. Han var kun i vejen, og de gange, han fik mors opmærksomhed, var, når hun skældte ham ud. Han kunne ikke lide at blive skældt ud, men det var trods alt bedre, end når hun kiggede lige igennem ham, som om han var luft.

Det, der irriterede hende mest, var, når han spiste for meget. Hun gik meget op i det med maden. "Man skal tænke på figuren," sagde hun altid, når far tog mere sovs.

Selv var han begyndt at øse mere op. Ikke bare én gang, men to eller tre. I begyndelsen havde mor gjort indsigelser, men han havde bare kigget på hende og med bevidst langsomme bevægelser hældt mere sovs op eller skovlet mere kartoffelmos over på tallerkenen. Til sidst havde hun givet op, nøjedes med at kigge vredt på ham. Og portionerne blev større og større. Et eller andet i ham nød væmmelsen i hendes øjne, når han åbnede munden og skovlede maden i sig. Ingen kaldte ham min smukke dreng mere. Han var ikke smuk længere, han var grim. Men hun ignorerede ham ikke.

Mor tog sig tit en lur, når babyen lå og sov i vuggen. Så plejede han at gå hen til lillesøster. Han måtte ikke røre hende, når mor så det. "Væk med de beskidte grabber." Men når mor sov, kunne han kigge på hende. Og røre ved hende.

Han lagde hovedet på skrå og betragtede hende. Hun lignede en gammel kone i ansigtet. Rødblisset. Hun knyttede hænderne i søvne og rørte på sig. Hun havde sparket dynen af sig. Han lagde den ikke over hende igen, hvorfor skulle han det? Hun havde taget alt fra ham.

Alice. Selv navnet fyldte ham med væmmelse. Han hadede Alice.

"**D**U SKAL GIVE mine smykker til Lailas piger."

"Jamen søde Lisbet, kan det ikke vente?" Han greb hendes hånd oven på dynen. Knugede den, mærkede de spinkle knogler. Som fugleknogler.

"Nej, Kenneth, det kan ikke vente. Jeg kan ikke slappe af, hvis jeg ikke ved, at alting er på plads. Jeg ville aldrig kunne finde ro, hvis jeg vidste, at jeg efterlod dig med alt i totalt kaos." Hun smilede.

"Men ..." Han rømmede sig og forsøgte igen: "Det er så ..." Stemmen knækkede over på ny, og han mærkede tårerne trænge sig på. Tørrede dem hurtigt væk. Han måtte holde dem tilbage, være stærk, men tårerne trillede alligevel ned på det blomstrede dynebetræk, som de havde haft i mange år, og nu var forvasket og falmet. Han redte op med det, fordi han vidste, at hun elskede det.

"Du behøver ikke spille komedie over for mig," sagde hun og strøg ham over hovedet.

"Klapper du skaldepanden?" sagde han med et anstrengt smil, og hun blinkede med det ene øje.

"Jeg har altid syntes, at hår på hovedet er vildt opreklameret, det ved du da. Det er meget flottere med en blank isse."

Han lo stille. Hun havde altid kunnet få ham til at le. Hvem skulle gøre det nu? Hvem skulle kysse ham på den skaldede isse og sige, det var heldigt, at Gud havde anlagt en landingsbane til hendes kys oven på hans hoved? Kenneth var udmærket klar over, at han ikke var det mest bidefaste mandfolk på denne jord, men i Lisbets øjne havde han altid været det, han kunne stadig blive forundret over, at han havde sådan en smuk kone. Selv nu, hvor

119

kræften havde taget alt, hvad der tages kunne, fortæret hende stykke for stykke. Hun havde været ked af at tabe håret, og han havde forsøgt sig med samme vits som hende: at Gud havde anlagt en landingsbane til *hans* kys. Hendes smil havde ikke nået øjnene.

Håret havde altid været hendes stolthed. Blondt og krøllet. Han havde set hendes øjne fyldes med tårer, når hun stod foran spejlet og langsomt lod hånden glide hen over de sparsomme totter, efter kemoen. Han havde stadig syntes, hun var smuk, men han vidste, hvordan det pinte hende, og det første, han gjorde, da han fik mulighed for at tage til Göteborg, var at gå ind i en forretning og købe et Hermès-tørklæde. Hun havde drømt om sådan et, men altid protesteret, når han ville forære hende et. "Man kan da ikke bruge så mange penge på sådan et lille stykke stof," havde hun sagt, når han prøvede at overtale hende.

Men denne gang købte han et tørklæde til hende – det dyreste, de havde. Med besvær havde hun rejst sig fra sengen, åbnet pakken, trukket tørklædet frem af den smukke indpakning og taget det med hen til spejlet. Med blikket fæstet på sit spejlbillede havde hun bundet den silkeskinnende firkant med et mønster i gult og guld omkring hovedet. Det havde skjult hårtjavserne, skjult de skaldede pletter. Og det fik gløden frem i øjnene, som den skrappe behandling ellers også havde berøvet hende.Hun havde ikke sagt en lyd, men var bare gået hen til ham, hvor han sad på sengekanten, havde bøjet sig og kysset ham på issen. Derefter var hun krøbet tilbage i seng og havde lænet sig op ad den hvide pude. Siden da havde hun altid tørklædet bundet om hovedet.

"Annette skal have den tykke guldhalskæde, og Josefine skal have perlerne. Resten kan de dele mellem sig, og så må vi jo håbe, de ikke kommer op at toppes." Lisbet lo, overbevist om, at søsterens døtre nok skulle kunne enes om de smykker, hun havde nået at samle.

Det gav et sæt i Kenneth. Det blev en brutal opvågnen, han havde været helt hensunket i gamle minder. Han forstod sin kone og hendes behov for at have alting ordnet, når hun forlod denne verden, men samtidig var det uudholdeligt at blive mindet om det uundgåelige, om det, der ifølge sagkundskaben rykkede stadigt nærmere. Han ville have givet hvad som helst for ikke at skulle sidde her med en spinkel hånd i sin og høre på, hvordan hans hustru fordelte sine jordiske ejendele.

"Og jeg ønsker ikke, at du skal leve alene resten af livet. Sørg for at gå ud en gang imellem, så du kan sondere terrænet. Men hold dig fra de der kontaktannoncer på nettet, for det tror jeg ikke ..."

"Nej, nu må du lige styre dig." Han strøg hende over kinden. "Tror du virkelig, nogen kvinde nogensinde vil kunne måle sig med dig? Nej, så er det bedre at være foruden."

"Jeg ønsker ikke, at du skal være ensom," sagde hun alvorligt, knugede hans hånd så hårdt, hun kunne. "Hører du? Livet skal gå videre." Svedperler brød frem på hendes pande, han tørrede dem væk med lommetørklædet, der lå på natbordet.

"Men lige nu er du her, og det er det eneste, der betyder noget."

De sad i tavshed et stykke tid og så hinanden i øjnene. Hele deres liv sammen stod at læse i deres blik. Den første store lidenskab, der aldrig helt forsvandt, selvom hverdagen gjorde den flosset i kanterne. Latteren, kammeratskabet, fællesskabet. Alle nætterne, hvor de havde ligget tæt ind til hinanden, og hun havde hvilet kinden mod hans bryst. Alle årene med børn, der aldrig kom, med håb, der blev skyllet bort og til sidst mundede ud i en stille accept. Tilværelsen, der blev opfyldt af venner, af interesser, af kærligheden til hinanden.

Ude i entreen ringede hans mobiltelefon. Han blev siddende uden at slippe hendes hånd, men telefonen blev ved med at kime, og til sidst nikkede hun til ham.

"Du må nok hellere tage den. Nogen er åbenbart meget forhippet på at tale med dig."

Kenneth rejste sig modvilligt, gik ud i entreen og tog mobilen op fra kommoden. *Erik* stod der på displayet. Endnu en gang blev han gennemstrømmet af irritation. Selv nu trængte han sig på.

"Ja?" svarede han studst uden at gøre forsøg på at skjule sin ærgrelse, som dog forsvandt, da han hørte beskeden. Efter at have stillet et par opklarende spørgsmål afbrød han samtalen og vendte tilbage til Lisbet. Tog en dyb indånding med blikket fæstet på hendes ansigt, der var så mærket af sygdommen, men som i hans øjne var smukt.

"Det ser ud til, at de har fundet Magnus. Han er død."

Erica havde prøvet at ringe til Patrik flere gange, men han tog ikke telefonen. De havde åbenbart travlt henne på stationen.

Hun sad hjemme ved computeren og søgte på nettet. Stædigt prøvede hun at koncentrere sig, men det var svært ikke at lade sig distrahere af to par fødder, der sparkede inde i maven. Og tankerne var vanskelige at holde i skak. Ængstelsen. Erindringen om den første tid med Maja, der langtfra havde været den lyserøde babyidyl, hun havde forestillet sig. Tiden dengang forekom som et sort hul, når hun prøvede at tænke tilbage, og nu var der dobbelt så mange. To, der skulle have mad, to, der holdt hende vågen, to, der krævede al hendes opmærksomhed, al hendes tid. Måske var hun egoistisk, måske var det derfor, hun havde så svært ved at lægge hele sit jeg, sin tilværelse i hænderne på andre. I hænderne på sine børn. Hun gruede for det og fik samtidig dårlig samvittighed. For med hvilken ret frygtede hun for noget så fantastisk som at få to børn til, to gaver på én gang? Men det gjorde hun. Hun frygtede det i en sådan grad, at hun var ved at gå i stykker indeni. På samme tid kunne hun jo se facit nu. Maja var sådan en lykke, at Erica ikke fortrød ét sekund af den vanskelige tid. Og dog huskede hun, hvordan det var, og erindringen gnavede.

Pludselig mærkede hun et spark, der var så hårdt, at hun snappede efter vejret. Det ene af børnene, eller måske begge to, havde unægtelig et vist fodboldtalent, og smerten kaldte hende tilbage til nuet. Hun var klar over, at alt grubleriet om Christian og brevene formentlig var noget, hun beskæftigede sig med for at holde tankerne og bekymringen på afstand, men det var så også i orden.

Hun gik ind på Google og begyndte med at taste hans navn: Christian Thydell. Der dukkede adskillige sider op, men de handlede alle om bogen. Hun prøvede at tilføje ordet Trollhättan. Ingen resultater. Hvis han havde boet der, måtte han have efterladt en eller anden form for spor. Det burde være muligt at finde noget mere. Hun bed i tommelfingerneglen, mens hun tænkte. Kunne hun være helt på vildspor? Der var jo ret beset ikke noget, der indikerede, at brevene kom fra nogen, Christian havde kendt, inden han kom til Fjällbacka.

Ikke desto mindre vendte hun hele tiden tilbage til spørgsmålet om, hvorfor han var så fåmælt om sin baggrund. Eller var det bare hende, han ikke havde villet tale med? Tanken sved, men hun kunne ikke afvise den. Han havde for så vidt heller ikke været specielt åbenhjertig på sin arbejdsplads, men det var ikke det samme. Det havde trods alt ladet til, at hun og Christian var kommet tæt ind på livet af hinanden, da de arbejdede med hans manuskript, udvekslede tanker og ideer, diskuterede toner og nuancer i sproget. Men sådan havde det måske slet ikke været.

Erica indså, at hun burde tale med nogle flere af Christians venner, før hun lod fantasien løbe af med sig. Men hvem? Hun havde kun en vag fornemmelse af, hvem han sås med. Magnus Kjellner havde været den første, der faldt hende ind, men medmindre der skete et mirakel, var den mulighed udelukket. Christian og Sanna så vist også ud til at kende Erik Lind med byggefirmaet og hans kompagnon Kenneth Bengtsson. Erica havde ingen anelse om, hvor nær de stod Christian, og hvem af dem det bedst kunne betale sig at snakke med. Og hvordan ville Christian for øvrigt reagere, hvis han fandt ud af, at hun rendte og udspurgte hans venner og bekendte?

Hun besluttede at give pokker i sine betænkeligheder. Nysgerrigheden vejede tungere, og det var jo desuden til Christians eget bedste. Hvis han ikke ville til bunds i, hvem der sendte trusselsbrevene, så måtte hun jo gøre det for ham.

Pludselig vidste hun, hvem hun skulle begynde med.

Ludvig kiggede på uret igen. Snart frikvarter. Matematik var hans absolut værste fag, og som altid sneglede timen sig af sted. Fem minutter tilbage. I dag havde de frikvarter samtidig som 7.A, hvad der betød, at han havde frikvarter med Sussie. Hendes skab var næsten lige ved siden af hans, og hvis han var heldig, kom de derhen på samme tid for at lægge bøgerne derind efter timen. Han havde været forelsket i hende i over et halvt år. Ingen vidste det på nær hans bedste ven Tom. Og Tom vidste, at han ville komme til at lide en langsom og pinefuld død, hvis han sladrede.

Det ringede ud, Ludvig smækkede taknemmeligt matematikbogen i og løb ud af klasseværelset. Han kiggede rundt, mens han gik hen til skabet, men kunne ikke få øje på Sussie. Deres time var måske ikke slut endnu.

Om ikke så længe ville han tage mod til sig og tale med hende, det havde han besluttet. Han vidste bare ikke, hvordan han skulle få begyndt, hvad han skulle sige. Han havde prøvet at få Tom til at lægge an på en af hendes veninder, så han kunne nærme sig hende ad den vej, men det havde Tom nægtet, så Ludvig var nødt til at finde på noget andet.

Der var ingen ovre ved skabene, da han kom derhen. Han låste op, lagde sine bøger fra sig og låste omhyggeligt efter sig igen. Hun var måske ikke i skole i dag. Han havde heller ikke set hende tidligere på dagen, så hun kunne være syg eller have fået fri. Tanken gjorde ham så nedslået, at han overvejede at pjække fra sidste time. Han for sammen, da nogen prikkede ham på skulderen.

"Undskyld, Ludvig. Det var ikke min mening at forskrække dig."

Skoleinspektøren stod bag ved ham. Hun var bleg og sammenbidt, og på brøkdelen af et sekund vidste Ludvig, hvad hun ville. Tanken om Sussie og alt det, han for blot et øjeblik siden havde fundet vigtigt, forsvandt og blev afløst af en smerte så dyb, at det føltes, som om den aldrig ville gå over.

"Jeg vil godt bede dig komme med ind på mit kontor. Elin er der allerede."

Han nikkede. Det tjente ikke noget formål at spørge, hvad det drejede sig om, han vidste det allerede. Smerten strålede helt ud i fingerspidserne, han kunne ikke mærke sine fødder, da han fulgte efter inspektøren. Han bevægede dem fremad, som han vidste, han skulle, men de var helt følelsesløse.

Lidt længere fremme, halvvejs henne ved inspektørens kontor, mødte han Sussie. Hun kiggede på ham, så ham i øjnene, men det føltes, som var det en evighed siden, det betød noget. Han så lige igennem hende. Der eksisterede ikke andet end smerten. Rundt om den var der kun rungende tomhed.

Elin brast i gråd, da hun fik øje på ham. Hun havde sikkert siddet og kæmpet for at holde tårerne tilbage, og da han trådte ind ad døren, styrtede hun hen til ham og kastede sig i hans arme. Han knugede hende ind til sig og strøg hende over ryggen, mens hun græd.

Den politibetjent, han havde mødt et par gange tidligere, stod ved siden af. Indtil nu havde han ikke sagt et ord.

"Hvor blev han fundet?" spurgte Ludvig til sidst. Spørgsmålet blev udtalt helt mekanisk, og han var ikke engang sikker på, han ønskede at høre svaret.

"Nede ved Sälvik," svarede betjenten, som han mente hed Patrik. Hans kollega stod et stykke bag ham. Hun så rådvild ud, Ludvig forstod hende. Han vidste heller ikke, hvad han skulle sige. Eller gøre.

"Vi tænkte, at vi ville køre jer hjem." Patrik gjorde tegn til Paula om at gå i forvejen, og Elin og Ludvig fulgte efter. I døren standsede Elin op og vendte sig om mod Patrik.

"Druknede vores far?"

Ludvig blev også stående, men kunne se, at betjenten ikke havde tænkt sig at sige mere lige nu.

"Lad os nu bare komme hjem, Elin. Vi kan høre resten senere," sagde han stille og tog sin søster i hånden. Først strittede hun imod. Hun ville ikke gå, hun ville have svar. Så begyndte hun at bevæge sig fremad.

"Jamen så går vi i gang ..." Mellberg holdt en kunstpause, hvorpå han pegede på opslagstavlen, hvor Patrik omhyggeligt havde sat alt deres materiale om Magnus Kjellners forsvinden op. "Som I kan se, har jeg samlet alt, hvad vi har foreløbig, og det er jo ikke meget at skrive hjem om. Tre måneder, og det her er alt, hvad I er nået frem til. Dét siger jeg jer, I er sateme heldige, at I arbejder herude på bøhlandet og ikke inde i Göteborg, hvor der er fart over feltet. De ville have opklaret det her på en uge!"

Patrik og Annika vekslede blikke. Mellbergs ansættelse ved politiet i Göteborg havde været et gennemgående tema i al den tid, han havde været chef for stationen i Tanumshede, men nu virkede det i det mindste, som om han havde opgivet håbet om at blive forflyttet tilbage, et håb, kun han selv havde troet skulle gå i opfyldelse.

"Vi har gjort, hvad vi kunne," sagde Patrik træt, bevidst om det nytteløse i at gøre indsigelser mod Mellbergs beskyldninger. "I øvrigt er det først fra i dag, der er tale om en drabsefterforskning. Inden da behandlede vi det som en forsvindingssag."

"Ja, ja. Vil du give os en kort sammenfatning af, hvad der er sket, hvor og under hvilke omstændigheder han blev fundet, og hvad du foreløbig har fået ud af Pedersen? Jeg ringer selvfølgelig selv til ham bagefter, jeg har bare ikke nået det endnu, så indtil videre må vi nøjes med dine oplysninger."

Patrik redegjorde for, hvad der var foregået i løbet af dagen.

"Sad han virkelig fast i isen?" Martin Molin gyste og kiggede på Patrik.

"Vi afventer billederne fra findestedet, men ja, Magnus Kjellner var frosset fast. Hvis hunden ikke var løbet ud på isen, havde det formodentlig varet længe, før vi fandt ham. Hvis vi da overhovedet havde fundet ham. Når isen smeltede, ville han have revet sig løs og derefter være drevet med strømmen. Han kunne være endt hvor som helst." Patrik rystede på hovedet.

"Det må vel også betyde, at vi ikke kan vide noget om, hvor og hvornår han havnede i vandet?" Gösta så dyster ud og klappede åndsfraværende Ernst, der trykkede sig op ad hans ben.

"Isen lagde sig jo ikke før i december. Vi må afvente Pedersens vurdering af, hvor længe Magnus har været død, men mit gæt er, at han døde umiddelbart efter, at han blev meldt savnet." Patrik løftede advarende en finger. "Men som sagt: Vi har ingen kendsgerninger, der understøtter det, så vi kan ikke udelukkende arbejde ud fra den antagelse."

"Men det lyder plausibelt," sagde Gösta.

"Du talte om skader på kroppen. Hvor meget ved vi om dem?" Paulas brune øjne blev smalle, og hun trommede utålmodigt med kuglepennen på en notesblok på bordet foran sig.

"Jeg fik heller ikke så meget at vide om skaderne. I kender jo Pedersen. Han er ikke meget for at komme med oplysninger, inden han har foretaget en grundig undersøgelse. Det eneste, han sagde, var, at Magnus Kjellner havde været udsat for vold og havde dybe snitsår."

"Hvad der formentlig betyder, at han er blevet stukket med en kniv," konstaterede Gösta.

"Formentlig, ja."

"Hvornår kan vi regne med at høre mere fra Pedersen?" Mellberg havde taget plads ved bordenden, knipsede med fingrene for at lokke hunden til sig. Ernst forlod omgående Gösta for at lunte hen og lægge hovedet i sin ejers skød.

"Han obducerer ham sidst på ugen, sagde han, så hvis vi er heldige, ved vi mere i weekenden, ellers bliver det først i næste uge." Patrik sukkede. Indimellem harmonerede hans profession rigtig dårligt med hans utålmodige temperament. Han ville have svar nu, ikke om en uge.

"Men hvad ved I så om hans forsvinden?" Mellberg holdt demonstrativt sin tomme kaffekop frem mod Annika, der foregav ikke at bemærke det. Han gjorde et nyt forsøg med Martin Molin, og det gik straks bedre. Martin havde endnu ikke oparbejdet den pondus, der skulle til for at sige fra, og Mellberg lænede sig tilfreds tilbage, da hans yngste medarbejder forsvandt ud i køkkenet.

"Vi ved, at han gik hjemmefra lidt over otte om morgenen. Cia tog på arbejde ved halvottetiden. Hun har deltidsarbejde i et ejendomsmæglerfirma i Grebbestad. Børnene er nødt til at tage hjemmefra allerede klokken syv for at nå skolebussen." Patrik holdt inde for at tage en tår af den kaffe, Martin skænkede op til dem alle, og Paula benyttede anledningen til at indsparke et spørgsmål.

"Hvordan kan du vide, at han tog hjemmefra lidt over otte?"

"En nabo så ham forlade huset på det tidspunkt."

"I bil?"

"Nej, Cia brugte familiens eneste bil, ifølge hende plejede Magnus normalt at gå."

"Da vel ikke helt til Tanum?" sagde Martin.

"Nej, han kørte sammen med en kollega, Ulf Rosander, der bor henne ved minigolfbanen. Det var der, han gik hen, men den morgen ringede han til Rosander og sagde, at han blev forsinket. Han dukkede aldrig op."

"Er vi sikre på det?" spurgte Mellberg. "Har vi set denne Rosander ordentligt efter i sømmene? Vi har jo kun hans ord på, at Magnus aldrig kom derhen."

"Gösta har været henne og tale med Rosander, og intet tyder på, at han lyver, hverken hans oplysninger eller hans opførsel," svarede Patrik.

"Eller også har I ikke strammet tommelskruerne nok," sagde Mellberg og noterede noget på sin blok. Så kiggede han op og stirrede hvast på Patrik. "Hent ham ind og lad os grille ham."

"Er det ikke lige lovlig drastisk? Vi risikerer måske, at folk ikke vil snakke med os, hvis de hører, at vi er begyndt at hente vidner ind på stationen," indvendte Paula. "Hvad med, at du og Patrik i stedet kører hjem til ham i Fjällbacka. Ja, du har selvfølgelig rigeligt at se til lige nu, så hvis du synes, kan jeg godt tage med." Hun blinkede diskret til Patrik.

"Hmm, det kan du have ret i. Jeg har temmelig meget om ørerne. Godt

127

tænkt, Paula. Du og Patrik tager hen og får jer en snak med denne ... Rosell."

"Rosander," korrigerede Patrik.

"Jamen det var jo det, jeg sagde." Mellberg skulede ondt til Patrik. "Hvorom alting er, så taler du og Paula med ham. Jeg tror, der er noget at hente der." Han viftede utålmodigt med hånden. "Nå, videre! Hvad har I ellers bedrevet?"

"Vi har stemt dørklokker på hele den strækning, som Magnus burde have gået, hvis han fulgte den sædvanlige rute hen til Rosander. Ingen har set noget, men det kan man selvfølgelig ikke slutte noget af. Folk har jo rigeligt at se til om morgenen," sagde Patrik.

"Det virker, som om han gik op i røg i samme øjeblik, han trådte ud ad døren. Intil vi fandt ham under isen." Martin kiggede opgivende på Patrik, der gjorde sig umage for at lyde mere optimistisk, end han følte sig.

"Ingen forsvinder ud i den blå luft. De efterlader altid nogle spor et sted, vi skal bare finde dem."

Patrik kunne selv høre, hvordan flosklerne væltede ud af munden på ham, men andet havde han ikke at byde på lige nu.

"Hvad med hans privatliv? Har vi boret dybt nok? Halet alle ligene op af lasten?" Mellberg lo ad sin egen morsomhed, men ingen af de andre grinede med.

"Magnus og Cias nærmeste venner var Erik Lind, Kenneth Bengtsson og Christian Thydell samt deres koner. Vi har talt med både dem og Magnus' familie, og det eneste, vi har fundet frem til, er, at Magnus var en kærlig far og en god ven. Ingen sladder, ingen hemmeligheder, ingen rygter."

"Sludder og vrøvl!" Mellberg fnyste. "Alle har noget, de skjuler. Det gælder bare om at grave det frem, og I har tydeligvis ikke gjort jer tilstrækkeligt umage."

"Vi ..." begyndte Patrik, men tav så, da det gik op for ham, at Mellberg muligvis – og for en sjælden gangs skyld – kunne have ret. Måske havde de ikke boret tilstrækkelig dybt, ikke stillet de rigtige spørgsmål. "Vi tager naturligvis endnu en runde med familien og vennerne," fortsatte han. Pludselig så han Christian Thydell for sig og brevet, der lå i øverste skrivebordsskuffe. Han ville ikke sige noget om det endnu, ikke før han havde noget mere konkret end sin intuition at gå efter.

"Godt så. Nu gør vi det om igen, og gør det ordentligt!" Mellberg rejste sig så hurtigt, at Ernst var lige ved at dratte omkuld. Han var næsten nået ud ad døren, da han vendte sig om og kiggede strengt på sit personale, der sad samlet omkring bordet. "Og så sætter vi lige tempoet i vejret, ikke?"

Det var blevet mørkt uden for togvinduet. Han havde været oppe så tidligt, at det føltes som langt ud på aftenen, skønt uret viste, at det kun var sent på eftermiddagen. Mobilen i lommen havde summet stædigt adskillige gange, men han havde ignoreret den. Uanset hvem det var, der ringede, var det nogen, som ville have noget af ham, som jagtede ham og gjorde krav på noget.

Christian stirrede ud og så, at de netop passerede Herrljunga. Han havde stillet bilen i Uddevalla, hvorfra der var omkring tre kvarters kørsel hjem til Fjällbacka. Han lagde panden mod ruden og lukkede øjnene. Glasset føltes koldt mod huden, og mørket udenfor pressede sig indad, ind mod ham. Han hev efter vejret og flyttede ansigtet. Det havde efterladt et tydeligt aftryk på ruden af hans pande og næse. Han løftede hånden og viskede det ud. Ville ikke have det der, ville ikke se mærker efter sig selv.

Da de nåede frem til Uddevalla, var han så træt, at han knap kunne se ud af øjnene. Han havde prøvet at tage sig en lur på den sidste del af turen, men billederne flimrede i hans hoved, så han ikke kunne finde hvile. Han holdt ind ved McDonald's uden for Torp og købte et stort bæger kaffe, som han skyllede ned i en fart for at få noget koffein i sig.

Mobilen summede igen, men han orkede ikke at tage den op af lommen, endsige tale med den, der insisterede på at få fat i ham. Det var sikkert Sanna, som ville være møgsur, når han kom hjem, men det var der ikke noget at gøre ved.

Det begyndte at krible i kroppen, og han vred sig uroligt på sædet. Lygterne på bilen bagved ramte bakspejlet og gjorde ham midlertidigt natteblind, da han rettede blikket fremad igen. Noget ved lygterne, den konstante afstand og det skarpe lys fik ham til at kigge i bakspejlet igen. Det var den samme bil, der havde ligget lige bag ham, siden han gjorde holdt i Torp. Eller var det? Han gned hurtigt øjnene. Han var ikke sikker på noget som helst mere.

Lyset fulgte efter, da han drejede væk fra motorvejen ved afkørslen til Fjällbacka. Christian kneb øjnene sammen, prøvede at se, hvad det var for en biltype, men det var for mørkt, og lygterne blændede ham. Hænderne var våde af sved, han havde knuget så hårdt om rattet, at de gjorde ondt. Han rettede fingrene ud et øjeblik.

Han så hende for sig. I den blå kjole og med barnet på armen. Lugten af jordbær, smagen af hendes læber. Fornemmelsen af kjolestoffet mod huden. Hendes hår.

Et eller andet løb ud foran bilen. Christian trådte bremsen i bund, i få sekunder mistede bilen vejgrebet. Den kurede ind mod grøften, og han registrerede, hvordan han slap rattet og lod det ske. Nogle centimeter fra kanten stoppede bilen. Det hvide bagparti på et rådyr sås tydeligt i skæret fra forlygterne, og han fulgte det med blikket, da det opskræmt spænede hen over marken.

Motoren kørte stadig, men lyden forsvandt i bruset i hans hoved. I bakspejlet kunne han se, at bilen bagved også var standset, og han vidste, han burde køre sin vej. Væk fra lygterne, der blændede ham i spejlet.

En bildør blev åbnet, og nogen stod ud af bilen bag ham. Hvem var det, der kom imod ham? Der var helt mørkt udenfor, han så en utydelig skikkelse nærme sig. Endnu nogle skridt, og den mørke skikkelse ville være henne ved hans dør.

Hænderne på rattet begyndte at ryste. Han flyttede blikket fra bakspejlet, stirrede ud over marken og skovbrynet, hvis omrids han kunne skelne svagt et stykke væk. Han stirrede og ventede. Døren i passagersiden blev åbnet.

"Hvordan går det? Kom du noget til? Det virkede ikke, som om du ramte det."

Christian kiggede i retning af stemmen. En hvidhåret mand i tresserne stod og betragtede ham.

"Jeg har det fint," mumlede Christian. "Jeg blev bare lidt chokeret."

"Ja, det er uhyggeligt, når der pludselig kommer noget løbende ud foran bilen på den måde. Og du er sikker på, at du er okay?"

"Helt sikker. Jeg fortsætter om et øjeblik. Er på vej til Fjällbacka."

"Jaså. Jeg skal til Hamburgsund. Kør forsigtigt."

130

Manden lukkede døren, og Christian mærkede pulsen falde igen. Det var ikke andet end spøgelser, minder fra fortiden. Ikke noget, der kunne gøre ham fortræd.

En lille, indre stemme forsøgte at tale om brevene. De var ikke fantasifostre. Men han vendte det døve øre til, ville ikke høre efter. Hvis han begyndte at tænke på det, ville hun tage magten igen, og det kunne han ikke tillade. Han havde arbejdet så hårdt på at glemme. Hun skulle ikke få lov til at indfange ham igen.

Han kørte ud på vejen med kurs mod Fjällbacka. I jakkelommen summede mobilen.

Alice skreg og skreg, om dagen såvel som om natten. Han hørte mor og far snakke om det, at hun havde noget, der blev kaldt kolik. Hvad det end skyldtes, så var det uudholdeligt at høre på hendes vrælen hele tiden. Lyden besatte hele hans hverdag, den tog alt fra ham.

Hvorfor hadede mor hende ikke, fordi hun hylede sådan? Hvorfor bar hun rundt på hende, sang for hende, visselullede hende og kiggede på hende med et mildt ansigtsudtryk, som om hun havde ondt af hende?

Det var ikke synd for Alice. Hun gjorde det med vilje, det var han helt overbevist om. Nogle gange når han bøjede sig ind over hendes vugge og kiggede ned på hende, som hun lå der og lignede en hæslig, lille bille, gengældte hun hans blik. Hun så på ham med øjne, der fortalte, at hun ikke ville have mor til at elske ham. Det var derfor, hun skreg og krævede så meget af hende. Så der ikke var noget tilovers til ham.

Af og til kunne han se på far, at han havde det ligesådan. At han også vidste, at Alice gjorde det med vilje, for at heller ikke far skulle få nogen andel i mor. Alligevel gjorde far ikke noget. Hvorfor gjorde han ikke det? Han var jo stor, voksen. Han ville kunne få Alice til at holde op.

Far fik dårlig nok lov at røre ved den lille. Han prøvede sommetider, tog hende kluntet op, klappede hende forsigtigt i rumpen og på ryggen for at få hende til at falde til ro. Men mor sagde altid, at han gjorde det forkert, at han skulle give Alice til hende igen. Så trak han sig ind i sig selv.

En dag fik far alligevel lov til at passe hende. Alice havde skreget værre end nogensinde, tre nætter i træk. Han havde ligget vågen på sit værelse og presset en pude ned over hovedet for at lukke lyden ude. Hadet var vokset under puden. Det bredte sig, lagde sig så tungt hen over ham, at han næsten ikke kunne få vej-

132

ret, men måtte løfte puden for at få luft. Nu var mor træt. Hun havde været vågen i tre nætter, så hun havde gjort en undtagelse, overladt babyen til far og var gået i seng. Og far besluttede at tage hende i bad og spurgte, om han havde lyst til at kigge på.

Far kontrollerede omhyggeligt temperaturen, da han fyldte badekarret med vand, og han betragtede Alice, der for én gangs skyld tav stille, med det samme blik som mor. Far havde aldrig tidligere været vigtig. Han var en usynlig skikkelse, der blegnede i mors stråleglans; holdt ude fra Alices og mors fællesskab. Men nu blev han betydningsfuld, da han smilede til Alice, og hun gengældte hans smil.

Far sænkede forsigtigt den lille, nøgne krop ned i vandet. Han anbragte hende i en slags stativ foret med frotté, som en lille hængekøje, så hun halvvejs sad op. Med nænsomme bevægelser vaskede han hendes arme, hendes ben, den tykke mave. Hun sprællede med hænderne og fødderne. Nu skreg hun ikke, omsider skreg hun ikke. Men det var lige meget. Hun havde vundet. Far havde endda forladt sit tilflugtssted bag avisen for at smile til hende.

Han stod helt stille i døren. Kunne ikke tage blikket fra fars hænder, der bevægede sig hen over den lille barnekrop. Far, der havde været det tætteste, han kom på en fortrolig, efter at mor var holdt op med at se ham. Det ringede på døren, og det gav et sæt i ham. Far kiggede skiftevis på badeværelsesdøren og Alice, usikker på, hvad han skulle gøre. Til sidst sagde han:

"Vil du se efter din lillesøster et øjeblik? Jeg skal lige se, hvem det er. Jeg er straks tilbage."

Han tøvede et kort sekund, men nikkede så. Far rejste sig fra sin hugsiddende stilling ved siden af badekarret og bad ham komme nærmere. Fødderne bevægede sig mekanisk de få skridt hen til badekarret. Alice kiggede op på ham, og ud af øjenkrogen så han far gå ud af badeværelset.

Nu var de alene, han og Alice.

E RICA STIRREDE MÅLLØST på Patrik.
"Under isen?"

"Ja, den stakkels mand, der fandt ham, må have fået et chok." Patrik havde givet hende et kort resumé af dagens begivenheder.

"Ja, det må du nok sige!" Hun lod sig dumpe tungt ned i sofaen, og Maja så straks sit snit til at kravle op på hendes skød, hvad der dog ikke var helt nemt.

"Hallo, hallo!" råbte Maja højt med munden mod maven. Lige siden de havde fortalt hende, at babyerne kunne høre hende, greb hun enhver chance for at kommunikere med dem, og eftersom hendes ordforråd stadig var temmelig begrænset, blev det en noget ensformig samtale.

"De sover vist, så lad være med at vække dem," sagde Erica og holdt tyssende en finger op mod læberne.

Maja imiterede bevægelsen og lagde derpå øret mod maven for at høre, om babyerne virkelig sov.

"Det må have været en forfærdelig dag," sagde Erica dæmpet.

"Ja," svarede Patrik og prøvede at skubbe billedet af Cias og børnenes ansigter fra sig. Især udtrykket i Ludvigs øjne, der var så lig Magnus', ville blive siddende på nethinden i lang tid. "Nu ved de det i hvert fald. Sommetider tror jeg, at uvisheden er værre," sagde han og satte sig ved siden af Erica, Maja mellem dem. Hun smuttede glad op på skødet af ham i stedet og borede hovedet ind mod hans brystkasse. Han strøg hende over det lyse hår.

"Det har du nok ret i, men samtidig må det være hårdt at miste håbet." Hun tav lidt. "Har I nogen anelse om, hvad der kan være sket?"

134

Patrik rystede på hovedet. "Nej, vi ved ikke noget endnu. Overhovedet in-genting."

"Og brevene til Christian?" spurgte hun. Hun var i syv sind, om hun skulle fortælle om sin tur hen på biblioteket i dag og de tanker, hun havde gjort sig om Christians fortid. Hun besluttede sig for at lade være. Det måtte vente, til hun havde fundet ud af lidt mere.

"Jeg har endnu ikke haft tid til at kigge på det, men vi skal tale med Mag-nus' familie og venner igen, og så får jeg jo mulighed for at tage det op med Christian."

"De spurgte ham om truslerne i fjernsynet i morges," sagde Erica og gyste, da hun tænkte på sin meddelagtighed i det, Christian var blevet udsat for i *live*-tv.

"Hvad svarede han?"

"Han slog det hen, selvom han virkede synligt presset."

"Det kan ikke undre." Patrik kyssede sin datter oven på hovedet. "Hvad siger du til at lave aftensmad til mor og babyerne?" Han rejste sig og tog Maja på armen. Hun nikkede ivrigt. "Hvad skal vi lave, synes du? Pøller med løg?"

Maja grinede, så hun fik hikke. Hun var fremmelig af sin alder og havde lige opdaget, hvor meget sjov man kunne få ud af tis-og-bæ-vitser.

Sanna vandrede frem og tilbage. Drengene sad og så børnetime inde i dag-ligstuen, men selv kunne hun ikke sidde stille. Hun gik rundt og rundt i huset, mens hun holdt mobiltelefonen krampagtigt i den ene hånd og ta-stede nummeret med jævne mellemrum.

Intet svar. Christian havde ikke taget telefonen hele dagen, og det ene skrækscenarie efter det andet havde udspillet sig i hendes hoved. Ikke mindst efter at nyheden om Magnus havde sat Fjällbacka på den anden ende. Hun havde tjekket hans mails over ti gange i løbet af dagen. Noget byggede sig op inden i hende og blev stærkere og stærkere, indtil det forlangte at blive mod-bevist eller bekræftet. Inderst inde ønskede hun næsten, at hun kunne gribe ham i noget. I så fald ville hun få vished og afløb for den angst og frygt, der gnavede i hende.

I virkeligheden vidste hun godt, at det var uklogt af hende. Med sit kontrolbehov og sine evindelige spørgsmål om, hvem han var sammen med, og hvad han tænkte, skubbede hun ham bare længere væk. Hun vidste det med sin fornuft, men fornemmelsen var stærk. Den fortalte hende, at hun ikke kunne stole på ham, at han skjulte noget for hende, at hun ikke duede. At han ikke elskede hende.

Tanken gjorde så ondt, at hun satte sig på køkkengulvet med armene om knæene. Køleskabet summede mod hendes ryg, men hun registrerede det knap nok, mærkede kun hullet indeni.

Hvor var han? Hvorfor lod han ikke høre fra sig? Hvorfor kunne hun ikke få fat på ham? Beslutsomt tastede hun nummeret igen. Den ene ringetone afløste den anden, men telefonen blev stadig ikke taget. Hun rejste sig, gik hen og tog brevet, der lå på spisebordet. Der var kommet et til i dag, og hun havde straks åbnet det. Teksten var lige så kryptisk som sædvanlig. *Du ved, at du ikke kan flygte. Jeg bor i dit hjerte, du kan aldrig gemme dig, om du så rejser til verdens ende.* Den sorte håndskrift var velkendt. Sanna holdt skælvende brevet op til næsen. Det lugtede af papir og blæk. Ikke af parfume eller andet, der kunne røbe noget om afsenderen.

Christian hævdede stivnakket, at han ikke vidste, hvem brevskriveren var, men hun troede ham ikke. Så enkelt var det. Raseriet vågnede i hende, og hun smed brevet på bordet og løb op ad trappen. En af drengene kaldte på hende inde fra sofaen, men hun ignorerede ham. Hun var nødt til at få vished, nødt til at lede efter et svar. Det var, som om nogen havde overtaget hendes krop, som om hun ikke længere kontrollerede sig selv.

Hun begyndte med soveværelset, trak Christians kommodeskuffer ud og tømte dem for indhold. Gennemgik nøje det hele og mærkede derpå efter med hånden inde i de tomme skuffer. Intet, absolut ingenting ud over T-shirts, sokker og underbukser.

Søgende så hun sig om i værelset. Klædeskabet. Sanna gik hen til klædeskabet, der dækkede hele den bageste væg, og begyndte metodisk at gennemgå det bid for bid. Alle Christians ting røg ud på gulvet. Skjorter, bukser, bælter og sko. Hun fandt ikke noget.

Hurtigere og hurtigere flåede hun hans ting ud af skabet, indtil der til sidst kun var hendes eget tøj og andre af hendes ejendele tilbage. Hun satte sig tungt på sengen og lod hånden glide hen over sengetæppet, som hendes mor havde syet. Hun havde så mange ting, der fortalte noget om, hvem hun var, og hvor hun kom fra. Sengetæppet, toiletbordet, der havde tilhørt hendes farmor, halskæden, som hun havde fået af sin mor. Alle brevene fra venner og familie, som hun opbevarede i æsker i klædeskabet. Skoleårbøgerne, der lå i en nydelig stak på en hylde, studenterhuen, der lå sikkert forvaret i en hatteæske ved siden af den tørrede brudebuket. Små ting, der beskrev hendes historie, hendes liv.

Pludselig gik det op for hende, at hendes mand ikke havde den slags ting. Han var ganske vist mindre sentimental end hende og ikke lige så tilbøjelig til at gemme på ting, men et eller andet burde der da være. Ingen gik gennem livet uden at knytte sig til gamle minder.

Hun hamrede sine knyttede hænder ned i sengetæppet. Uvisheden fik hendes hjerte til at banke vildt. En tanke slog hende, og hun stivnede. Der var et sted, hvor hun ikke havde ledt. På loftet.

Erik drejede glasset mellem fingrene, betragtede vinens dybrøde farve, der virkede lysere i kanten. Et tegn på en ung vin, havde han lært på et af de utallige vinkurser, han havde deltaget i.

Hele hans tilværelse var ved at falde fra hinanden, og han kunne ikke helt forstå, hvad der foregik. Han blev revet med af en flodbølge, der var så kraftig, at han ikke kunne kæmpe imod.

Magnus var død. Det ene chok var gledet over i det andet, så han først nu for alvor kunne forholde sig til den besked, Louise havde sendt ham. Først kom hendes sms om, at man havde fundet liget af Magnus, og næsten samtidig fik han at vide, at Cecilia var gravid. To oplysninger, der havde rystet ham i hans grundvold, og som han havde fået overbragt inden for et halvt minut.

"Kan du i det mindste ikke svare?" Louises stemme var skarp.

"Hvabehar?" sagde han. "Hvad sagde du?"

"Jeg spurgte, hvor du var i dag, da jeg sendte dig den sms om Magnus. Jeg ringede til kontoret først, og der var du ikke. Så ringede jeg til din mobil flere gange, men fik bare telefonsvareren." Hun snøvlede, var formodentlig allerede begyndt at drikke om formiddagen.

Væmmelsen trængte op i munden på ham, blandede sig med vinen og gav den en besk bouquet af stål. Han følte lede ved hende og den måde, hvorpå hun havde sluppet tøjlerne og ladet stå til. Hvorfor kunne hun ikke tage sig sammen i stedet for at stirre på ham med det der martyrblik og kroppen fuld af papvin?

"Jeg var ude i et ærinde."

"Et ærinde?" Louise tog en tår af sin vin. "Ja, jeg kan forestille mig, hvad det var for et ærinde."

"Hold nu op," sagde han træt. "Ikke i dag. Ikke i dag af alle dage."

"Og hvorfor ikke lige i dag?" Tonen var stridslysten, han vidste, hun lagde op til et skænderi. Pigerne var allerede gået i seng, og nu var de kun de to. Han og Louise.

"En af vores nærmeste venner blev fundet død i dag, så kan vi ikke bare holde fred et øjeblik?"

Louise tav, og han kunne se, at hun skammede sig. Et kort øjeblik så han den pige for sig, som han havde mødt på universitetet: køn, klog og slagfærdig. Men billedet forsvandt hurtigt, og tilbage var der den slappe hud og tænderne, der var farvet blålilla af rødvinen. Igen mærkede han den bitre smag i munden.

Og Cecilia, hvad skulle han stille op med hende? Så vidt han vidste, var det første gang, en af hans elskerinder var blevet gravid. Han havde måske været heldig, men nu var heldet sluppet op. Hun ville beholde det, sagde hun. Hun havde stået i sit køkken og helt koldt overbragt ham beskeden. Ingen argumentation, ingen diskussion. Hun havde blot fortalt det, fordi hun var nødt til det og for at give ham mulighed for at tage del i det eller lade være.

Pludselig var hun blevet voksen. Det pjattede og naive var væk. Han stod der over for hende og kunne se i hendes øjne, at hun for første gang så, hvem han i virkeligheden var. Og han havde vredet sig under hendes blik. Han ville ikke se sig selv gennem hendes øjne. Ville overhovedet ikke se sig selv.

Beundring var noget, han havde taget for givet hele sit liv. Sommetider også frygt, og det havde været lige så stimulerende. Men nu stod hun med hånden beskyttende på maven og stirrede på ham fuld af foragt. Hun havde gjort det forbi og oplyst ham om, hvilke valgmuligheder han havde. Enten undlod hun at fortælle, hvem der var far til barnet, mod at han til gengæld satte en klækkelig sum penge ind på hendes konto hver måned, fra barnet blev født, til det fyldte atten år. Eller hun fortalte Louise sandheden og ville gøre alt for at bringe ham i vanære.

Da Erik kiggede på sin kone, spekulerede han på, om han havde valgt rigtigt. Han elskede ikke Louise. Han bedrog hende, sårede hende, og han vidste, at hun ville være lykkeligere uden ham. Men vanens magt var stor. Det var ikke nogen tillokkende tanke at leve et ungkarleliv med opvask, der hobede sig op, fyldte snavsetøjskurve, færdigretter foran tv'et og weekend-samvær med pigerne. Hun vandt på bekvemmeligheden. Plus sin ret til det halve af hans formue. Det var den skinbarlige sandhed. Og denne bekvemmelighed skulle han desuden betale dyrt for de kommende atten år.

Han blev siddende næsten en time i bilen et stykke fra huset. Han kunne se Sanna bevæge sig rundt derinde, hendes kropssprog fortalte, at hun var op-revet.

Han kunne næsten ikke klare at tænke på hendes vrede, hendes gråd og bebrejdelser. Hvis det ikke havde været for drengene ... Christian startede bilen og kørte hurtigt ind i indkørslen for at slippe for at tænke tanken til ende. Hver gang han mærkede kærligheden til sønnerne brænde i brystet, blev han overvældet af frygt. Han havde forsøgt ikke at knytte sig for tæt til dem, forsøgt at holde faren og det onde på afstand, men brevene havde gjort ham det klart, at ondskaben allerede var her. Og kærligheden til sønnerne var dyb og uomgængelig.

Han måtte beskytte dem for enhver pris. Han kunne ikke tillade sig at begå fejl igen, i så fald ville hele hans liv og alt, han troede på, for altid være forandret. Han hvilede hovedet mod rattet, mærkede plasticoverfladen mod panden og forventede at høre gadedøren blive åbnet, hvad øjeblik det skulle være. Men Sanna havde åbenbart ikke hørt bilen, han fik endnu nogle se-kunders udsættelse.

Han kunne ikke flygte. Og han kunne ikke lade være med at elske dem, så han var nødt til at kæmpe og møde det onde ansigt til ansigt. Se dét i øj-nene, som han i så lang tid havde holdt for sig selv, men som bogen nu havde lukket op for. For første gang tænkte han, at han ikke burde have skrevet den. At alting ville have været anderledes, hvis den ikke eksisterede. På den anden side vidste han, at der ikke havde været tale om et frit valg. Han havde været nødt til det.

Gadedøren blev åbnet. Sanna stod og rystede af kulde med trøjen trukket tæt omkring sig. Han løftede ansigtet fra rattet, kiggede på hende. Lyset fra entreen fik hende til at ligne en madonna, iført ulden trøje og hjemmesko. Hun var i sikkerhed, det indså han, da han så hende stå der. Hun rørte ikke ved noget i ham, det havde hun aldrig gjort og ville aldrig komme til. Hende behøvede han ikke beskytte.

Derimod skulle han finde sig i at blive stillet til regnskab. Benene føltes tunge og følelsesløse, da han steg ud af bilen. Han låste den med fjernbetjeningen og gik hen mod lyset. Sanna gik baglæns ind i entreen og stirrede på ham. Hvid i ansigtet.

"Jeg har prøvet at ringe. Masser af gange. Jeg har ringet lige fra frokosttid, og du har ikke gjort dig den ulejlighed at ringe tilbage. Sig, at mobilen er blevet stjålet, at den er gået i stykker, sig hvad som helst, der kan give mig en rimelig forklaring på, at jeg ikke har kunnet få fat på dig."

Christian trak på skuldrene. Sådan en forklaring eksisterede ikke.

"Jeg ved det ikke," sagde han og tog jakken af. Armene virkede følelsesløse.

"Du ved det ikke ..." Ordene kom stødvis, og selvom han havde lukket hoveddøren og kulden ude, stod hun stadig med armene knuget omkring kroppen.

"Jeg var træt," sagde han og kunne selv høre, hvor lidet overbevisende det lød. "Det var et krævende interview i morges, og bagefter var jeg henne hos Gaby og ... Jeg var træt." Han orkede ikke at fortælle, hvad der var sket under mødet med forlagschefen. Han havde mest af alt lyst til at gå direkte op i seng, kravle ned under dynen og falde i søvn og glemme.

"Sover drengene?" spurgte han, idet han gik forbi hende. Han kom til at støde ind i hende, og hun vaklede, men blev stående. Hun svarede ikke, så han gentog:

"Sover drengene?"

"Ja."

Han gik op ad trappen og ind på sønnernes værelse. De lignede små engle, i deres senge. Blussende kinder og tætte øjenvipper som sorte vifter.

Han satte sig på Nils' sengekant, strøg ham over det lyse hår. Lyttede til Melkers tunge åndedræt. Han rejste sig og puttede dynen om dem, før han gik ned igen. Sanna stod i samme stilling nede i entreen, og han fik en forudanelse om, at det her var noget andet end det sædvanlige brok, de sædvanlige bebrejdelser. Han var udmærket klar over, at hun overvågede ham på alle tænkelige måder, tjekkede hans mails og ringede til hans arbejde under diverse påskud for at forvisse sig om, at han rent faktisk var der. Alt det vidste han og havde accepteret. Det var noget andet.

Hvis han havde haft et valg, var han drejet om på hælen og gået ovenpå igen. Havde gjort alvor af tanken om at gå direkte i seng, men han vidste, det var nytteløst. Sanna havde noget på hjerte, og det ville hun fremføre, hvad enten han stod her eller lå oppe i sengen.

"Er der sket noget?" spurgte han, og pludselig stivnede han. Kunne hun have gjort noget? Han vidste jo, hvad hun var i stand til.

"Der kom endnu et brev i dag," svarede Sanna og satte sig omsider i bevægelse. Hun gik ud i køkkenet, og han formodede, at han skulle følge efter.

"Et brev?" Christian åndede lettet op. Værre var det altså ikke.

"Det sædvanlige," sagde Sanna og smed konvolutten hen til ham. "Hvem er det egentlig, der sender dem? Og kom nu ikke og påstå, at du ikke ved det. Jeg tror ikke et sekund på dig." Hendes stemme steg til falset. "Hvem er hun, Christian? Var det hende, du var sammen med i dag? Var det derfor, jeg ikke kunne få fat på dig? Hvorfor gør hun det her?" Spørgsmålene og anklagerne væltede ud af hende, og Christian satte sig træt på stolen ved køkkenvinduet med brevet i hånden, uden at kigge på det eller læse det.

"Jeg aner det ikke, Sanna." Inderst inde længtes han næsten efter at fortælle det hele, men han kunne ikke.

"Du lyver." Sanna begyndte at hulke, hun hang med hovedet og tørrede sig under næsen med ærmet. Så kiggede hun op. "Jeg ved, at du lyver. Der er en anden, eller også har der været en. Jeg har pisket rundt i huset som en gal i dag og ledt efter noget, der kunne give mig bare et lille fingerpeg om, hvem jeg egentlig er gift med. Og ved du hvad? Der er ikke noget. Ingenting! Jeg har ingen anelse om, hvem du er!"

Sanna skreg ind i hovedet på ham, og han lod hendes vrede skylle ned over sig. Hun havde jo ret. Han havde ladt alt bag sig, den person, han var og havde været. Men han burde have vidst, at det ikke lod sig skubbe ind i glemslen, tilbage i fortiden. Han burde have vidst det.

"Jamen så sig dog noget!"

Christian for sammen. Sanna havde lænet sig frem, og spyttet sprøjtede, da hun råbte, han løftede langsomt armen for at tørre sig i ansigtet. Så sænkede hun stemmen, lænede sig endnu nærmere hans ansigt. Nu lød ordene næsten som en hvisken.

"Men jeg blev ved med at lede. Alle har noget, de ikke vil give afkald på, så det, jeg godt vil vide …" Hun holdt inde et øjeblik, og han mærkede det krible under huden af frygt. Hun havde fået et selvtilfreds udtryk i ansigtet, og det var både nyt og skræmmende. Han ville ikke høre mere, ville ikke spille det her spil længere, men han vidste, at Sanna ville fortsætte med ubønhørlig stålsathed.

Hun rakte ud efter noget, der lå på en af stolene på den anden side af bordet. Hendes øjne var blanke af alle de følelser, der havde lagret sig gennem årene. "Jeg vil vide, hvem den her tilhører," sagde hun og holdt noget blåt op foran ham.

Christian så øjeblikkelig, hvad det var, måtte lægge bånd på sig selv for ikke at flå kjolen ud af hænderne på hende. Hun havde ingen ret til at røre ved den! Han ville sige det til hende, råbe det til hende og få hende til at forstå, at hun var gået over grænsen, men han var tør i munden og kunne ikke få en lyd frem. Han rakte ud efter det blå stof, som han vidste føltes blødt mod kinden og let og vægtløst i hånden, men hun trak det væk, holdt det uden for hans rækkevidde.

"Hvis er den her?" Stemmen var blevet endnu lavere, knap hørlig. Sanna foldede kjolen ud, holdt den op foran sig, som stod hun i en tøjforretning og ville se, om farven klædte hende.

Christian så hende ikke engang, men stirrede blot på kjolen. Det var uudholdeligt at se den blive besudlet af en andens hænder, men samtidig arbejdede hans hjerne forbløffende koldt og effektivt. Hans omhyggeligt opdelte verdener var ved at kollidere, og det var umuligt at afsløre sandheden. Den kunne aldrig udtales højt. Men den bedste løgn var den, der rummede et gran af sandhed.

Med ét blev han rolig. Han ville give Sanna det, hun ønskede, han ville give hende en stump af sin fortid, så han begyndte at fortælle, og lidt efter satte hun sig ned. Hun lyttede og fik lov at høre noget af hans historie.

Hendes vejrtrækning var uregelmæssig. Det var flere måneder siden, hun holdt op med at sove i dobbeltsengen på første sal. På et tidspunkt havde hendes sygdom gjort det upraktisk, at hun lå ovenpå. Han havde indrettet gæsteværelset så godt, som det nu lod sig gøre. Hvor stor umage han end gjorde sig for at gøre det hyggeligt, var og blev det dog et gæsteværelse, og denne gang var det kræften, der var gæst. Den okkuperede værelset med sin lugt, nidkærhed og et varsel om død.

Inden længe ville kræften forlade dem, men mens Kenneth lå og lyttede til Lisbets uregelmæssige, stødvise vejrtrækning, ønskede han, at gæsten ville blive. For den ville ikke rejse fra dem alene, den ville tage det kæreste, han ejede, med sig.

Det gule tørklæde lå på natbordet. Han vendte sig om på siden, hvilede hovedet i hånden og betragtede sin kone i det svage lys fra gadelygten uden for vinduet. Han rakte hånden frem og lod den forsigtigt glide hen over dunene på hendes hoved. Det gav et lille spjæt i hende, og han flyttede hurtigt hånden for ikke at vække hende af den søvn, hun havde brug for, men som sjældent blev hende forundt efterhånden.

Han kunne ikke engang sove tæt ind til hende mere, sådan som de havde haft for vane. De havde gjort et forsøg i begyndelsen, puttet sig ind til hinanden under dynen, og han havde lagt armen om hende, som han altid havde gjort siden deres første nat sammen. Men sygdommen berøvede dem endog denne glæde. Berøringen gjorde for ondt, og hun gav sig, hver gang han strejfede hende, så han havde stillet en drømmeseng ved siden af. Tanken om ikke at sove i samme værelse som hende var uudholdelig, og at sove i dobbeltsengen oppe på første sal var helt udelukket.

Han sov dårligt på drømmesengen. Ryggen gjorde knuder, og han måtte forsigtigt rette leddene ud hver morgen. Han havde overvejet at købe en rigtig seng og stille den ved siden af, men vidste, det var meningsløst. Der ville ikke være behov for en ekstra seng ret meget længere. Om kort tid skulle han sove alene ovenpå.

Kenneth blinkede tårerne væk, iagttog Lisbets overfladiske og besværede åndedræt. Øjnene flakkede bag øjenlågene, som om hun drømte, og han spekulerede på, hvad der foregik i hendes drøm. Var hun rask? Løb hun omkring med det gule tørklæde bundet om sit lange hår?

Han vendte sig om. Han var nødt til at sove, han havde et job at passe. Alt for mange nætter lå han på drømmesengen og vendte og drejede sig, kiggede på hende, bange for at gå glip af et eneste minut. Og han var plaget af en træthed, der tilsyneladende aldrig ville lette.

Han mærkede, at han skulle tisse, så han kunne lige så godt stå op. Han ville alligevel ikke kunne falde i søvn igen, før han havde været på toilettet. Med besvær fik han vredet sig omkring, så han kunne sætte sig op. Det knagede i både ryggen og sengen, og han blev siddende et øjeblik på sengekanten for at strække de muskler, der havde trukket sig sammen. Satte fødderne ned på det kolde gulv, rejste sig og traskede ud i entreen. Badeværelset lå lige indenfor til venstre, og han måtte knibe øjnene sammen, da han tændte lyset. Han slog toiletbrættet op, trak ned i pyjamasbukserne og lukkede øjnene, da han mærkede trykket lette.

Pludselig trak det omkring benene, og han kiggede op. Badeværelsesdøren stod åben, og det føltes, som om der strømmede kold luft ind. Han prøvede at dreje hovedet og kigge, men han var ikke færdig endnu og risikerede at ramme ved siden af toiletkummen, hvis han drejede kroppen for meget. Da han havde tisset færdigt, rystede han de sidste dråber af, trak op i pyjamasbukserne og gik hen til døren. Det var indbildning, det trak ikke længere koldt. Ikke desto mindre var der noget, som sagde ham, at han skulle være forsigtig.

Entreen var dunkel. Lyset fra badeværelseslampen nåede kun et lille stykke ud foran ham, og resten af huset henlå i mørke. Normalt satte Lisbet adventsstjerner op i vinduerne allerede i november, hvor de blev hængende helt til marts måned, fordi hun holdt så meget af deres lys. I år havde hun ikke haft kræfter til det, og han havde heller ikke fået det gjort.

Kenneth listede på tæer ud i entreen. Det var ikke indbildning. Temperaturen var betragteligt lavere herude, som om hoveddøren havde været åben. Han gik hen og tog i den. Ulåst. Det var der ikke noget usædvanligt i, han huskede ikke altid at låse, ikke engang om natten.

For en sikkerheds skyld vred han slåen om og sikrede sig, at døren var

144

forsvarligt låst. Han vendte sig om for at gå i seng igen, men fornemmede en prikken i huden. Havde en følelse af, at alt ikke var, som det burde være. Han kiggede hen mod den åbne dør til køkkenet. Lyset derinde var heller ikke tændt, rummet henlå i mørke bortset fra det svage skær fra gadelygten udenfor. Kenneth kneb øjnene sammen og trådte et skridt frem. Et eller andet hvidt lå på spisebordet, noget, som ikke havde ligget der, da han ryddede af bordet og gik i seng. Han trådte et par skridt nærmere. Frygten skyllede i bølger gennem hans krop.

Midt på bordpladen lå der et brev. Endnu et brev. Og ved siden af den hvide konvolut havde nogen anbragt en af deres køkkenknive. Stålet blinkede i skæret fra gadelygten. Kenneth så sig omkring, men vidste, at hvem den ubudne gæst end var, var vedkommende forsvundet igen. Havde efterladt et brev og en kniv.

Kenneth ville ønske, han vidste, hvad budskabet var.

Hun smilede til ham. Et stort smil, ingen tænder, kun gummer. Men han lod sig ikke narre. Han vidste godt, hvad hun ville. Hun ville tage og tage, indtil han ikke havde noget tilbage.

Pludselig mærkede han lugten i næseborene. Den søde, vamle lugt. Den havde været der dengang, og den var her nu. Den måtte stamme fra hende. Han kiggede ned på den lille, våde og glinsende krop. Alt ved hende fik ham til at væmmes. Den tykke mave, revnen mellem hendes ben, det mørke hår, der ikke var helt jævnt fordelt på hovedet.

Han lagde en hånd på hendes hoved. Det dunkede under huden. Tæt på og skrøbeligt. Hånden pressede hårdere, og hun gled dybere ned. Stadig smilende. Vandet omsluttede hendes ben, skvulpede over, da hælene ramte bunden af badekarret.

Ude ved gadedøren langt, langt borte hørte han fars stemme. Den steg og faldt og lød ikke, som om den ville nærme sig lige med det samme. Det blev ved med at pulse mod hans håndflade, og hun begyndte at klynke lidt. Smilet kom og gik, som om hun ikke var sikker på, om hun var glad eller ked af det. Måske kunne hun mærke gennem hans hånd, hvor meget han hadede hende, hvor meget han væmmedes ved hvert et sekund, hun var i hans nærhed.

Det ville være så meget bedre uden hende, uden hyleriet. Han ville slippe for at se lykken i mors ansigt, når hun kiggede på hende, og det glædesløse blik mor rettede mod ham. Det var tydeligt. Når mor flyttede blikket fra Alice til ham, slukkedes en lampe. Lyset døde.

Han lyttede igen efter far. Alice så ud til at have besluttet sig for ikke at briste i gråd endnu, og han gengældte hendes smil. Så anbragte han forsigtigt armen under hendes hoved som støtte, sådan som han havde set mor gøre. Med den anden hånd løsnede han den tingest, hun halvvejs sad op i. Det var ikke helt ligetil. Hun var glat og spællede hele tiden.

Til sidst fik han løsnet stativet og skubbede det forsigtigt væk fra kanten af badekarret, så hun nu hvilede med hele sin vægt på hans venstre arm. Den sødlige, kvalmende lugt blev stadigt kraftigere, og han drejede hovedet i afsky. Han mærkede hendes blik brænde på kinden, og hendes hud føltes våd og slimet mod hans arm. Han hadede hende, fordi hun fik ham til at mærke lugten igen, fordi hun tvang ham til at huske.

Langsomt trak han armen væk og så på hende. Hendes hoved faldt bagover i karret, og lige før det nåede vandet, snappede hun efter vejret for at skrige. Men da var det for sent, hendes lille ansigt forsvandt under overfladen. Øjnene stirrede på ham under det skvulpende vand. Hun fægtede med arme og ben, men kunne ikke komme op; hun var for lille, for svag. Han behøvede ikke engang holde hendes hoved nede. Det havde lagt sig på bunden, og alt, hvad hun kunne gøre, var at dreje det fra side til side.

Han satte sig på hug, lagde kinden op ad badekarrets kant og iagttog hendes kamp. Hun skulle ikke have prøvet på at tage hans mor. Det var ikke hans skyld.

Lidt efter holdt hendes ben og arme op med at bevæge sig, sank langsomt nedad. Han mærkede, hvordan roen bredte sig inden i ham. Lugten var væk, han kunne trække vejret frit igen. Alting ville blive som før. Med hovedet på skrå, hvilende mod den kolde emalje betragtede han Alice, helt stille.

"**K**OM IND, KOM ind!" Ulf Rosander så ud, som om han lige var vågnet, men dog i tøjet, da han lukkede Patrik og Paula ind.

"Tak, fordi du kunne tage imod os med så kort varsel," sagde Paula.

"Helt i orden. Jeg måtte bare lige ringe til jobbet og fortælle, at jeg bliver forsinket, men det havde de fuld forståelse for, omstændighederne taget i betragtning. Vi har jo alle sammen mistet en kollega." Han gik ind i dagligstuen, og de fulgte efter.

Stuen lignede et bombekrater. Der lå legetøj og alskens ting og flød overalt, og Ulf skubbede en bunke børnetøj til side i sofaen, så de kunne få plads.

"Det er altid et kaos om morgenen, når de skal i børnehave," sagde han undskyldende.

"Hvor gamle er de?" spurgte Paula, og Patrik lænede sig tilbage og lod hende indlede. Som politimand skulle man aldrig kimse ad det nyttige i hyggesnak.

"Tre og fem," svarede Rosander og lyste op. "To piger. Det er mit andet kuld. Jeg har også to sønner på fjorten og seksten, men de er hos deres mor lige nu. Ellers havde der set endnu værre ud."

"Hvordan klarer de to søskendepar aldersforskellen?" indskød Patrik.

"Over al forventning, faktisk. Knægtene er jo som teenagere flest, og det går ikke altid stille af, men tøserne forguder dem, og kærligheden er gengældt. De kalder dem faktisk Bjørnebrødre."

Patrik lo, mens Paula så uforstående ud. "Det er fra en børnebog," forklarede han. "Bare vent et par år, så ved du, hvad vi snakker om."

Han blev alvorlig igen og henvendte sig til Rosander. "Ja, som du har hørt, har vi fundet Magnus."

Rosanders smil blegnede, og han rodede op i håret, der i forvejen var uglet.

"Ved I, hvordan han døde? Gik han i søen?"

Patrik rystede på hovedet. "Det ved vi faktisk ikke, lige nu er det vigtigere for os at finde ud af, hvad der skete den morgen, han forsvandt."

"Det forstår jeg godt, men jeg ved ikke, hvordan jeg skal hjælpe jer." Rosander slog opgivende ud med armene. "Jeg ved bare, at han ringede og sagde, han blev forsinket."

"Var det usædvanligt?" spurgte Paula.

"At Magnus kom for sent?" Rosander rynkede panden. "Nu jeg tænker efter, tror jeg ikke, det nogensinde er sket."

"Hvor længe havde I fulgtes ad til jobbet?" Patrik flyttede diskret en lille mariehøne i plastic, han var kommet til at sætte sig på.

"Siden jeg begyndte på Tanumsfönster for fem år siden. Inden da tog Magnus bussen, men vi kom i snak på jobbet, og jeg tilbød ham at køre med mig. Til gengæld kunne han spæde lidt til benzinudgiften."

"Og i løbet af de fem år har han aldrig ringet og sagt, at han blev forsinket?" gentog Paula.

"Nej, ikke én eneste gang. Det ville jeg have husket i givet fald."

"Hvordan lød han, da han ringede?" spurgte Patrik. "Rolig? Oprevet? Nævnte han noget om, hvorfor han ikke kunne komme til tiden?"

"Nej, det sagde han ikke noget om. Jeg kan jo ikke sige det med sikkerhed efter så lang tid, men han lød ikke helt som sig selv."

"På hvilken måde?" Patrik lænede sig frem.

"Oprevet er måske nok et lidt stærkt ord, men jeg fik alligevel det indtryk, at der var et eller andet. Jeg forestillede mig, at han måske havde skændtes med Cia eller børnene."

"Var det noget, han *sagde*, der fik dig til at tro det?" spurgte Paula og vekslede blikke med Patrik.

"Nej, altså, samtalen varede i omkring tre sekunder. Magnus ringede og sagde, han var forsinket, og at jeg bare skulle køre, hvis der gik for lang tid, så ville han selv sørge for transport. Han lagde på. Jeg ventede lidt, og så kørte jeg. Det var alt. Jeg går ud fra, det var hans tonefald, der fik mig til at gætte på, at der var knas på hjemmefronten."

"Ved du, om der var problemer i ægteskabet?"

"Jeg har aldrig hørt Magnus sige ét ondt ord om Cia. Det virkede snarere, som om de havde det rigtig godt. Man kan selvfølgelig aldrig vide, hvad der foregår i andre familier, men jeg har altid opfattet Magnus som lykkeligt gift. På den anden side snakkede vi ikke så meget om den slags, mere om vejr og vind og fodbold."

"Ville du kalde jer venner?" spurgte Patrik.

Rosander tænkte efter lidt. "Nej, det vil jeg nok ikke påstå, at vi var. Vi fulgtes ad på arbejde og småsludrede indimellem i frokostpausen, men vi sås ikke privat eller den slags. Jeg ved egentlig ikke hvorfor, for vi hyggede os godt nok i hinandens selskab, men man har jo hver sin omgangskreds, og den holder man sig til."

"Så hvis han havde følt sig truet af nogen, eller noget havde bekymret ham, ville han ikke have betroet sig til dig?" sagde Paula.

"Nej, det tror jeg ikke, men jeg var på den anden side sammen med ham fem dage om ugen, så jeg ville jo nok have bemærket, hvis der var noget, der plagede ham. Men han var den samme som altid. Glad og afslappet. En helt igennem flink fyr." Rosander kiggede ned på sine hænder. "Jeg er ked af, at jeg ikke kan være til større hjælp."

"Du har været yderst imødekommende." Patrik rejste sig, og Paula fulgte hans eksempel, hvorefter de takkede Rosander og sagde farvel.

"Hvad er din vurdering?" spurgte Paula ude i bilen, betragtede Patriks profil på passagersædet.

"Hold lige øjnene på vejen!" Patrik klamrede sig til håndtaget i døren, da Paula i sidste sekund undgik at kollidere med en lastbil i det bratte sving lige før Mörhult.

"Ups," sagde Paula og rettede atter blikket mod frontruden.

"Kvindelige bilister," mumlede Patrik.

Paula vidste, at han drillede, og valgte at ignorere bemærkningen. Desuden havde hun selv været passager med Patrik bag rattet, og at manden overhovedet havde fået kørekort, måtte betragtes som et mirakel.

"Jeg tror ikke, at Ulf Rosander har en pind med det her at gøre," sagde Patrik som svar på hendes spørgsmål, og Paula nikkede samtykkende.

"Det er jeg enig i. Her er Mellberg gået helt galt i byen."

"Og det mangler vi så bare at overbevise ham om."

"Men det var godt, vi tog derhen. Gösta må have overset det her første gang. Der var en grund til, at Magnus var forsinket for første gang i fem år. Rosanders indtryk var, at han lød oprevet, da han ringede – eller i hvert fald ikke, som han plejede. Det kan næppe være nogen tilfældighed, at han forsvandt samme morgen."

"Du har ret. Jeg ved bare ikke, hvordan vi skal komme videre og få dækket det hul. Jeg har spurgt Cia om det samme, om der skete noget specielt den morgen, og hun siger nej. På den anden side tog hun på arbejde før Magnus, men hvad kan der være sket i det korte tidsrum, hvor han var alene hjemme?"

"Har nogen tjekket deres telefonsamtaler?" spurgte Paula og tog sig nøje i agt for ikke igen at slippe vejen med blikket.

"Flere gange. Ingen ringede til fastnettelefonen om morgenen. Ingen ringede til hans mobil. Den eneste, han selv ringede til, var Rosander. Derefter var der stille på linjen."

"Kan nogen være kommet hjem til ham?"

"Det tror jeg ikke." Patrik rystede på hovedet. "Naboerne har frit udsyn til huset og sad ved morgenbordet, da Magnus gik. De kan selvfølgelig have overset, at nogen ringede på, men det mente de ikke."

"Mails?"

Endnu en hovedrysten. "Cia gav os lov til at gennemgå computeren, og der var ingen mails af interesse."

Der blev stille i bilen et stykke tid, begge var fordybet i egne tanker. Hvordan var det gået til, at Magnus Kjellner forsvandt sporløst en dag, for efter tre måneder at blive fundet fastfrosset i isen? Hvad var der egentlig foregået den morgen?

Hun havde været dum nok til at beslutte sig for en lille gåtur. I tankerne havde afstanden hjemmefra og hen til målet for turen virket som et stenkast, men det viste sig at være et kast, der slog alle verdensrekorder.

Erica tog sig til lænden og måtte standse op for at få vejret. Kiggede hen mod Havsbyggs kontor, der stadig lå alt for langt væk. Men der var lige så langt hjem, så enten måtte hun lægge sig her i en snedrive, eller også var det bare om at klø på.

Ti minutter senere trådte hun udmattet ind ad døren til kontoret. Hun havde ikke ringet i forvejen, men tænkt, at hun måske ville score forhåndspoint på selve overraskelsesmomentet. Hun havde omhyggeligt forvisset sig om, at Eriks bil ikke holdt udenfor. Det var Kenneth, hun ville tale med. Og helst uforstyrret.

"Hallo?" Der var tilsyneladende ingen, der havde hørt døren gå op, så hun fortsatte længere ind i bygningen. Man kunne se, at det var en almindelig villa, der var ombygget til kontorer. Hovedparten af stueetagen var nu et åbent kontorlandskab. Langs væggene hang hylder med ringbind og store plakater med huse, de havde opført, og i begge ender af lokalet var der to skriveborde. Ved det ene sad Kenneth, som virkede helt uvidende om hendes tilstedeværelse, stirrede ud i luften uden at røre sig.

"Hallo …?" gentog hun.

Kenneth for sammen. "Øh, hej! Undskyld, jeg hørte dig ikke." Han rejste sig og gik hen til hende. "Erica Falck, hvis jeg ikke tager meget fejl?"

"Helt rigtigt." De gav hånd, og hun smilede. Kenneth opfattede tilsyneladende, at hun skævede til en af kundestolene, og gjorde tegn til hende om at tage plads.

"Sid ned. Det må være tungt at slæbe rundt på. Er det lige oppeover?"

Erica lænede sig taknemmeligt op ad stoleryggen og mærkede, hvordan presset mod lænden aftog.

"Der er lidt tid endnu, men det er tvillinger," svarede hun og kunne have bidt tungen af sig selv.

"Halløj, så bliver der vist nok at se til," sagde Kenneth og tog plads ved siden af hende. "På udkig efter en ny bolig?"

Erica for sammen, da hun så ham tæt på i lyset fra lampen lige ved siden af. Han så træt og forpint ud. Eller jaget var måske det rette ord. Pludselig kom hun i tanker om, at hun havde hørt, at hans kone var alvorligt syg, men hun modstod fristelsen til at lægge sin hånd over hans, fornemmede, at det måske ikke ville falde i god jord. Hun kunne dog ikke lade være med at sige noget. Sorgen og udmattelsen var åbenbar, tydeligt markeret i furerne i hans ansigt.

"Hvordan har din kone det?" spurgte hun og håbede, at han ikke ville tage hende det ilde op.

"Det står skidt til. Hun har det rigtig dårligt."

De sad i tavshed et stykke tid, hvorpå Kenneth mandede sig op og fremtvang et smil, som ikke kunne skjule smerten inde bagved.

"Nå, men I er på udkig efter et nyt hus? Det er ellers et dejligt sted, I har. Uanset hvad er det Erik, I skal snakke med. Jeg klarer regnskaberne og duer ikke til alt det der med at snakke med folk. Erik skulle være tilbage efter frokost, så hvis du kommer tilbage …"

"Jeg er ikke kommet for at købe hus."

"Okay? Hvad så?"

Erica tøvede. Hvorfor fanden var hun så nysgerrig, at hun absolut skulle blande sig i alt muligt? Hvordan skulle hun forklare det her?

"Du har hørt det om Magnus Kjellner, ikke? At han er blevet fundet?" sagde hun prøvende.

Kenneth blev endnu mere grå i ansigtet og nikkede.

"I sås en del, ikke sandt?"

"Hvorfor spørger du om det?" sagde Kenneth med et vagtsomt blik.

"Jeg …" Hun ledte efter en god forklaring, men uden held, måtte ty til en løgn. "Har du læst det der i avisen om, at Christian Thydell har modtaget trusselsbreve?"

Igen nikkede Kenneth sammenbidt. Et eller andet lynede i hans blik, men det var væk, før Erica overhovedet var sikker på, at hun havde set det.

"Christian er min ven, og jeg ønsker at hjælpe ham. Jeg tror, der er en sammenhæng mellem truslerne mod ham og det, der er overgået Magnus Kjellner," fortsatte hun.

"Hvad skulle det være for en sammenhæng?" spurgte Kenneth og lænede sig frem.

"Det kan jeg ikke komme ind på," sagde hun svævende, "men det ville være en stor hjælp, hvis du kunne fortælle lidt om Magnus. Havde han nogen uvenner? Kan nogen have villet ham til livs?"

"Nej, det kan jeg ikke forestille mig." Kenneth lænede sig atter tilbage i stolen, hele kropsholdningen signalerede hans manglende lyst til at kommentere emnet.

"Hvor længe har I kendt hinanden?" Erica styrede samtalen ind på mindre sprængfarligt territorium. Sommetider var en omvej den korteste.

Det virkede, Kenneth så ud til at slappe af. "Hele vores liv, egentlig. Vi er lige gamle, gik i samme klasse i folkeskolen og også i gymnasiet. Vi har lissom hængt sammen alle tre."

"Alle tre? Mener du dig, Magnus og Erik Lind?"

"Ja. Hvis vi havde mødt hinanden som voksne, ville vi nok ikke have haft noget tilfælles, men Fjällbacka er jo en lille flække, og vi fandt lissom sammen, og siden er det fortsat. Da Erik boede i Göteborg, så vi selvfølgelig ikke meget til ham, men efter at han flyttede tilbage, har vi og vores familier set en del til hinanden. Gammel vane, går jeg ud fra."

"Ville du sige, at I er tæt knyttet til hinanden?"

Kenneth overvejede spørgsmålet og kiggede ud ad vinduet på isen, da han svarede: "Nej, det vil jeg nok ikke påstå. Erik og jeg arbejder jo sammen og er i tæt kontakt, men nære venner er vi ikke. Jeg tror ikke, at Erik er tæt knyttet til nogen. Og Magnus og jeg var også meget forskellige. Jeg kan ikke sige et ondt ord om Magnus, det tror jeg ikke, nogen kan. Vi har altid haft et godt forhold, men vi var aldrig specielt fortrolige. Det var nok snarere Magnus og den nye i flokken, Christian, der havde mest tilfælles."

"Hvordan kom Christian ind i billedet?"

"Det ved jeg faktisk ikke. Det var Magnus, der inviterede ham og Sanna en dag, lige efter at Christian var flyttet hertil, og siden hen blev han en naturlig del."

"Kender du noget til hans baggrund?"

"Nej," svarede han og var tavs et øjeblik. "Vi talte aldrig om den slags." Kenneth virkede selv overrasket over svaret.

"Hvordan kommer du og Erik ud af det med Christian?"

"Han er jo ikke sådan at komme ind på livet af og kan godt virke noget humørforladt, men han er en fin fyr, og når han først har fået sig et par øl og slapper lidt af, har vi det rigtig hyggeligt sammen."

"Synes du, han har virket presset på en eller anden måde? Bekymret for noget?"

"Christian, mener du?" Igen var der et sært glimt i Kenneths øjne, som dog forsvandt lige så hurtigt igen.

154

"Ja, han har jo modtaget de der trusselsbreve i halvandet års tid."

"Så længe? Det var jeg ikke klar over."

"Men I har ikke mærket noget til det?"

Han rystede på hovedet. "Christian er som sagt lidt … speciel, hvis man kan sige det sådan. Det er ikke til at vide, hvad der foregår i hovedet på ham. Jeg vidste for eksempel ikke, at han var i gang med at skrive en bog, før den var klar til udgivelse."

"Har du læst den? Den er temmelig hårrejsende," sagde Erica.

Kenneth rystede atter på hovedet. "Jeg er ikke den store læsehest, men jeg kan forstå, at han har fået flotte anmeldelser."

"Helt fantastiske," bekræftede Erica. "Men han havde altså ikke fortalt jer om brevene?"

"Nej, Christian har ikke omtalt dem. Men som sagt omgås vi mest i festlig sammenhæng. Middagsselskaber, nytårs- og midsommerfester og den slags. Magnus er nok den eneste, han måske kan have betroet sig til."

"Og Magnus har heller aldrig nævnt brevene?"

"Nej, det gjorde han ikke" – Kenneth rejste sig – "og nu må du have mig undskyldt. Arbejdet kalder. Er du sikker på, I ikke vil kigge på et nyt hus?" Han smilede og gjorde en fejende armbevægelse mod plakaterne på væggen.

"Vi har det fint, hvor vi bor, men de ser flotte ud." Erica forsøgte uden held at hale sig op af stolen, og Kenneth hjalp hende på benene.

"Tak." Erica slyngede sit store tørklæde om halsen. "Det gør mig virkelig ondt," sagde hun. "Med din kone. Jeg håber …" Hun kunne ikke finde flere ord, og Kenneth nikkede tavst.

Erica skuttede sig, da hun gik ud i kulden igen.

Christian havde svært ved at koncentrere sig. Normalt trivedes han med sit arbejde på biblioteket, men i dag var det umuligt for ham at fokusere, umuligt at spore tankerne i én bestemt retning.

Alle bibliotekets besøgende havde en eller anden kommentar til *Havfruen*. De havde læst bogen, de havde tænkt sig at læse den, de havde set ham i fjernsynet. Og han svarede høfligt, takkede, hvis han fik ros, og refererede kortfattet handlingen, hvis folk bad om det. I virkeligheden havde han bare lyst til at skrige højt.

Han kunne ikke lade være med at tænke på det frygtelige, der var overgået Magnus. Det var begyndt at prikke i hænderne igen, og det spredte sig. Ud i armene, ud i kroppen, ned i benene. Indimellem føltes det, som om hele kroppen brændte, og han havde svært ved at sidde stille, var hele tiden i bevægelse mellem hylderne. Flyttede rundt på bøger, der var placeret forkert, rettede på bogryggene, så de stod i lige rækker.

Pludselig gik han i stå. Han stod med hånden løftet over bøgerne og kunne ikke flytte den hverken op eller ned. Og tankerne kom, de tanker, der havde meldt sig stadigt oftere: Hvad lavede han her? Hvorfor var han her, lige nu, på dette sted? Han rystede på hovedet for at skubbe tankerne fra sig, men de bed sig fast.

En eller anden gik forbi uden for indgangen til biblioteket. Han nåede kun at få et glimt af personen – øjnene nærmest kun en bevægelse – men den følelse, det gav ham, var den samme, som da han kørte hjem aftenen før. Følelsen af noget truende og samtidig velkendt.

Han skyndte sig hen til indgangen og kiggede i den retning, hvor personen var forsvundet, men der var ikke nogen. Ingen skridt, ingen lyde. Havde det været indbildning? Christian pressede fingrene mod tindingerne, lukkede øjnene og så Sanna for sig. Hendes ansigtsudtryk, da han fortalte.

Hun ville ikke stille flere spørgsmål nu. Ikke i et stykke tid. Og den blå kjole var oppe på loftet igen, hvor den hørte hjemme. Med en lille stump af sandheden havde han købt sig en kortvarig fred, men inden længe ville hun atter begynde at spørge, søge efter svar, forsøge at indkredse den del af historien, han ikke havde fortalt.

Han havde stadig lukkede øjne, da han hørte nogen rømme sig.

"Undskyld ... mit navn er Lars Olsson. Jeg er journalist og ville høre, om vi kunne veksle et par ord. Jeg har uden held forsøgt at ringe til dig."

"Jeg har slukket for mobilen." Han flyttede hænderne fra tindingerne. "Hvad vil du mig?"

"Man fandt jo en mand under isen i går, Magnus Kjellner, der har været forsvundet siden november. I var gode venner, ikke sandt?"

"Hvorfor spørger du om det?" Christian trak sig baglæns og søgte tilflugt bag receptionsskranken.

"Det er jo et noget pudsigt sammentræf, synes du ikke? At du er blevet truet gennem længere tid, og at en af dine nærmeste venner bliver fundet død. Vi ligger desuden inde med oplysninger om, at han efter al sandsynlighed er blevet myrdet."

"Myrdet?" sagde Christian og skjulte hænderne under skranken. De rystede voldsomt.

"Ja, der skulle være læsioner på liget, som tyder på det. Ved du, om Magnus Kjellner også blev truet, eller hvem der kan have sendt dig brevene?" Journalistens tonefald var insisterende, levnede ikke Christian nogen chance for at nægte at svare.

"Det ved jeg ikke noget om. Jeg ved ingenting."

"Men det virker unægtelig, som om nogen har set sig ond på dig, og så er det jo nærliggende at frygte, at personer i din nærhed også kunne blive ramt. Har din familie for eksempel været udsat for nogen form for trusler?"

Christian var kun i stand til at ryste på hovedet. Indre billeder dukkede op, som han hurtigt skubbede fra sig. Han måtte ikke lade dem tage magten.

Journalisten tog ingen notits af hans tydelige modvilje mod at besvare spørgsmålene, eller også bemærkede han den, men gav pokker i den.

"Efter hvad jeg har forstået, begyndte truslerne, allerede før du kom i mediernes søgelys i forbindelse med bogudgivelsen. Det kunne jo tyde på, at der er tale om noget personligt. Har du nogen kommentarer til det?"

Endnu en energisk hovedrysten. Christian bed tænderne så hårdt sammen, at ansigtet føltes som en stiv maske. Han ville flygte og slippe for spørgsmålene, slippe for at tænke på hende og på, hvordan hun efter så mange år havde indhentet ham til sidst. Han måtte ikke lukke hende ind igen, men samtidig vidste han, at det var for sent. Hun var her allerede, han kunne ikke flygte. Det havde han måske aldrig kunnet.

"Så du har ingen anelse om, hvem der kan stå bag trusselsbrevene? Og om der kan være en forbindelse til mordet på Magnus Kjellner?"

"Sagde du ikke lige, at jeres oplysninger *tydede på*, at han var blevet myrdet? Ikke at han rent faktisk blev det."

"Jo, men det er jo en nærliggende konklusion," svarede journalisten. "Og du må som sagt give mig ret i, at det er et besynderligt sammentræf, at en mand modtager trusler, og at hans ven bliver myrdet, her i lille Fjällbacka. Det affører jo en del spørgsmål."

Christian blev mere og mere irriteret. Hvilken ret havde de til at trampe ind i hans liv og afkræve ham svar, som han ikke havde?

"Jeg har ikke mere at sige om det her."

"Du er vel klar over, at vi vil skrive om det med eller uden din tilladelse? Det kan være i din egen interesse at fremlægge dit syn på sagen."

"Jeg har sagt alt, hvad jeg har at sige," gentog Christian, men journalisten så ikke ud til at ville give op.

Christian forlod sin plads bag skranken, gik ud på toilettet og låste døren, men trådte forskrækket tilbage, da han så sig selv i spejlet. Det var, som om en fremmed stirrede på ham. Han kunne ikke genkende sig selv.

Han lukkede øjnene, støttede sig til håndvasken. Vejrtrækningen var gispende og overfladisk. Med ren og skær viljestyrke prøvede han at få pulsen ned, genvinde selvkontrollen, men hans liv var ved at blive taget fra ham. Billederne dansede bag hans lukkede øjenlåg. Han kunne også høre stemmerne. Hendes og deres. Uden at kunne kæmpe imod bøjede han hovedet bagover, hvorpå han af al kraft kastede det fremad. Han hørte lyden af spejlet, der blev knust, mærkede en bloddråbe trille ned ad panden. Men det gjorde ikke ondt, for i de sekunder, hvor glasset trængte ind i hans hud, tav stemmerne. Stilhed var velsignet.

Klokken var tolv om formiddagen, og hun var behageligt fuld. Lige tilpas. Afslappet, bedøvet, men uden at have mistet grebet om virkeligheden.

Louise hældte lidt mere i glasset. Hun var alene hjemme, pigerne var i skole og Erik på kontoret. Eller et andet sted; måske sammen med sin luder.

Han havde opført sig underligt de sidste dage. Været mere tavs, afdæmpet. Og angsten havde været blandet med håb, som det altid skete, når hun frygtede, at Erik omsider ville forlade hende. Hun var to personer: En, der følte befrielse ved tanken om at slippe ud af det fængsel, deres ægteskab var, væk fra alle skuffelser og løgne. Og en anden, der blev grebet af panik ved tanken om at blive forladt. Ja, hun ville ganske vist få sin del af Eriks penge, men hvad skulle hun bruge dem til som enlig?

Der var ikke megen tosomhed i hendes nuværende tilværelse, men det var trods alt bedre end ingenting. Hun havde en varm krop ved siden af sig i sengen om natten, og der sad nogen og læste avis ved morgenbordet. Hun havde nogen. Hvis han gik fra hende, ville hun være helt alene. Pigerne var ved at blive store, de var som gæster på gennemrejse i huset, på vej til eller fra kammerater eller skole. De var allerede ved at anlægge teenagerens typiske fåmælthed og svarede hende stort set kun med enstavelsesord, når de var hjemme, lukkede de sig som regel inde på deres værelser, hvor det eneste livstegn var en konstant tæppebankerdunken fra musikanlæggene.

Endnu et glas vin blev tømt, hun skænkede mere op. Hvor befandt Erik sig nu? Var han på kontoret eller sammen med hende? Lå han og boltrede sig med hendes nøgne krop, trængte ind i hende, kærtegnede hendes bryster? Herhjemme gjorde han i hvert fald ingenting, havde ikke rørt ved hende i over to år. I begyndelsen havde hun nu og da prøvet at liste en hånd ind under hans dyne og kærtegne ham, men efter at være blevet ydmyget et par gange, hvor han demonstrativt havde vendt sig om på siden med ryggen til hende eller ligefrem skubbet hendes hånd væk, havde hun givet op.

Hun kunne se sig selv i køleskabets blankpudsede stål, som altid spejlede hun sig, løftede hånden og rørte ved sit ansigt. Så slemt stod det da heller ikke til, vel? Hun havde set godt ud engang, og hun holdt stadig vægten. Havde været opmærksom på, hvad hun spiste, og foragtet dem af hendes jævnaldrende, der åd uhæmmet og lagde sig deller til, som de troede kunne camoufleres under storblomstrede teltkjoler fra Lindex. Selv kunne hun stadig bære et par stramme cowboybukser med stil. Hun løftede prøvende hagen. Der var faktisk ansats til kalkunhals. Hun løftede hagen lidt mere. Sådan, det var straks bedre.

Hun sænkede hagen igen og så, hvordan huden lagde sig i en lille, slap fold, og hun var fristet til at gribe en af køkkenknivene og skære den afskyelige hudlap af. Pludselig væmmedes hun ved sit eget spejlbillede. Det var ikke så underligt, at Erik ikke ville røre ved hende længere. Ikke så sært, at han hellere ville mærke fast hud under hænderne og røre ved nogen, der ikke langsomt var ved at forfalde og rådne indefra.

Hun løftede vinglasset og kylede indholdet ud over køleskabet, viskede billedet af sig selv ud og erstattede det med skinnende rød væske, der løb ned ad den blanke overflade. Telefonen lå på køkkenbordet foran hende, og hun tastede mekanisk nummeret til kontoret. Måtte finde ud af, hvor han var.

"Hej, Kenneth, har du Erik der?"

Hjertet bankede heftigt, da hun lagde på, selvom hun efterhånden burde have vænnet sig til det her. Stakkels Kenneth, der havde måttet dække over Erik den ene gang efter den anden gennem årene, og som i al hast måtte brygge en historie sammen om, at Erik var ude i et ærinde, men nok snart ville være tilbage på kontoret.

Hun fyldte glasset uden at gide tørre den vin op, hun havde kylet fra sig, og gik beslutsomt ind i Eriks arbejdsværelse. Hun havde egentlig ikke lov at være der. Han påstod, at han ikke kunne holde orden derinde, hvis andre brugte rummet, så hun havde strengt forbud mod overhovedet at opholde sig der. Derfor gik hun derind.

Med usikker hånd stillede hun glasset fra sig på skrivebordet og begyndte at trække skufferne ud én efter én. I alle disse år fulde af tvivl havde hun aldrig snaget i hans ting, men havde foretrukket ikke at vide noget. Mistanke var bedre end vished, om end grænsen i dette tilfælde havde været hårfin. På en eller anden måde havde hun altid vidst, hvem han på det givne tidspunkt havde noget kørende med. To af hans sekretærer, mens de boede i Göteborg, en af pædagogerne i pigernes børnehave, moderen til en af pigernes klassekammerater. Hun havde set det i deres vigende og lettere skyldbevidste blikke, når de mødte hende. Genkendt parfumen eller bidt mærke i en hurtig berøring, der ikke passede sig i den givne situation.

Nu trak hun for første gang hans skuffer ud, gennemrodede papirerne og ville blæse på, om han opdagede, at hun havde været der. For hun blev mere og mere sikker på, at den trykkende tavshed de seneste dage kun kunne betyde én ting: at han ville forlade hende. Kassere hende som en affaldspose, en brugsgenstand, der havde født hans børn, holdt hans hus og tilberedt hans forpulede middage til hans forpulede forretningsforbindelser, der som regel var så røvkedelige, at hendes hoved føltes, som skulle det eksplodere, når hun sad der og var pisket til at konversere med dem. Hvis han troede, hun ville trække sig tilbage som et såret dyr uden kamp, uden modstand, så tog han fejl. Og hun havde kendskab til forretninger, han havde gjort gennem årene, der ikke ville kunne holde vand ved en nærmere undersøgelse. Det skulle koste ham dyrt, hvis han begik den fejltagelse at undervurdere hende.

160

Den sidste skuffe var låst. Hun trak i den, lagde alle kræfter i, men den rokkede sig ikke. Hun vidste, at hun var nødt til at få den op, for der var en grund til, at han låste den. Hun lod blikket glide hen over bordpladen. Et moderne skrivebord og ikke en lige så stor udfordring at bryde op som et gammeldags og massivt et af slagsen. En brevkniv fangede hendes blik. Den måtte kunne bruges. Hun trak skuffen så meget ud, at låsen bremsede, stak kniven ned i sprækken og begyndte at brække den op. Først virkede det, som om skuffen ikke ville give efter, men hun lagde flere kræfter i og lirkede lidt mere, og håbet steg, da træet begyndte at afgive en knagende lyd. Da låsen endelig gled op, skete det så pludseligt, at hun nær var faldet bagover, men i sidste øjeblik lykkedes det hende at gribe fat om bordkanten og holde sig oprejst.

Nysgerrigt kiggede hun ned i skuffen, fik øje på noget hvidt i bunden. Hun stak hånden derned og prøvede at fokusere blikket, der føltes tåget. Hvide konvolutter, skuffen indeholdt ikke andet end nogle hvide konvolutter. Hun kunne faktisk huske, at hun havde set dem mellem den øvrige post, men at hun ikke havde hæftet sig synderligt ved dem. De var adresseret til Erik, så hun havde lagt dem i hans postbunke, som han altid åbnede, når han kom fra arbejde. Hvorfor havde han gemt dem i en låst skuffe i skrivebordet?

Louise tog konvolutterne op, satte sig på gulvet og bredte dem ud foran sig. Fem stykker med Eriks navn og adresse skrevet udenpå med sort blæk og sirlig håndskrift.

Et kort øjeblik overvejede hun at lægge dem tilbage i skuffen, ignorere dem og leve videre i uvidenhed, men låsen var brudt op, og Erik ville alligevel opdage det, når han kom hjem, hun kunne lige så godt kigge på dem.

Hun rakte hånden op efter vinglasset, havde brug for at mærke alkoholen løbe gennem struben, ned i maven og lægge en dæmper på smerten. Tre slurke. Så stillede hun glasset fra sig og åbnede den første konvolut.

Da hun havde læst alle brevene, samlede hun dem i en stak. Hun forstod ingenting ud over, at nogen ønskede at skade ham. Noget ondt truede deres tilværelse, deres familie, og han havde ingenting sagt. Det fyldte hende med et raseri, der langt oversteg al den vrede, hun nogensinde havde følt. Han havde ikke opfattet hende som ligeværdig nok til at blive indviet i det her, men nu skulle han stå til regnskab. Han skulle ikke få lov til at blive ved med at behandle hende så respektløst.

Hun lagde konvolutterne ved siden af sig på passagersædet, da hun satte sig ud i bilen. Det tog lidt tid at få nøglen stukket i tændingen, men efter et par dybe vejrtrækninger lykkedes det. Det gik op for hende, at hun nok ikke burde køre bil i sin nuværende tilstand, men som så mange gange før bragte hun sit bedre jeg til tavshed og kørte af sted.

Han syntes næsten, hun så yndig ud, da hun lå der så stille og ikke skreg, ikke krævede eller tog noget. Han stak hånden ned, rørte ved hendes pande. Berøringen bragte vandet i bevægelse igen, og hendes ansigtstræk blev utydelige af krusningerne på overfladen.

Henne fra døren lød det, som om far sagde farvel til den besøgende, og lyden af skridt nærmede sig. Far ville forstå det. Han var også blevet lukket ude. Hun havde også berøvet ham noget.

Han lod fingrene glide gennem vandet, lavede mønstre og bølger. Hendes hænder og fødder hvilede på bunden af karret. Kun knæene og det øverste af panden ragede op over vandet.

Nu kunne han høre far lige uden for badeværelsesdøren. Han kiggede ikke op. Pludselig var det, som om han ikke kunne tage blikket fra hende. Han kunne godt lide hende sådan her. For første gang kunne han godt lide hende. Han pressede kinden endnu hårdere mod kanten af badekarret. Lyttede og ventede på, at far skulle forstå, at de nu var sluppet af med hende. De havde fået mor tilbage, både han og far. Far ville blive glad, det var han sikker på.

Så mærkede han, at nogen flåede ham væk fra badekarret, og han kiggede forundret op. Fars ansigt var forvansket af så mange følelser, at han ikke vidste, hvordan han skulle tyde dem, men han så ikke glad ud.

"Hvad har du gjort?!" Fars stemme knækkede over, og han flåede Alice op af karret. Målløs stod han med hendes slappe krop i armene, hvorefter han varsomt lagde hende ned på bademåtten. "Hvad har du gjort?" gentog far uden at se på ham.

"Hun tog mor." Han mærkede, hvordan forklaringerne blev siddende i halsen og ikke kom ud. Han forstod ingenting. Han havde troet, far ville blive glad.

163

Far svarede ikke, sendte ham kun et hurtigt og vantro blik. Så bukkede han sig ned og pressede let på den lilles bryst. Han holdt hende for næsen, pustede forsigtigt ind i hendes mund og pressede igen på brystkassen.

"Hvorfor gør du det, far?" Han kunne selv høre, hvor klynkende han lød. Mor kunne ikke lide det, når han klynkede. Han lagde armene om sine optrukne knæ og pressede ryggen op mod badekarret. Det var ikke sådan her, det skulle være. Hvorfor kiggede far så underligt på ham? Han så ikke kun vred ud, han så ud, som om han var bange for ham.

Far blev ved med at puste luft ind i Alices mund. Hendes hænder og fødder lå lige så urørlige på bademåtten, som da de hvilede på bunden af badekarret. Det gav et lille spjæt i dem, når far pressede fingrene mod hendes bryst, men det var fars bevægelser, ikke hendes.

Men da far havde pustet for fjerde gang og skulle til at presse igen, sitrede hendes ene hånd. Så fulgte der en hosten, og derefter lød skriget. Det velkendte, krævende skrig. Nu kunne han ikke lide hende mere.

Mors skridt kunne høres på trappen fra første sal. Far trykkede Alice ind mod brystet, så skjorten blev gennemblødt. Hun skreg så højt, at badeværelset vibrerede, og han ønskede, at hun bare ville holde op og blive lige så stille og medgørlig, som hun havde været, før far gjorde det der med hende.

Mens mor nærmede sig, satte far sig på hug foran ham. Med øjne fyldt af vantro og smerte lænede han sig frem og sagde dæmpet: "Det her taler vi aldrig om mere. Og hvis du nogensinde gør det igen, får jeg dig sendt væk. Er det forstået?!"

"Hvad sker der?" Mors stemme i døren. "Her tror man, at man kan få lidt fred, og så bliver man vækket af jeres spektakel! Hvad er der med hende? Har han gjort noget?" Hun kiggede på ham på gulvet.

I nogle sekunder overdøvede Alices skrig alt, men så rejste far sig med hende i favnen og sagde: "Nej, hun blev bare sur over, at jeg ikke fik lagt håndklædet hurtigt nok om hende, da hun kom op af badet."

Hun stirrede på ham, men han sænkede blot hovedet, lod, som om han var optaget af at pille ved frynserne på bademåtten.

"Ja, han har bare hjulpet til. Han var rigtig dygtig." Ud af øjenkrogen så han far sende ham et advarende blik.

Mor så ud til at slå sig til tåls med forklaringen. Hun rakte utålmodigt ar-

mene ud efter Alice, og efter en kort tøven overlod han hende til mor. Da mor
var gået igen for at berolige den lille, så de på hinanden. Ingen af dem sagde
noget, men han kunne se i fars øjne, at han mente det, han havde sagt. De skulle
aldrig mere tale om det, der var sket.

"KENNETH?" STEMMEN KNÆKKEDE over, da hun prøvede at kalde på sin mand.

Intet svar. Var det indbildning? Nej, det havde helt sikkert lydt, som om døren blev åbnet og derefter lukket igen.

"Hallo?"

Stadig intet svar. Lisbet prøvede at rejse sig op, men kræfterne var sivet ud af hende de sidste dage med en sådan fart, at hun ikke magtede det. Den styrke, hun havde tilbage, sparede hun til de timer, hvor Kenneth var hjemme. Mest af alt for at overbevise ham om, at hun havde det bedre, end hun rent faktisk havde, så hun kunne blive i hjemmet lidt længere. Slippe for lugten af hospital, for at mærke de stive lagner mod huden. Hun kendte ham så godt. Han ville sporenstregs få hende på hospitalet, hvis han vidste, hvor dårligt hun egentlig havde det. Han ville gøre det, fordi han stadig klamrede sig til håbet.

Men kroppen fortalte hende, at tiden var ved at være inde. Reserverne var opbrugt, sygdommen havde taget føringen. Sejret. Hun ønskede intet højere end at dø hjemme med sin egen dyne over kroppen og sin egen pude under hovedet. Og med Kenneth sovende ved siden af sig. Hun lå ofte vågen og lyttede, prøvede at lagre lyden af hvert af hans åndedrag i sin erindring. Hun vidste, hvor ubekvemt det var for ham at ligge på den vakkelvorne drømmeseng, men hun kunne ikke få sig selv til at foreslå ham at lægge sig ovenpå. Det var måske selvisk, men hun elskede ham for højt til at være væk fra ham den sidste tid, hun havde tilbage.

"Kenneth?" Hun råbte en tredje gang. Hun hørte igen den velkendte lyd af det løse gulvbræt nede i entreen. Det protesterede altid højlydt, når nogen trådte på det.

"Hallo?" Hun begyndte at blive bange. Så sig om efter telefonen, som Kenneth plejede at lægge inden for hendes rækkevidde, men på det sidste var han så træt om morgenen, at han sommetider glemte det. Som i dag.

"Er der nogen?" Hun greb fat om sengekanten og prøvede igen at komme op at sidde. Hun følte sig som hovedpersonen i en af sine yndlingsnoveller, *Forvandlingen* af Franz Kafka. Der hvor Gregor Samsa forvandles til en bille og ikke kan vende sig om igen, da han havner på ryggen, men bliver liggende hjælpeløs.

Skridt i entreen. De var tøvende, men kom nærmere, og Lisbet mærkede panikken komme snigende. Hvem var det, der ikke svarede, når hun kaldte? Kenneth kunne vel næppe lave sjov med hende på den måde? Han havde aldrig udsat hende for practical jokes eller den slags, så hvorfor skulle han gøre det nu?

Skridtene var ikke langt væk. Hun stirrede på den gamle trædør, som hun havde afsyret og malet for noget, der føltes som et helt liv siden. Først rørte den sig ikke, og hun tænkte endnu en gang, at det blot var hendes hjerne, der spillede hende et puds, at kræften havde spredt sig, så hun ikke længere kunne tænke klart og skelne virkelighed fra fantasi.

Men så gik døren langsomt op. Nogen stod på den anden side og skubbede den op. Hun skreg om hjælp, skreg så højt hun kunne for at overdøve den skræmmende stilhed. Da døren havde åbnet sig helt, tav hun stille, og personen begyndte at tale. Stemmen var velkendt, men alligevel fremmed, og hun kneb øjnene sammen. Det lange, mørke hår fik hende til instinktivt at mærke efter på hovedet og forvisse sig om, at det gule tørklæde sad, hvor det skulle.

"Hvem?" sagde hun, men personen holdt en finger op mod læberne, og hun tav.

Stemmen fortsatte. Nu kom den fra sengekanten, tæt på hendes ansigt, sagde ting, der gav hende lyst til at holde sig for ørerne. Hun rystede på hovedet, ville ikke høre det, men stemmen blev ved. Den var forheksende og ubarmhjertig. Den fortalte en historie, og noget i tonefaldet og i den måde, hvorpå beretningen trak tråde frem og tilbage i tiden, fik hende til at indse, at den var sand. Og den sandhed var mere, end hun kunne bære.

Paralyseret hørte hun historien til ende. Jo mere hun fik at vide, desto svagere blev grebet om den tynde livline, der holdt hende oppe. Hun havde levet på lånt tid og ren vilje, af kærlighed og tillid. Hun slap grebet. Det sidste, hun hørte, var stemmen. Så brast hjertet.

"Hvornår tror du, vi kan snakke med Cia igen?" Patrik kiggede spørgende på sin kollega.

"Vi kan desværre ikke vente," sagde Paula. "Hun vil sikkert forstå, at vi må videre med efterforskningen."

"Ja, det har du nok ret i," sagde Patrik, om end han ikke lød helt overbevist. Det var altid en vanskelig afvejning. At passe sit arbejde og måske lægge pres på et menneske i sorg, eller vise medmenneskelighed og lade jobbet komme i anden række. På den anden side havde Cia jo selv ved sine trofaste onsdagsbesøg tilkendegivet, hvad hun prioriterede.

"Hvad kan vi gøre? Hvad er der, vi ikke har gjort? Eller vi kan gøre igen? Et eller andet må vi jo have overset."

"Tja, til en begyndelse har Magnus boet i Fjällbacka hele sit liv, så hvis der er noget, skal det findes her. Det burde gøre det hele nemmere. Men jungletrommerne plejer at være yderst effektive, og foreløbig er det ikke lykkedes os at opstøve det mindste om ham. Intet, der ligner et motiv til at gøre ham livet surt, for ikke at tale om noget så drastisk som at myrde ham."

"Nej, han ser ud til at have været et rigtigt familiemenneske. Stabilt ægteskab, velopdragne børn, sympatisk omgangskreds. Alligevel har en eller anden åbenbart stukket ham ned med en kniv. Kan det være en meningsløs tilfældighed? En eller anden psykisk syg person, det har rablet for, og som har valgt sit offer tilfældigt?" Paula lød ikke specielt overbevist om denne teori.

"Det kan ikke udelukkes, men jeg tror det ikke. Noget, der taler stærkt imod det, er, at han jo ringede til Rosander og sagde, han var forsinket. Og så lød han ikke, som han plejede. Nej, der skete et eller andet den morgen."

"Vi bør med andre ord rette søgelyset mod mennesker, han kender."

"Hvilket er lettere sagt end gjort," sagde Patrik. "Fjällbacka har omkring tusind indbyggere, og alle kender mere eller mindre hinanden."

"Ja tak, det er ved at gå op for mig," sagde Paula leende. Hun var flyttet til for nylig og havde knap nok vænnet sig til fuldstændigt at miste storbyens anonymitet.

"Men i princippet har du ret, og i så fald vil jeg foreslå, at vi begynder indefra og bevæger os udad. Vi taler med Cia hurtigst muligt, og med børnene, hvis Cia går med til det. Derefter tager vi de nærmeste venner, Erik Lind, Kenneth Bengtsson og ikke mindst Christian Thydell. Der er et eller andet med de trusselsbreve …"

Patrik åbnede den øverste skrivebordsskuffe og tog plasticposen med brevet og kortet op. Herefter fortalte han hele historien om, hvordan Erica havde fået fat i dem, og Paula lyttede vantro og læste den truende tekst.

"Det her er alvorligt," sagde hun. "Vi burde sende dem til analyse."

"Jeg ved det," sagde Patrik, "men vi må ikke drage forhastede konklusioner. Jeg har bare en fornemmelse af, at alt det her hænger sammen."

"Ja, jeg tror heller ikke på tilfældigheder," sagde Paula og rejste sig, men standsede op, før hun gik ud af kontoret. "Skal vi tage os en snak med Christian i dag?"

"Nej, jeg vil hellere bruge resten af dagen på at samle alle de oplysninger, vi har om de tre, Christian, Erik og Kenneth, og i morgen tidlig gennemgår vi det hele og ser, om vi kan bruge noget af det. Jeg synes også, at vi begge to skal kigge grundigt på vores notater fra vores samtaler med dem lige efter Magnus' forsvinden, så vi kan se, om der er noget afvigende i deres udtalelser."

"Jeg taler med Annika og beder hende hjælpe med baggrundsmaterialet."

"Fint. Jeg ringer til Cia og hører, om hun kan klare endnu et besøg af os."

Patrik stirrede tomt på telefonen længe efter, at Paula var gået.

"Hold så op med at ringe til os!" Sanna knaldede røret på. Telefonen havde kimet uafbrudt hele dagen, og journalisterne stod i kø for at tale med Christan. De sagde ikke, hvad de ville, men det var ikke svært at gætte. At man havde fundet den døde Magnus så kort tid efter afsløringen af trusselsbrevene, fik dem selvfølgelig op på stikkerne, men det var jo absurd. De to ting kunne ikke have noget med hinanden at gøre. Rygtet ville ganske vist vide, at Magnus var blevet myrdet, men hun nægtede at tro det, før hun hørte det fra mere pålidelige kilder end sladderbladene. Og om noget så utænkeligt skulle være sandt, hvorfor skulle det så have nogen forbindelse med de breve, Christian havde modtaget? Det forholdt sig jo, som Christian selv havde sagt, når han prøvede at berolige hende: En eller anden sindsforvirret person havde tilfældigvis kastet sig over ham, men var efter al sandsynlighed helt ufarlig.

Hun havde villet spørge, hvorfor han i så fald reagerede så voldsomt under sit launchparty. Troede han selv på det, han sagde? Men spørgsmålene var blevet siddende i halsen, da han afslørede, hvor den blå kjole stammede fra, det var en trøst, det forklarede meget og tilgav en del.

Hendes bekymringer blegnede også, når hun tænkte på Cia, og hvad hun gik igennem lige nu. De ville savne Magnus, både hun og Christian. Deres samvær havde ikke altid været uproblematisk, men dog på en eller anden måde selvfølgeligt. Erik, Kenneth og Magnus var vokset op sammen og havde en fælles historie. Hun havde set dem på afstand, men på grund af aldersforskellen aldrig været venner med nogen af dem, før Christian kom ind i billedet og lærte dem at kende. Selvfølgelig havde hun mærket, at de andres koner syntes, hun var ung og måske lidt naiv, men de havde alligevel taget imod hende med åbne arme, og med årene var de blevet en naturlig del af deres tilværelse. De fejrede højtiderne sammen, sådan var det bare, og sommetider inviterede de også hinanden på middag i weekenden.

Af konerne havde hun altid syntes bedst om Lisbet. Hun var stilfærdig med en afdæmpet humor og behandlede altid Sanna som en jævnbyrdig. Desuden forgudede hun Nils og Melker, og det føltes som sådan et spild, at hun og Kenneth ikke selv havde fået nogen børn. Men den dårlige samvittighed nagede Sanna, hun kunne ikke få sig selv til at besøge Lisbet. Hun havde været derhenne i julen med en blomst og en æske chokolade, men da hun så Lisbet i sengen, mere død end levende, havde hun haft lyst til at løbe sin vej. Lisbet havde fornemmet hendes reaktion, Sanna kunne se det på hende. At hun forstod hende, men også var skuffet. Og Sanna kunne ikke klare at se den skuffelse igen, kunne ikke klare at møde døden forklædt som menneske og foregive, at det stadig var hendes ven, som lå i sengen.

"Hej, kommer du allerede?" Hun kiggede overrasket op, da Christian trådte ind ad døren og sløvt hængte overtøjet op.

"Er du syg? Har du ikke først fri klokken fem i dag?"

"Jeg føler mig ikke helt rask," mumlede han.

"Nej, du ser lidt sløj ud," sagde hun og betragtede ham bekymret. "Og hvad er der sket med din pande?"

Han viftede affejende med hånden. "Nå, det er ikke noget."

"Har du revet dig?"

"Hold nu op, ikke? Jeg orker ikke dine afhøringer." Han sukkede og sagde så i et lidt mildere tonefald: "Der kom en journalist hen på biblioteket og udspurgte mig om Magnus og brevene. Jeg er så træt af det hele."

"Hmm, de har også ringet som gale hertil. Hvad sagde du til ham?"

"Så lidt som muligt." Han tav, men fortsatte så: "De skriver garanteret noget om det i morgen alligevel. De gør jo, hvad der passer dem."

"Jamen så bliver Gaby jo glad," sagde Sanna syrligt. "Hvordan gik mødet med hende for resten?"

"Fint nok," svarede Christian kort for hovedet, men noget i hans tone sagde hende, at det ikke var hele sandheden.

"Virkelig? Jeg forstår godt, hvis du er sur over, at hun hængte dig ud på den måde …"

"Det gik jo fint, siger jeg!" hvæsede Christian. "Behøver du virkelig altid at betvivle hvert et ord, jeg siger?"

Vreden kogte op igen, og Sanna blev stående og stirrede på ham. Hans blik var sort, da han gik hen til hende.

"Kan du for helvede ikke lade mig være i fred?! Du jagter mig sgu døgnet rundt! Hold op med at blande dig i ting, der ikke rager dig!"

Hun så ind i sin mands øjne, hun burde kende ham efter alle de år sammen, men den, der kiggede på hende nu, var en fremmed. Og for første gang var Sanna bange for ham.

Anna kneb øjnene sammen, da hun kørte ind i svinget efter Sejlerforeningen i retning mod Sälvik. Skikkelsen, der kom gående lidt længere fremme, havde visse ligheder med hendes søster, hvad angik hårfarve og beklædning, hvorimod resten førte tankerne hen på Barbamama. Anna kørte ind til siden og rullede sideruden ned.

"Hej. Jeg er faktisk på vej hjem til dig. Du ser ud, som om du gerne vil have et lift det sidste stykke."

"Ja tak," sagde Erica, åbnede døren i passagersiden og lod sig dumpe ned på sædet. "Jeg overvurderede virkelig mine kræfter. Jeg er helt smadret og gennemblødt af sved."

"Hvor har du da været?" Anna satte bilen i gear og kørte hen mod det hus, der havde været deres barndomshjem, og som Erica og Patrik nu boede i. Huset havde været på nippet til at blive solgt, Anna fortrængte hurtigt tanken om Lucas og fortiden. Den tid var forbi. For altid.

"Jeg var henne og snakke lidt med Kenneth fra Havsbygg, du ved."

"Hvorfor? I har vel ikke tænkt jer at sælge huset?"

"Nej, nej," skyndte Erica sig at sige. "Jeg ville bare sludre lidt med ham om Christian. Og Magnus."

Anna parkerede foran den smukke, gamle villa. "Hvorfor det?" spurgte hun, men fortrød det næsten. Hendes storesøsters nysgerrighed overgik de flestes, og indimellem bragte den hende i situationer, som Anna helst ikke ville vide noget om.

"Det gik op for mig, at jeg ikke vidste noget som helst om Christians baggrund. Han har aldrig fortalt den mindste smule," svarede Erica og steg prustende ud af bilen. "Og desuden synes jeg, det hele er temmelig underligt. Magnus er sandsynligvis blevet myrdet, og Christian modtager trusler, og i betragtning af, at de var gode venner, køber jeg altså ikke den der med, at det skulle være et tilfældigt sammentræf."

"Jamen havde Magnus da også fået trusselsbreve?" Anna trådte ind i entreen efter Erica og tog overtøjet af.

"Ikke efter hvad jeg kan forstå. Det ville Patrik i givet fald have vidst."

"Er du sikker på, han ville have fortalt dig det, hvis det var kommet frem under efterforskningen?"

Erica smilede. "Fordi min kære mand jo er så god til at holde på hemmeligheder, mener du?"

"Nja, der har du vist en pointe," sagde Anna leende og tog plads ved bordet i køkkenet. Patrik plejede ikke at kunne holde stand ret længe, når først Erica havde besluttet at luske noget ud af ham.

"For øvrigt kunne jeg se, at brevene til Christian kom som en overraskelse, da jeg viste ham dem. Hvis der var kommet den slags frem i Magnus-sagen, ville han have reageret anderledes."

"Hmm, det har du nok ret i. Fik du så noget ud af Kenneth?"

"Nej, ikke meget, men jeg fik en følelse af, at han fandt mine spørgsmål meget ubehagelige. Som om de ramte et ømt punkt, selvom jeg ikke er helt sikker på, hvad det var."

"Hvor godt kender de hinanden?"

"Det ved jeg ikke rigtigt, og jeg har i det hele taget svært ved at se, hvad Christian har tilfælles med Kenneth og Erik. Venskabet med Magnus forstår jeg nok bedre."

"Jeg har også altid syntes, at Christian og Sanna var et noget umage par."

"Ja …" Erica ledte efter de rette ord. Hun ønskede ikke, at det skulle lyde, som om hun bagtalte nogen. "Sanna forekommer lige lovlig ung," sagde hun til sidst. "Desuden tror jeg, hun er meget jaloux, og på en måde kan jeg godt forstå hende. Christian ser jo godt ud, og det lader ikke til, at deres forhold er helt jævnbyrdigt." Hun havde lavet en kande te og satte honning og mælk frem.

"Hvad mener du med jævnbyrdigt?" spurgte Anna nysgerrigt.

"Jeg har jo ikke været så meget sammen med dem, men jeg har en følelse af, at Sanna forguder Christian, mens han behandler hende en smule nedladende."

"Det lyder ikke rart," sagde Anna og tog en slurk af teen.

"Nej, og jeg drager måske forhastede konklusioner ud fra den smule, jeg har iagttaget, men der er noget i deres omgangstone, som mere minder om forholdet mellem en forælder og et barn end mellem to voksne mennesker."

"Det går i det mindste godt med hans bog."

"Ja, og det er velfortjent," sagde Erica. "Christian er en af de mest begavede forfattere, jeg er stødt på, og det glæder mig virkelig, at læserne har fået øjnene op for ham."

"Avisskriverierne har vist også en del af æren. Man skal aldrig undervurdere folks nysgerrighed."

"Sandt nok, men bare de læser bogen, vil jeg skide på hvorfor," svarede Erica og kom endnu en skefuld honning i teen. Hun havde prøvet at vænne sig af med at drikke teen så sød, at den klistrede til tænderne, men hun endte altid med at give efter for sukkertrangen.

"Hvordan går det så med den her?" Anna pegede på Ericas mave og kunne ikke skjule sin bekymring. Hun havde ikke været så nærværende under Ericas vanskelige tid efter Majas fødsel, hvor hun havde sine egne problemer at slås med, men denne gang var hun oprigtigt ængstelig for søsteren. Hun ville ikke se hende forsvinde i depressionens tåger igen.

"Jeg ville lyve, hvis jeg sagde, at jeg ikke er bange," sagde Erica tøvende, "men denne gang føler jeg mig mere parat mentalt. Jeg ved, hvad der venter, hvor hårdt det er de første måneder. På den anden side kan man jo ikke forestille sig, hvordan det bliver med to på én gang. Det bliver måske dobbelt så slemt, uanset hvor velforberedt jeg tror, jeg er."

Hun huskede stadig levende, hvordan hun havde haft det efter Majas fødsel. Der var ingen konkrete detaljer, ingen øjebliksbilleder fra hverdagen de første måneder – i den forstand gik hukommelsen helt i sort, når hun prøvede at tænke tilbage – men selve *følelsen* kunne hun genkalde sig, og hun blev grebet af panik ved den blotte tanke om endnu en gang at falde ned i bundløs fortvivlelse og total hjælpeløshed.

Anna fornemmede, hvad Erica tænkte, og lagde en hånd over hendes.

"Sådan bliver det ikke denne gang. Der bliver selvfølgelig mere arbejde end med Maja, andet kan jeg ikke forestille mig, men jeg holder øje med dig, Patrik holder øje med dig, og vi vil gribe fat i dig, hvis du begynder at falde ned i dybe huller igen, det lover jeg. Se på mig, Erica." Hun tvang søsteren til at løfte hovedet og møde hendes blik. Da hun havde hendes fulde opmærksomhed, gentog hun roligt og bestemt: "Vi vil ikke lade dig ende der igen."

Erica blinkede nogle tårer væk og knugede søsterens hånd. Så meget havde forandret sig mellem dem de senere år. Hun var ikke længere en slags mor for Anna, hun var knap nok storesøster længere. De var simpelthen bare søstre. Og venner.

"Jeg har en bøtte chokoladeis i fryseren. Skal jeg tage den ud?"

"Og det siger du først nu!" sagde Anna fornærmet. "Hit med isen, før jeg afsværger slægtskabet."

Erik sukkede, da han så Louises bil slingre ind på parkeringspladsen foran kontoret. Hun plejede aldrig at komme herhen, og at hun dukkede op nu, varslede ikke godt. Hun havde forsøgt at få fat på ham over telefonen for ikke så længe siden, havde Kenneth fortalt, da Erik kom tilbage efter at have været et smut i supermarkedet. For én gangs skyld havde kollegaen kunnet svare sandfærdigt.

Han undrede sig over, hvorfor det var hende så magtpåliggende at få fat på ham. Kunne hun have fået nys om hans affære med Cecilia? Nej, den kendsgerning, at han havde noget kørende med en anden, var ikke motivation nok til, at hun satte sig i bilen og kørte ud i snesjappet. Han stivnede. Kunne hun have fundet ud af, at Cecilia var gravid? Havde Cecilie brudt deres aftale, som hun selv havde foreslået? Havde ønsket om at skade ham og hævne sig været større end hendes ønske om et månedligt underholdsbidrag til sig selv og barnet?

Han så Louise stige ud af bilen. Tanken om, at Cecilie muligvis havde afsløret ham, lammede ham. Man skulle aldrig undervurdere kvinder. Jo mere han tænkte over det, des mere sandsynligt forekom det ham, at hun havde droppet pengene for til gengæld at få tilfredsstillelsen ved at ødelægge hans liv.

Louise trådte ind ad døren. Oprevet, og da hun kom nærmere, kunne han lugte hørmen af vin, der lå som en tung sky om hende.

"Er du gal?! Har du kørt i beruset tilstand?" snerrede han. Ud af øjenkrogen så han, hvordan Kenneth foregav at være optaget af noget på computerskærmen, men hvor gerne han end ville, kunne han ikke undgå at høre, hvad der blev sagt.

"Det skal du bare skide på," snøvlede Louise. "Jeg kører alligevel bedre fuld, end du gør ædru." Hun vaklede, og Erik kiggede på uret. Tre om eftermiddagen, og hun var allerede stangstiv.

"Hvad vil du?" Han ville bare have det overstået. Hvis hun ville flå hans verden fra hinanden, så kunne hun bare komme an.

Men i stedet for at udslynge beskyldninger om Cecilia, fortælle, at hun vidste det med barnet, bede ham skride ad helvede til og fortælle, at hun ville flå ham for hver en klink, stak hun hånden i frakkelommen og tog fem hvide konvolutter op. Erik genkendte dem øjeblikkelig.

"Har du været inde i mit arbejdsværelse? Har du rodet i mit skrivebord?"

"Det kan du lige bande på, at jeg har. Du fortæller mig jo ingenting. Ikke engang, at nogen har sendt trusselsbreve til dig. Tror du, jeg er totalt åndssvag? Tror du ikke, jeg kan regne ud, at det er den samme slags breve, som de har skrevet om i aviserne? Samme slags, som Christian har fået. Og nu er Magnus oven i købet død." Hendes raseri sydede og kogte over. "Hvorfor har du ikke vist mig dem? En eller anden syg person sender os trusler, og du synes ikke, jeg har krav på at vide det? Jeg, der går alene og ubeskyttet derhjemme hele dagen!"

Erik kastede et blik på Kenneth, irriteret over, at kollegaen kunne høre Louise nedgøre ham, men han stivnede, da han så hans ansigtsudtryk. Kenneth kiggede ikke længere på skærmen, men stirrede på de fem hvide konvolutter, Louise havde smidt på skrivebordet. Ansigtet var blegt. Et øjeblik så han på Erik, drejede så hovedet væk igen. Det var for sent. Erik havde forstået sammenhængen.

"Har du også modtaget sådan nogle her?"

Eriks spørgsmål fik Louise til at fare sammen og kigge hen på Kenneth. Først virkede det, som om han ikke havde hørt det, for han fortsatte med koncentreret at studere et regneark. Erik havde dog ikke tænkt sig at lade ham slippe så let.

"Jeg spurgte dig om noget, Kenneth!" Eriks kommandorøst rungede, Kenneth reagerede på samme måde, som han gjorde, da de var børn. Stadig den føjelige, den, der fulgte trop og underkastede sig Eriks autoritet og hersketrang. Han drejede langsomt rundt på kontorstolen, til han havde ansigtet vendt mod Erik og Louise. Han knyttede hænderne i skødet og svarede lavmælt:

"Jeg har fået fire. Tre med posten og et, der var blevet lagt på bordet i køkkenet."

Louise blev hvid i ansigtet. Vreden mod Erik fik nyt brændstof, og hun vendte sig om mod ham. "Hvad er det her? Christian, dig og Kenneth? Hvad har I lavet? Og Magnus? Modtog han også den slags breve?" Hun så anklagende på sin mand, derefter på Kenneth og så tilbage igen.

Der blev stille et øjeblik. Kenneth kiggede spørgende på Erik, der rystede langsomt på hovedet.

"Ikke hvad jeg ved af. Magnus nævnte aldrig noget om det, men det behøver jo ikke betyde noget. Ved du det?" spurgte han Kenneth.

Han rystede på hovedet. "Nej. Hvis Magnus har talt med nogen om det, ville det have været Christian."

"Hvornår fik du det første?" Eriks hjerne var begyndt at bearbejde oplysningen. Vendte og drejede den, prøvede at finde en løsning og erobre kontrollen igen.

"Det ved jeg ikke rigtigt. Det var i hvert fald før jul. Altså i december."

Erik tog brevene op fra skrivebordet. Louise var blevet helt paf, luften var gået ud af hende. Hun blev stående foran sin mand og så på, mens han sorterede brevene efter datoen på poststemplerne. Det ældste blev lagt nederst, og han tog det op igen og kneb øjnene sammen for at læse stemplet.

"Femtende december."

"Det er vist nogenlunde samme tidspunkt som mit første," sagde Kenneth og stirrede igen ned i gulvet.

"Har du stadig brevene? Kan du tjekke datostemplet på dem, der kom med posten?" spurgte Erik med sin effektive forretningsstemme.

Kenneth nikkede og tog en dyb indånding. "Ved siden af det fjerde brev havde vedkommende lagt en af vores køkkenknive."

"Kan du ikke have lagt den der selv?" Louise snøvlede ikke længere. Frygten havde gjort hende ædru, fået tågerne til at lette fra hendes hjerne.

"Nej, jeg ved, at alt var ryddet af bordet, da jeg gik i seng."

"Var hoveddøren ulåst?" Erik lød stadig kold og fattet.

"Ja, det tror jeg. Det er ikke altid, jeg husker at låse."

"Mine breve er i hvert fald kun blevet postomdelt," konstaterede Erik og bladrede i konvolutterne. Så kom han i tanker om noget, han havde læst i artiklen om Christian.

"Christian er den af os, der fik trusselsbrevene først. De begyndte at komme for halvandet år siden, mens du og jeg først begyndte at få dem for tre måneder siden. Tænk, hvis alt det her drejer sig om ham? Hvis det i virkeligheden er ham, der er skydeskive for brevskriveren, og vi bare er blevet rodet ind i det, fordi vi tilfældigvis kender ham?" Erik lød ophidset. "Fanden tage ham, hvis han ved noget om det her og ikke fortæller det. Hvis han udsætter mig og min familie for en eller anden galning uden at advare os."

"Han ved jo ikke, at vi også har modtaget breve," indvendte Kenneth, og Erik måtte nødtvungent give ham ret.

"Nej, men det skal han denondelyneme få at vide nu." Erik samlede konvolutterne i en nydelig stak, som han bankede ned i bordpladen.

"Har du tænkt dig at tale med ham om det?" Kenneth lød nervøs, og Erik sukkede. Sommetider kunne han ikke klare kollegaens konfliktskyhed. Sådan havde det altid været. Kenneth havde fulgt med strømmen, aldrig sagt nej, altid ja, hvad der i og for sig havde gavnet Eriks egne interesser. Der kunne kun være én, som bestemte. Hidtil havde det været ham, og sådan skulle det også forblive.

"Selvfølgelig har jeg tænkt mig at tale med ham. Og med politiet. Det burde jeg have gjort for længe siden, men det var først, da jeg læste om Christians breve, at jeg begyndte at tage det alvorligt."

"Det var sandelig på tide," mumlede Louise, og Erik sendte hende et vredt blik.

"Jeg vil ikke have, at Lisbet skal blive urolig." Kenneth løftede hagen, og der kom et trodsigt glimt i hans øjne.

"En eller anden er vadet ind i dit hus, har lagt et brev på dit spisebord og anbragt en kniv ved siden af. Hvis jeg var dig, ville jeg være mere bekymret over det, end om Lisbet bliver urolig. Hun er jo alene hjemme det meste af dagen. Sæt nu, den der person lukker sig ind, mens du ikke er hjemme?"

Han så, at Kenneth allerede havde tænkt tanken, og samtidig med at han ærgrede sig over kollegaens manglende foretagsomhed, prøvede han at lukke øjnene for den kendsgerning, at han heller ikke selv var gået til politiet med brevene. På den anden side havde han jo ikke fået et af dem overbragt personligt.

"Godt, så er det en aftale. Du tager hjem og henter de breve, du har modtaget, hvorefter vi afleverer dem alle sammen til politiet, så de omgående kan undersøge sagen."

Kenneth rejste sig. "Jeg kører med det samme, er straks tilbage."

"Fint," sagde Erik.

Da Kenneth var gået, og døren havde lukket sig bag ham, vendte Erik sig om mod Louise og betragtede hende et par sekunder.

"Vi to har en del at tale om."

Louise så på ham et øjeblik. Løftede hånden og stak ham en lussing.

"Der er ikke noget i vejen med hende, siger jeg jo!" Mor lød vred og var på grådens rand. Han smuttede væk, satte sig bag sofaen lidt derfra, men ikke længere borte, end at han stadig kunne høre dem. Alt, hvad der angik Alice, var vigtigt.

Han kunne bedre lide hende nu. Hun så ikke på ham med det dér blik, der ville tage noget fra ham. Hun lå for det meste stille uden at sige en lyd, og det syntes han var rart.

"Hun er otte måneder og har stadig ikke gjort ét eneste forsøg på at kravle eller bevæge sig rundt. Vi må få en læge til at kigge på hende." Far talte med dæmpet stemme. Den stemme han brugte, når han ville overtale mor til at gøre noget, hun ikke havde lyst til. Han gentog det, mens han lagde hænderne på hendes skuldre for at tvinge hende til at høre efter.

"Der er noget galt med Alice, og jo tidligere hun får hjælp, desto bedre. Du gør hende ikke nogen tjeneste ved at lukke øjnene."

Mor rystede på hovedet. Det mørke, skinnende hår faldt ned over ryggen, han ville ønske, han kunne række hånden ud og røre ved det. Han vidste imidlertid, at hun ikke ville have det, hun ville skubbe ham væk.

Mor blev ved med at ryste på hovedet. Tårerne trillede ned ad kinderne, han vidste, at hun trods alt var ved at give efter. Far vendte sig halvt om og sendte ham et hurtigt blik bag sofaen. Han smilede til far, forstod ikke, hvad han mente. Men det var vist forkert at smile, for far rynkede brynene og virkede vred, som om han ville have ham til at se ud på en anden måde.

Han forstod heller ikke, hvorfor mor og far var så bekymrede og kede af det. Alice var blevet så rolig og nem nu. Mor var ikke nødt til at bære rundt på hende hele tiden, og hun lå fredsommeligt der, hvor hun blev lagt. Alligevel var mor *og far ikke tilfredse, og selvom der nu også var plads til ham, behandlede de ham som luft. At far gjorde det, tog han sig egentlig ikke særlig nær, det var ikke ham, der betød noget, men mor så ham heller ikke.*

Han kunne ikke beherske sig. Kunne ikke lade være med at skovle maden i sig, tygge, synke, tage mere og mærke, hvordan kroppen blev fyldt ud. Frygten var for stor, frygten for, at hun aldrig ville se ham mere. Han var ikke længere mors smukke dreng. Men han var her, og han optog plads.

D ER VAR STILLE, da han kom hjem. Lisbet sov formodentlig. Han over-
vejede at gå ind og se til hende først, men ville ikke risikere at vække
hende, hvis hun lige var faldet i søvn. Det var bedre at kigge ind til hende,
inden han gik igen. Hun havde brug for al den søvn, hun kunne få.

Kenneth blev stående i entreen et øjeblik. Det var den stilhed, han snart
skulle leve med. Han havde ganske vist været alene i huset før – Lisbet havde
været meget engageret i sit arbejde som skolelærer og ofte haft overarbejde
– men stilheden, når han kom hjem før hende, havde været anderledes. Det
havde været en løfterig stilhed med forventning om det øjeblik, døren gik op
og hun trådte indenfor:

"Så er jeg hjemme, skat."

Han skulle aldrig komme til at høre de ord igen. Lisbet ville forlade huset,
og aldrig vende tilbage.

Pludselig overvældede sorgen ham. Han havde brugt så meget energi på
at holde den på afstand, ikke tage den på forskud, men nu kunne han ikke
holde den tilbage. Han lænede panden op ad væggen og mærkede gråden
trænge sig på. Han lod den komme, græd lydløst, lod tårerne få frit løb. For
første gang gav han sig selv lov til at føle, hvordan det ville være, når hun var
væk. På mange måder var hun det jo allerede. Kærligheden var uforandret,
men anderledes, for den Lisbet, der lå inde i sengen i gæsteværelset, var kun
en skygge af den kvinde, han elskede. Hun eksisterede ikke længere, og han
begræd tabet af hende.

Han blev stående i lang tid med panden hvilende mod væggen. Lidt efter
stilnede gråden af, og det tyndede ud i tårerne. Da de var holdt helt op, tog

han en dyb indånding, løftede hovedet og tørrede de våde kinder med hånden. Nu måtte det være nok, mere kunne han ikke tillade sig.

Han gik ind i arbejdsværelset, hvor brevene lå i den øverste skuffe. Hans første indskydelse havde været at smide dem ud, ignorere dem, men noget havde holdt ham tilbage, og da det fjerde kom den foregående nat, ja, var blevet afleveret i hans eget hjem, havde han været glad for, at han havde beholdt dem. Han måtte tage dem alvorligt. Nogen ville gøre ham ondt.

Han vidste, at han omgående burde have afleveret brevene til politiet og ikke ladet sig styre af sin frygt for at forstyrre Lisbets rolige venten på døden. Han burde have beskyttet hende ved at tage dem alvorligt. Det var heldigt, at han havde indset det i tide, at Erik havde fået ham til at indse det i tide. Han ville aldrig kunne tilgive sig selv, hvis der skete hende noget, fordi han som sædvanlig ikke foretog sig noget.

Med rystende hænder tog han konvolutterne op, listede gennem entreen og ud i køkkenet, hvor han lagde dem i en lille frysepose. Han overvejede, om han bare skulle gå igen for ikke at risikere at vække hende, men han kunne ikke lade være med at kigge ind til hende, forvisse sig om, at alt stod vel til; se hende ansigt, der forhåbentlig så fredfyldt ud i søvnen.

Forsigtigt åbnede han døren til gæsteværelset. Den gled lydløst op og afslørede mere og mere af hende. Hun sov. Øjnene var lukkede, og han registrerede hvert et ansigtstræk, hver en del af hendes ansigt. Magert og udtæret, men stadig smukt.

Han trådte stille et par skridt ind i værelset, kunne ikke modstå lysten til at røre ved hende, men fornemmede, at noget ikke var, som det burde være. Hun så ud, som hun plejede, når hun sov, men med ét gik det op for ham, hvad han havde reageret på. Der var så stille, ikke en lyd. Ikke engang lyden af hendes åndedræt.

Kenneth stormede hen til sengen, lagde to fingre på hendes hals, derefter på hendes venstre håndled, flyttede dem frem og tilbage, bad til, at han ville finde den livgivende puls. Men forgæves, han kunne ikke mærke den. Der var stille i værelset og stille i hendes krop. Hun havde forladt ham.

Han hørte en klynkende, dyrisk lyd. En guttural, fortvivlet og uartikuleret lyd, og det gik op for ham, at den kom fra ham selv. Han satte sig på kanten af sengen, løftede forsigtigt hendes overkrop, som om hun stadig kunne føle smerte.

Han strøg hende over kinden, mærkede tårerne begynde at falde. Sorgen angreb med en kraft, der overgik alt, hvad han tidligere havde oplevet, alt, hvad han vidste om smerte. Det var en fysisk sorg, og den forplantede sig gennem hele kroppen og trængte ud i hver en nervetråd. Pinen fik ham til at skrige højt. Lyden gav ekko i det lille værelse, ramte det blomstrede sengetæppe og det lyse tapet og blev kastet tilbage mod ham.

Hendes hænder var foldet på brystet, og han skilte dem varsomt. Han ville holde hendes hånd i sin en sidste gang. Han kunne mærke den ru hud mod sin egen. Huden, der havde mistet sin blødhed af behandlingerne, men stadig var så velkendt.

Han tog hendes hånd op til munden, trykkede læberne mod den, mens tårerne vædede deres hænder. Han lukkede øjnene, smagen af de salte tårer blandede sig med hendes lugt. Hvis han havde kunnet, ville han være blevet siddende i al evighed og aldrig slippe grebet, men han vidste, det var umuligt. Lisbet var ikke længere hans, var ikke længere her, og han var nødt til at slippe taget og lade hende gå. Hun havde ikke ondt mere, smerten var forsvundet. Kræften havde vundet.

Han lagde hendes hånd ned, anbragte den forsigtigt ved hendes side. Den højre hånd lå stadig, som om den var foldet om den venstre, og han flyttede også den ned langs siden.

Han standsede midt i bevægelsen. Der lå noget i hendes hånd. Hjertet hamrede vildt. Han ville folde hendes hænder igen og skjule det, der lå indeni, men han kunne ikke. Med skælvende fingre åbnede han hendes højre hånd, en seddel faldt ned på sengetæppet. Papiret var foldet og skjulte sit budskab, men dog var han sikker. Han fornemmede ondskabens nærvær i værelset.

Kenneth tog sedlen op, tøvede et øjeblik og læste den så.

Anna var netop gået, da det ringede på døren. Først tænkte Erica, at det måske var søsteren, der havde glemt noget, men Anna plejede ikke at beskæftige sig med noget så trivielt som at vente. Hun åbnede bare døren og vadede lige ind.

Erica stillede kopperne, hun skulle til at sætte på plads, fra sig og gik ud for at åbne.

"Gaby? Hvad laver du her?" Hun trådte til side for at gøre plads for forlagschefen, der lyste op i de vintergrå omgivelser med en turkisfarvet frakke og et par enorme, guldglitrende øreringe.

"Jeg var til møde i Göteborg og tænkte, at jeg lige så godt kunne kigge forbi og få en sludder."

Kigge forbi? Der var halvanden times kørsel hver vej, og hun havde ikke engang ringet i forvejen og sikret sig, at Erica overhovedet var hjemme. Hvad ville hun, der hastede så meget?

"Jeg vil godt snakke med dig om Christian." Gaby besvarede hendes uudtalte spørgsmål og strøg forbi Erica ind i entreen. "Giver du en kop kaffe?"

"Øh, ja, selvfølgelig."

Som altid føltes et møde med Gaby som at blive ramt af toget. Hun gjorde sig ikke den ulejlighed at tage støvlerne af, tørrede dem bare hurtigt på måtten, før hun klaprede ind på trægulvet med sine spidse hæle. Erica kiggede ængsteligt på de ludbehandlede gulvbrædder og bad til, at der ikke ville blive grimme mærker, men hun kunne godt spare sig at sige noget til Gaby. Erica kunne ikke mindes, at hun nogensinde havde set hende på strømpefødder, og hun spekulerede på, om Gaby overhovedet tog skoene af, når hun gik i seng.

"Hvor bor I ... hyggeligt," sagde Gaby storsmilende, men med blikket fuldt af forfærdelse over virvaret af legetøj, børnetøj, Patriks papirer og alt muligt andet, der lå og flød over det hele. Gaby havde ganske vist været på besøg før, men dengang havde Erica været forberedt og ryddet omhyggeligt op i forvejen.

Forlagschefen fejede brødkrummerne væk fra stolen, før hun tog plads i køkkenet. Erica skyndte sig at køre en karklud hen over bordet.

"Min søster har lige været her," sagde hun og fjernede den tomme isbøtte.

"Du er vel klar over, det er en myte, at man skal spise for to?" sagde Gaby og betragtede Ericas enorme mave.

"Hmm," sagde Erica og måtte beherske sig for ikke at komme med en svidende replik. Gaby var ikke kendt for finfølelse, hendes slanke skikkelse var resultatet af streng diæt og hård træning med en personlig træner tre gange om ugen. Den bar heller ikke spor efter børnefødsler, karrieren havde altid haft førsteprioritet.

Mest for at provokere stillede Erica et fad med småkager foran Gaby.

"Du vil vel godt have en småkage, ikke?" Hun så, hvordan Gaby var splittet mellem ønsket om at være høflig og en desperat lyst til at sige nej. Til sidst fandt hun frem til et kompromis.

"Jeg snupper mig en halv, hvis det er i orden." Hun brækkede forsigtigt et stykke af småkagen og skar en grimasse, som var det en kakerlak, hun skulle stikke i munden.

"Du ville altså tale om Christian?" sagde Erica nysgerrigt.

"Ja, jeg ved ikke, hvad der går af ham." Gaby virkede lettet over, at kagehalløjet var overstået, og skyllede efter med en stor slurk kaffe. "Han nægter at stille op til mere PR, siger han, men det kan man faktisk ikke tillade sig. Det er uprofessionelt!"

"Han ser ud til at tage avisskriverierne tungt," sagde Erica forsigtigt og følte endnu en gang dårlig samvittighed over sin meddelagtighed i det hele.

Gaby viftede med en velmanicuret hånd. "Ja, det er for så vidt ganske forståeligt, men bølgerne lægger sig jo snart, og det har givet bogen god reklame. Folk bliver nysgerrige efter at høre mere om ham og læse bogen. I den sidste ende er det jo til Christians fordel, mener jeg. Han må også kunne indse, at vi har investeret masser af tid og penge i ham og markedsføringen, og at vi forventer en modydelse."

"Ja, klart nok," mumlede Erica, men var usikker på, hvad hun egentlig mente. På den ene side forstod hun Christian; det måtte være rædselsfuldt at få sit privatliv blotlagt på den måde. På den anden side havde Gaby ret i, at bølgerne snart ville lægge sig. Han havde kun lige akkurat indledt sin forfatterkarriere, og den opmærksomhed, han fik nu, ville han måske have glæde af mange år fremover.

"Hvorfor nævner du det her over for mig?" tilføjede hun forsigtigt. "Burde du ikke tage det op med Christian?"

"Vi havde et møde i går," sagde Gaby kort for hovedet, "og man må vist sige, at det ikke forløb specielt godt." Hun kneb læberne sammen som for at understrege udsagnet, og Erica kunne regne ud, at det måtte være gået rigtig dårligt.

"Det var trist.Christian er meget presset lige nu, tror jeg, og man må nok vise lidt overbærenhed ..."

"Det forstår jeg, men jeg driver altså en forretning, og vi har en kontrakt med Christian. Selvom aftalen ikke udspecificerer hans pligter i forbindelse med presse, markedsføring og den slags, så er det trods alt underforstået, at vi kan forvente visse ting af ham. Nogle forfattere kan tillade sig at lege eremitter og nægte at befatte sig med ting, de føler sig hævet over, men så er der tale om allerede etablerede skribenter med en stor læserskare, og det er Christian langtfra i nærheden af. Han når måske op på det niveau, men en forfatterkarriere bygges ikke op fra den ene dag til den anden, og med den flyvende start han har fået med *Havfruen*, skylder han både sig selv og sit forlag at yde visse ofre." Gaby holdt en pause og så stift på Erica. "Jeg håber, du vil gøre ham det begribeligt."

"Mig?" Erica vidste ikke, hvad hun skulle sige. Hun var ingenlunde overbevist om, at hun var den rette til at overtale Christian til at kaste sig for løverne igen. Det var jo hende, der fra allerførste færd havde givet dem færten af ham.

"Jeg ved ikke rigtigt, om det ville være ..." Hun ledte efter en diplomatisk formulering, men Gaby afbrød hende:

"Godt, så er det en aftale. Du snakker med ham og forklarer, hvad vi forventer af ham."

"Hvad ..." Erica kiggede på Gaby og spekulerede på, hvad hun havde sagt, der kunne tolkes som et tilsagn, men Gaby var allerede ved at rejse sig. Rettede på nederdelen og slyngede håndtasken over skulderen.

"Tak for kaffen og sludderen. Dejligt at vi har sådan et godt samarbejde." Hun bukkede sig ned og gav Erica et luftkys på begge kinder, hvorefter hun klaprede ud mod hoveddøren.

"Gør dig ingen ulejlighed, jeg finder selv ud!" råbte hun. "Hej med dig!"

"Hej," råbte Erica og vinkede. Hun havde det ikke bare, som om hun var blevet ramt af toget, men også tromlet ned af det.

Patrik og Gösta sad i bilen kun fem minutter efter, at de havde modtaget opkaldet. Først havde Kenneth Bengtsson dårlig nok kunnet få et ord frem, men lidt efter var det lykkedes Patrik at forstå, hvad han fablede om. At hans kone var blevet myrdet.

"Hvad fanden er det egentlig, der foregår?" Gösta rystede på hovedet, og som altid når Patrik kørte, klamrede han sig til håndtaget over døren. "Behøver du køre så skidehurtigt i svingene? Jeg sidder jo nærmest klistret op ad ruden."

"Undskyld." Patrik satte farten en smule ned, men det varede ikke længe, før han atter trådte speederen i bund. "Hvad der foregår? Tja, det spørger jeg også mig selv om," sagde han sammenbidt og kastede et blik i bakspejlet for at forvisse sig om, at Paula og Martin kunne følge med.

"Hvad sagde han? Var hun også blevet stukket ned?" spurgte Gösta.

"Jeg fik ikke ret meget fornuftigt ud af ham. Han lød dybt chokeret og sagde bare, at han var kommet hjem og havde fundet sin kone myrdet."

"Efter hvad jeg har hørt, havde hun ikke langt igen," sagde Gösta. Han veg normalt tilbage for alt, der bare smagte af sygdom og død, havde gået det meste af sit liv og ventet på at blive ramt af en eller anden uhelbredelig lidelse. Inden det skete, ville han bare nå så mange runder på golfbanen som muligt, og lige nu var det snarere Patrik, der lignede en i risikogruppen.

"Du ser for øvrigt ikke ud til at have det helt godt."

"Det var dog fandens, som du bliver ved," sagde Patrik irritabelt. "Du skulle selv prøve, hvordan det er at klare både job og småbørn. Aldrig at have tid til noget, aldrig at få en ordentlig nattesøvn." Patrik fortrød sit udbrud i samme øjeblik, ordene røg ud af munden på ham. Han vidste, at Göstas største sorg i livet var den søn, der døde kort tid efter fødslen.

"Undskyld, det var dumt sagt af mig," sagde han, men Gösta rystede afværgende på hovedet.

"Det er helt i orden."

De tav et stykke tid, hørte kun lyden af dækkene, mens de drønede af sted mod Fjällbacka.

"Det er jo skønt, det med Annika og den lille pige," sagde Gösta lidt efter og fik et mildt udtryk i ansigtet.

"Men det er længe at vente," svarede Patrik, glad for at tale om noget andet.

"Ja, at det skal tage så lang tid. Det havde jeg ingen anelse om. Ungen er der jo, så hvad er problemet?" Gösta var næsten lige så frustreret som Annika og hendes mand Lennart.

"Bureaukrati," svarede Patrik. "Og på en måde bør man vel være glad for, at de tjekker folk så grundigt og ikke bare udleverer børnene til hvem som helst."

"Ja, det kan der være noget om."

"Så er vi der." Patrik holdt ind foran familien Bengtssons hus. Et øjeblik efter parkerede Paula den anden patruljevogn bag dem. Da motorerne var slukket, hørte man kun suset fra skoven.

Kenneth Bengtsson åbnede døren. Han var hvid i ansigtet og så forvirret ud.

"Patrik Hedström," sagde Patrik og rakte Kenneth hånden. "Hvor er hun?" Han gjorde tegn til de andre om at vente udenfor. Det ville besværliggøre den tekniske efterforskning, hvis de alle sammen trampede rundt derinde. Kenneth holdt døren for ham og pegede fra entreen og ind i huset.

"Derinde. Jeg … kan jeg godt blive her?" Han kiggede fortumlet på Patrik.

"Bliv hos mine kolleger, så går jeg derind," sagde Patrik og vekslede blikke med Gösta for at få ham til at tage sig af ofrets ægtefælle. Göstas færdigheder som politimand lod en del tilbage at ønske, men han havde et godt tag på mennesker, og Patrik vidste, at Kenneth ville være i trygge hænder hos ham. Inden længe ville der også komme en læge, for han havde ringet efter en ambulance, før de forlod stationen, den måtte være lige på trapperne.

Patrik trådte forsigtigt ind i entreen og tog skoene af, hvorefter han fortsatte i den retning, Kenneth havde peget, gik ud fra, at manden hentydede til døren for enden af entreen. Den var lukket. Patrik lod hånden blive hængende i luften over håndtaget. Der kunne være fingeraftryk, så han pressede håndtaget ned med albuen og skubbede døren op med overkroppen.

Hun lå i sengen med lukkede øjne og armene ned langs siden. Det så ud, som om hun sov. Han trådte et par skridt nærmere og kiggede efter skader på kroppen. Der var intet blod og ingen læsioner, hvorimod hendes krop bar tydelige præg af sygdommen. Knoglerne trådte frem under den udspændte, tørre hud, og hun så ud til at være skaldet under tørklædet, som hun havde om hovedet. Det skar ham i hjertet at tænke på, hvad hun måtte have udstået, hvordan det måtte have været for Kenneth at se sin kone i den tilstand. Der var dog intet, som tydede på, at hun ikke var sovet stille ind. Han listede ud af værelset igen.

Da han vendte tilbage til kulden udenfor, stod Gösta og talte beroligende til Kenneth, mens Paula og Martin dirigerede ambulanceføreren ind i indkørslen.

"Nu har jeg været inde hos hende," sagde Patrik lavmælt til Kenneth og lagde hånden på hans skulder, "og jeg kan ikke se noget, der tyder på, at hun skulle være blevet myrdet, som du sagde i telefonen. Din kone var alvorligt syg, ikke sandt?"

Kenneth nikkede tavst.

"Er det mest sandsynlige ikke, at hun simpelthen er sovet ind?"

"Nej, hun er blevet myrdet." Kenneth så hidsigt på ham.

Patrik og Gösta vekslede blikke. Det var ikke usædvanligt, at mennesker i chok reagerede mærkeligt og sagde underlige ting.

"Hvorfor tror du det? Jeg har som sagt lige været inde hos din kone, og der er ingen skader på hendes krop eller andet, som tyder på noget … unormalt."

"Hun blev myrdet!" insisterede Kenneth, og Patrik måtte erkende, at de nok ikke kunne gøre mere. Han måtte bede ambulancefolkene tage sig af manden.

"Se selv!" Kenneth tog noget op af lommen og rakte det til Patrik, der automatisk tog imod det. Det var et lille, hvidt stykke papir, der var foldet på midten. Patrik kiggede spørgende på Kenneth og foldede sedlen ud. Med sort, sirlig håndskrift stod der: *Sandheden om dig slog hende ihjel.*

Patrik genkendte øjeblikkelig håndskriften.

"Hvor fandt du sedlen?"

"I hendes hånd. Jeg tog den ud af hendes hånd," fremstammede Kenneth.

"Og det er ikke hende selv, der har skrevet det?" Spørgsmålet var overflødigt, men Patrik stillede det alligevel for at fjerne enhver tvivl. I virkeligheden kendte han allerede svaret. Det var samme håndskrift, og de få ord udtrykte samme ondskab som i det brev, Erica havde taget fra Christian.

Som forventet rystede Kenneth på hovedet. "Nej," svarede han og holdt en pose op. "Det er den samme person, der har sendt dem her."

Gennem plasticposen kunne Patrik se nogle hvide konvolutter. Adressen var skrevet med sort blæk, og håndskriften var elegant, den samme som på den seddel, han holdt i hånden.

"Hvornår har du modtaget dem her?" spurgte han og mærkede hjertet galoppere.

"Vi skulle lige til at aflevere dem til jer," sagde Kenneth dæmpet og rakte Patrik posen.

"Vi?" sagde Patrik, mens han forsigtigt studerede konvolutterne. Fire breve.

"Ja, mig og Erik. Han har også fået nogle."

"Mener du Erik Lind? Har han også modtaget breve?" gentog Patrik for at sikre sig, at han havde hørt rigtigt.

Kenneth nikkede.

"Men hvorfor er I ikke gået til politiet noget før?" Patrik prøvede at skjule sin ærgrelse. Manden foran ham havde netop mistet sin kone, og det var ikke det rette tidspunkt at komme med bebrejdelser.

"Jeg ... vi ... Det var først i dag, Erik og jeg blev klar over, at vi begge havde modtaget breve, og at Christian også var udsat for trusler, fandt vi først ud af nu i weekenden, da aviserne skrev om det. Jeg kan ikke tale for Erik, men personlig ville jeg ikke gøre min kone ..." Resten blev siddende i halsen.

Patrik kiggede endnu en gang på konvolutterne i posen. "Det er kun de tre af dem, der er adresseret og poststemplet, det fjerde har kun dit navn udenpå. Hvordan fik du det?"

"En eller anden gik ind hos os i nat og lagde det på spisebordet." Han tøvede, og Patrik forholdt sig tavs, idet han fornemmede, at der ville komme mere. "Der lå også en kniv ved siden af brevet, en af vores køkkenknive, og det budskab kan vel næppe tydes på mere end én måde." Gråden kom, men han fortsatte: "Jeg forstod det sådan, at det var *mig*, nogen ville til livs. Hvorfor Lisbet? Hvorfor slå Lisbet ihjel?" Han tørrede en tåre væk med håndfladens bagside, tydeligvis forlegen over at græde i Patriks og de andres nærværelse.

"Nu ved vi jo ikke, om hun rent faktisk er blevet myrdet," sagde Patrik blidt, "men en eller anden har helt afgjort været her. Har du nogen anelse om, hvem det kan være? Hvem der har sendt brevene?" Blikket fastholdt han på Kenneth for at registrere hver en ændring i hans ansigtsudtryk, og så vidt han kunne bedømme, var Kenneth ærlig, da han svarede:

"Jeg har tænkt meget over det, siden brevene begyndte at komme. Det var kort før jul. Men jeg kan ikke komme på nogen, der skulle ønske mig ondt. Der er simpelthen ikke nogen. Jeg har aldrig skaffet mig fjender på den måde. Jeg er for ... ubetydelig."

"Og Erik? Over hvor lang tid har han modtaget breve?"

"Lige så længe som mig. Han har dem henne på kontoret. Jeg skulle bare hjem og hente mine, og bagefter ville vi kontakte jer ..." Stemmen døde hen, Patrik forestillede sig, at manden i tankerne var tilbage i værelset, hvor han havde fundet sin kone død.

"Hvad kan ordene på sedlen betyde?" spurgte Patrik forsigtigt. "Hvad skulle det være for en 'sandhed' om dig, brevskriveren hentyder til?"

"Det ved jeg ikke," svarede Kenneth stille. "Jeg ved det faktisk ikke." Så tog han en dyb indånding. "Hvad skal der ske med hende nu?"

"Hun bliver kørt til Göteborg til nærmere undersøgelse."

"Nærmere undersøgelse? Mener du obduktion?" Kenneth gjorde en grimasse.

"Ja, obduktion. Det er desværre nødvendigt, hvis vi skal finde ud af, hvad der er sket."

Kenneth nikkede, øjnene var fugtige, og læberne begyndt at blive blålige. Det gik op for Patrik, at Kenneth var alt for tyndt klædt på til at stå så længe udenfor.

"Det er koldt, så du må hellere gå indenfor." Patrik tænkte efter. "Kunne du tænke dig at tage med mig ind på kontoret? Altså dit kontor, så vi kan snakke med Erik. Sig endelig til, hvis du ikke magter det, så kører jeg derhen alene. For resten, er der nogen, du godt vil ringe til?"

"Nej, og jeg vil gerne med," svarede Kenneth næsten trodsigt. "Jeg vil vide, hvem der har gjort det her."

"Udmærket." Patrik tog blidt fat om hans albue og førte ham hen til bilen, åbnede døren i passagersiden og gik så hen til Martin og Paula for at give dem nogle korte instrukser. Derpå hentede han en jakke til Kenneth og gav tegn til Gösta om at følge med. Teknikerholdet var på vej, Patrik håbede at kunne være tilbage, før de kørte igen. I modsat fald måtte de tales ved senere, for det her hastede så meget, at det ganske enkelt ikke kunne udsættes.

Da de havde bakket ud af indkørslen, sendte Kenneth huset et langt blik, hans læber formede et tavst farvel.

Der var egentlig ingenting, som havde ændret sig, der var lige så tomt som før. Den eneste forskel var, at der nu var et lig, som skulle begraves, og at det allersidste håb var slukket. Hendes forudanelser havde vist sig at være rigtige, men hvor ville hun dog ønske, at hun havde taget fejl.

Hvordan skulle hun kunne leve uden Magnus? Hvordan ville tilværelsen blive uden ham? Det var så uvirkeligt, at hendes mand, børnenes far, skulle ligge i en grav på kirkegården. Magnus, der altid havde været så fuld af liv, der altid havde været oplagt til skæg og ballade og sørget for, at alle omkring ham også havde det sjovt. Ja, hun havde ganske vist været irriteret på ham indimellem, på hans sorgløshed og evindelige tossestreger. Det kunne drive hende til vanvid, når hun ville tale om noget alvorligt, og han bare slog det hen og lavede sjov med hende, indtil hun ikke kunne lade være med at grine, selvom hun egentlig ikke havde lyst. Det til trods havde hun ikke ønsket at lave om på ham.

Hvad ville hun ikke give for at få én eneste time mere sammen med ham? Eller en halv time, et minut. De var jo ikke færdige, men havde lige indledt deres liv sammen. De havde kun tilbagelagt et kort stykke af den rejse, de havde planlagt. Deres første, berusende møde, da de var nitten. De første års forelskelse. Magnus' frieri og brylluppet i Fjällbacka Kirke. Børnene. Nætterne fulde af barnegråd, hvor de havde skiftedes til at sove. Timer med leg og latter sammen med Elin og Ludvig. Nætterne, hvor de havde elsket eller bare sov hånd i hånd. Og de seneste år, hvor børnene var begyndt at blive store, og de selv skulle lære hinanden at kende som mennesker igen.

Der var så meget, som stadig ventede, vejen foran dem havde forekommet lang og fuld af oplevelser. Magnus havde glædet sig til at smådrille børnenes første kærester, der generte og stammende ville komme hjem til dem for at blive præsenteret. De skulle hjælpe Elin og Ludvig med at flytte hjemmefra, slæbe møbler, male vægge og sy gardiner. Magnus skulle holde tale ved deres bryllupper. Han ville tale for længe, blive for rørstrømsk, fortælle for mange anekdoter fra deres barndom. De var sågar begyndt at fantasere om børnebørn, om end det næppe blev aktuelt før om mange år. Men det lå som et løfte i vejkanten. De ville blive verdens bedste bedsteforældre, altid til rådighed og parat til at forkæle. Give børnebørnene slik før aftensmaden og købe alt for meget legetøj. Skænke dem al den tid, de havde.

Alt det var væk nu. Deres fremtidsdrømme ville aldrig blive til virkelighed. Pludselig mærkede hun en hånd på sin skulder. Hun hørte hans stemme, men den var så uudholdeligt lig Magnus', at hun lukkede af, holdt op med at høre efter. Lidt efter tav stemmen, og hånden fjernede sig. Foran sig så hun vejen forsvinde, som havde den aldrig været der.

Hun nærede ikke de store forventninger, da hun kørte hen til Christian. Hun havde ringet til biblioteket og spurgt efter ham, men fået at vide, at han var taget hjem, så hun havde klemt sig ind bag rattet og begivet sig af sted. Hun var stadig ikke sikker på, om det var klogt af hende at følge Gabys opfordring, men samtidig vidste hun ikke, hvordan hun skulle undslå sig. Gaby var ikke typen, der accepterede et nej.

"Hvad vil du?" spurgte Sanna, da hun åbnede døren. Hun så endnu mere nedtrykt ud end normalt.

"Jeg vil godt tale med Christian," svarede Erica og håbede, at hun ikke ville blive nødt til at stå her i døren og motivere hvorfor.

"Han er ikke hjemme."

"Hvornår kommer han hjem?" spurgte Erica tålmodigt og følte sig næsten taknemmelig ved udsigten til at udskyde mødet.

"Han sidder og skriver nede i bådehuset. Du kan godt tage hen og forstyrre ham, men det er på egen risiko."

"Den løber jeg gerne." Erica tøvede. "Det er vigtigt," tilføjede hun.

Sanna trak på skuldrene. "Gør, som du vil. Kender du vejen?"

Erica nikkede. Hun havde besøgt Christian i hans lille skrivehule et par gange tidligere.

Fem minutter senere parkerede hun bilen foran rækken af bådehuse. Det, Christian sad og arbejdede i, var arvet fra Sannas familie. Hendes morfar havde købt det for en skilling, og nu var det et af de få bådehuse, der var ejet af en fastboende.

Christian måtte have hørt bilen, for han åbnede døren, allerede inden hun nåede at banke på.

"Nå, er det dig," sagde han med samme mangel på begejstring.

Erica begyndte at føle sig som en pestbefængt. "Mig og et par stykker mere," svarede hun i et forsøg på at lave sjov, men Christian så ikke ud til at more sig.

"Jeg arbejder," sagde han og gjorde ikke mine til at lukke hende ind.

"Jeg skal ikke forstyrre dig mere end et par minutter."

"Du ved jo selv, hvordan det er, når man sidder midt i noget," sagde han.

Det her gik endnu værre, end Erica havde ventet. "Jeg har lige haft besøg af Gaby, der fortalte om jeres møde."

Christian sank sammen i skuldrene, og han sukkede. "Tog hun helt herover bare for at fortælle det?"

"Hun skulle alligevel til et møde i Göteborg, men hun er meget bekymret og mente, at jeg ... Altså, kan vi ikke gå indenfor og snakke?"

Uden at sige et ord trådte Christian endelig til side og lod hende komme indenfor. Der var så lavt til loftet, at han måtte holde nakken en anelse bøjet, mens Erica, der var et halvt hoved mindre end ham, kunne stå oprejst. Han drejede omkring og gik foran hende ind i rummet, der vendte ud mod havet. Den tændte computer og papirarkene, der lå spredt ud over klapbordet foran vinduet, tydede på, at han rent faktisk sad og arbejdede.

"Nå, men hvad sagde hun så?" Han satte sig, lagde de lange ben over kors og foldede armene over brystet.

"Hun er som sagt bekymret og siger, at du ikke har tænkt dig at medvirke i flere interviews og lave PR for bogen."

"Det er korrekt." Christian foldede armene strammere over brystet.

"Må jeg spørge hvorfor?"

"Det burde du af alle sgu da kunne fatte!" hvæsede han, og det gav et sæt i Erica. Det bemærkede han tilsyneladende og så ud til at fortryde sit vrisne tonefald. "Du ved jo godt hvorfor," sagde han træt. "Jeg kan ikke ... Jeg kan ikke klare alle de avisskriverier."

"Er du bange for at tiltrække mere opmærksomhed? Er det derfor? Har du fået flere trusler? Ved du, hvem de kommer fra?" Spørgsmålene væltede ud af hende.

Christian rystede hidsigt på hovedet. "Jeg ved ingenting." Stemmen var steget igen. "Jeg ved overhovedet ingenting! Jeg vil bare have lidt fred og ro, få lov til at arbejde og slippe for …" Han kiggede væk.

Erica betragtede Christian i tavshed. Han passede ikke rigtigt ind i omgivelserne. Det havde slået hende de få gange, hun havde besøgt ham her i bådehuset, og nu virkede det endnu tydeligere. Han så fuldstændigt malplaceret ud mellem alle fiskeredskaberne og garnene, der hang på væggene. Det lille bådeskur kunne have været et dukkehus, hvor han havde klemt sine lange lemmer ind og nu sad uhjælpeligt fast. Det gjorde han måske også i en vis forstand. Hun kiggede på manuskriptet på bordet. Hun kunne ikke læse, hvad der stod, derfra hvor hun sad, men der så ud til at være omkring hundrede sider.

"Er det din nye bog?" Hun havde ikke tænkt sig at slippe det emne, der gjorde ham så oprevet, men ville give ham lidt tid til at falde til ro.

"Ja." Han så ud til at slappe af.

"Er det en fortsættelse? På *Havfruen*?"

Christian smilede. "Der er ingen fortsættelse på *Havfruen*," sagde han og vendte blikket ud mod havet. "Jeg forstår ikke, at folk tør," tilføjede han åndsfraværende.

"Hvabehar? Tør hvad?"

"Springe ud."

Erica fulgte hans blik, og pludselig forstod hun, hvad han mente.

"Du mener fra udspringstårnet? På Badholmen?"

"Ja." Christian kiggede derhen med et stirrende blik.

"Jeg har aldrig turdet, men jeg lider på den anden side af vandskræk, hvad der er lidt pinligt for en som mig, der er vokset op ved havet."

"Jeg har heller aldrig turdet." Christians stemme lød fjern, drømmende. Der lå et eller andet mellem linjerne, en spænding. Hun turde ikke røre sig, turde knap nok trække vejret. Lidt efter fortsatte Christian, men han virkede ikke længere bevidst om hendes tilstedeværelse.

"Hun turde."

"Hvem?" Erica hviskede spørgsmålet, og først troede hun ikke, hun ville få noget svar. Hun blev blot mødt af tavshed, så sagde Christian dæmpet, næsten uhørligt:

"Havfruen."

"I bogen?" Erica forstod ingenting. Hvad var det, han prøvede at sige? Og hvor befandt han sig? Ikke her, ikke i nutiden, ikke sammen med hende. Han var et andet sted, og hun ville sådan ønske, at hun vidste hvor.

Sekundet efter var fortryllelsen hævet. Christian tog en dyb indånding og vendte sig om mod hende.

"Jeg vil koncentrere mig om min næste bog. Ikke sidde og give interviews og skrive fødselsdagshilsner i bøger."

"Det er en del af jobbet, Christian," påpegede Erica roligt og måtte bekæmpe en snert af irritation over hans arrogance.

"Har jeg ikke selv noget at skulle have sagt?" Han lød rolig nu, men anspændtheden var der fortsat.

"Hvis du ikke var indstillet på at udføre den del af jobbet, skulle du have sagt fra med det samme. Forlaget, markedet, ja, læserne for pokker, og de er det allervigtigste, forventer, at vi bruger noget af vores tid på dem. Hvis man ikke er indstillet på det, så skal man gøre det klart helt fra begyndelsen. Man kan ikke pludselig lave om på spillereglerne."

Christian kiggede ned i gulvet, og hun kunne se, at han hørte efter og tog hendes ord til sig. Da han løftede hovedet igen, havde han tårer i øjnene.

"Jeg kan ikke, Erica. Det er umuligt at forklare ..." Han virrede med hovedet, begyndte forfra: "Jeg kan ikke. De kan sagsøge mig, blackliste mig, jeg er ligeglad. Jeg bliver ved med at skrive alligevel, for det er jeg nødt til, men jeg kan ikke tage del i det her spil." Han kradsede sig heftigt på armene, som om der krøb myrer under huden på ham.

Erica betragtede ham bekymret. Christian var som en spændt buestreng, der kunne briste når som helst, men hun vidste, hun ikke kunne stille noget op. Han ville ikke tale med hende.

Han stirrede på hende et øjeblik og trak så med en hurtig bevægelse stolen tættere hen til bordet og computeren.

"Jeg skal arbejde." Ansigtet var udtryksløst, tillukket.

Erica rejste sig. Hun ville ønske, hun kunne se ind i hans hoved og hente de hemmeligheder frem, som hun vidste fandtes der. Men han sad med ansigtet vendt mod skærmen og stirrede på de ord, han selv havde skrevet, som var de det sidste, han nogensinde ville komme til at læse.

Hun sagde ikke noget, da hun gik. Ikke engang farvel.

Patrik sad på sit kontor og kæmpede mod den forbandede træthed. Han måtte fokusere, være oppe på mærkerne nu, hvor efterforskningen var inde i en kritisk fase. Paula stak hovedet ind ad døren.

"Hvad så nu?" spurgte hun og noterede sig, at Patrik havde en usund ansigtskulør og sved på panden. Hun var bekymret for ham. Han havde set udkørt ud på det sidste, det kunne hun ikke fornægte.

Patrik tog en dyb indånding og tvang tankerne tilbage til den seneste udvikling i sagen.

"Lisbet Bengtsson er blevet kørt til obduktion i Göteborg. Jeg har ikke talt med Pedersen, men i betragtning af, at der går mindst et par dage, før vi kan forvente Magnus Kjellners obduktionserklæring, regner jeg ikke med at høre noget før tidligst i begyndelsen af næste uge."

"Hvad tror du selv? Blev hun myrdet?"

Patrik tøvede. "Hvad Magnus angår, er jeg helt sikker. Han kan umuligt have påført sig selv sine fysiske skader, så nogen må helt klart have stukket ham ned. Med Lisbet er jeg noget mere usikker. Hun havde ingen ydre skader, så vidt jeg kunne se, og hun var jo alvorligt syg, så det kan meget vel have været en naturlig død. Hvis det altså ikke var for det med sedlen. En eller anden har været inde på hendes værelse og anbragt den i hendes hånd, men om det er sket før, i forbindelse med eller efter hendes død, er umuligt at afgøre på nuværende tidspunkt, så vi må vente og høre, hvad Pedersen har at sige."

"Og brevene? Hvad sagde Erik og Kenneth? Havde de nogen teori om hvem og hvorfor?"

"Nej, i hvert fald ikke efter hvad de selv siger, og lige nu ser jeg ingen grund til ikke at tro dem. Det virker dog lidet sandsynligt, at de tre personer, der har modtaget brevene, er blevet valgt ud på må og få. De kender hinanden, omgås privat, så der må være en eller anden fællesnævner, som vi bare ikke kan få øje på."

"Hvorfor modtog Magnus i så fald ikke nogen breve?" indvendte Paula.

"Det ved vi jo ikke, om han gjorde. Han kan have fået dem uden at fortælle det til nogen."

"Har du talt med Cia om det?"

"Ja, det gjorde jeg lige efter, at jeg hørte det om Christians breve, men hun hævdede, at han ikke havde modtaget nogen. I modsat fald ville hun have vidst det og omgående have fortalt os det. Sikker kan man dog ikke være, og Magnus holdt det måske hemmeligt for at beskytte hende."

"Det virker også, som om det hele er eskaleret. Det er jo betragteligt mere alvorligt at trænge ind i folks hjem midt om natten end at sende breve med posten."

"Du har ret," sagde Patrik. "Jeg ville allerhelst give Kenneth politibeskyttelse, men det har vi ikke mandskab til."

"Nej, det har vi jo ikke," sagde Paula, "men hvis det skulle vise sig, at hans kone ikke døde en naturlig død ..."

"Vi tager det op igen, når vi ved mere," sagde Patrik træt.

"Har du for resten sendt brevene til analyse?"

"Ja, de blev sendt af sted med det samme, og jeg vedlagde det brev, som Erica fik af Christian."

"Som hun stjal fra Christian, mener du vel," sagde Paula og prøvede at skjule et smil. Hun havde virkelig moret sig over Patrik, da han prøvede at forsvare sin kones foretagsomhed.

"Okay, så siger vi stjal." Patrik rødmede ganske svagt. "Men jeg tror ikke, vi skal nære for store forventninger. Vi er allerede flere, der har rørt ved dem, og det er jo svært at spore helt almindeligt hvidt papir og sort blæk. Det må kunne købes overalt i Sverige."

"Ja," sagde Paula, "og vi kan jo også risikere, at vedkommende har været omhyggelig med at slette sporene efter sig."

"Det er en mulighed, men vi kan jo også være heldige."

"Selvom heldet ikke just har tilsmilet os indtil videre," mumlede Paula.

"Nej, det kan man vist roligt sige ..." Patrik lænede sig tilbage i stolen. "I morgen klør vi på igen. Vi indkalder til briefing klokken syv, og så tager vi den derfra."

"Ja, vi klør på i morgen," gentog Paula og gik ind til sig selv. De havde virkelig brug for et gennembrud nu, og Patrik så ud til at trænge til en god

198

nats søvn. Hun skrev sig bag øret, at hun skulle holde øje med ham. Han virkede bestemt ikke frisk.

Det gik trægt med skriveriet. Ordene trængtes i hovedet, men ville ikke lade sig bøje og forme til sætninger. Cursoren blinkede drillende. Det var sværere med denne bog; der var så meget mindre af ham selv i den. I *Havfruen* havde der på den anden side været for meget, og det overraskede Christian, at ingen havde opdaget det. At de ukritisk havde læst bogen og betragtet den som ren fiktion, en dyster fantasi. Hans største frygt var blevet gjort til skamme. Under hele det vanskelige, men nødvendige arbejde med bogen havde han kæmpet med frygten for, hvad der ville ske, når han vendte stenene. Hvad der ville myldre frem, når dagslyset ramte det, der befandt sig nede i mørket.

Men intet var sket. Mennesker var så naive, så vant til at blive fodret med opdigtede historier, at de ikke genkendte virkeligheden inde bag selv den letteste forklædning. Han kiggede på skærmen igen, forsøgte at mane ordene frem, finde tilbage til det, der faktisk skulle blive en ny fortælling. Det forholdt sig, som han havde sagt til Erica: Der var ingen fortsættelse på *Havfruen*. Den historie var slut.

Han havde leget med ilden, og flammerne slikkede op under hans fødder. Hun var tæt på nu, det kunne han mærke. Hun havde fundet ham, og han havde kun sig selv at takke.

Med et suk slukkede han for computeren. Han trængte til at klare tankerne. Han tog jakken på, trak lynlåsen helt op i halsen, og med hænderne begravet i lommerne gik han i rask tempo hen mod Ingrid Bergmans Torg. Lige så levende, lige så pulserende som gaderne var om sommeren, lige så øde var de nu, men det her passede ham bedre.

Han vidste ikke, hvor han var på vej hen, før han drejede af nede ved havnen, hvor Kystvagtens både lå fortøjet. Fødderne førte ham i retning af Badholmen og udspringstårnet, der aftegnede sig mod den grå vinterhimmel. Det blæste kraftigt, og da han gik hen ad stenbroen, der førte over til den lille ø, greb et vindstød fat i hans jakke og pustede den op som et sejl. Der var læ inde mellem trævæggene, der opdelte omklædningsbåsene, men så snart han trådte ud på klipperne og begav sig hen mod tårnet, viste blæsten sin styrke igen. Han blev stående lidt, lod sig skubbe frem og tilbage, mens han bøjede nakken bagover og kiggede op på tårnet. Man kunne næppe kalde det smukt, men det havde fundet sin plads, og fra øverste platform havde man udsigt over hele Fjällbacka og havmundingen. Det havde stadig en vis nedslidt værdighed over sig som en gammel kone, der havde levet livet og nydt det, og ikke skammede sig over, at det kunne ses på hende.

Han tøvede et øjeblik og trådte så op på første trappetrin. Holdt sig til rækværket med kolde hænder. Tårnet knirkede og protesterede. Om sommeren lagde det krop til horder af ivrige teenagere, der for op og ned, men nu flåede blæsten i det med en sådan styrke, at han ikke var sikker på, om det ville holde til bare *hans* vægt. Det var ligegyldigt. Op skulle han.

Christian tog endnu nogle skridt. Tårnet svajede i vinden. Bevægede sig som et pendul og førte hans krop fra side til side. Han fortsatte og nåede til sidst toppen. Han lukkede øjnene et øjeblik, satte sig på platformen og pustede ud. Så åbnede han øjnene.

Og der var hun, i den blå kjole. Hun dansede på isen med barnet i favnen, uden at efterlade spor i sneen. Skønt hun var barfodet, så hun ikke ud til at fryse, og barnet var kun iført lette klæder – hvide bukser og en lille bluse – men smilede i vintervinden, som om intet kunne røre det.

Han kom op at stå på vaklende ben, stadig med blikket fæstet på hende. Han ville råbe advarende til hende: Isen var tynd, man kunne ikke gå på den, ikke danse på den. Han kunne se sprækkerne, nogle af dem åbne, andre i færd med at udvide sig, men hun dansede med barnet i favnen og kjolen flagrende omkring benene. Hun lo og vinkede, det mørke hår indrammede hendes ansigt.

Tårnet svajede, men han holdt sig oprejst, parerede bevægelserne med udstrakte arme. Han prøvede at råbe til hende, men der kom kun tørre lyde ud af hans strube. Så fik han øje på hende. En hvid, våd hånd. Den kom op af vandet, prøvede at fange fødderne på den dansende, prøvede at få fat i kjolen, ville trække hende ned i dybet. Han så Havfruen. Hendes hvide ansigt, der begærligt rakte ud efter kvinden og barnet, rakte ud efter det, han elskede.

Men kvinden så hende ikke. Hun blev bare ved med at danse, tog barnets hånd og vinkede til ham, bevægede fødderne rundt på isen, sommetider blot nogle millimeter fra den hvide hånd.

Det lynede i hovedet. Han kunne intet gøre, han var magtesløs. Christian holdt sig for ørerne og lukkede øjnene. Skreg. Højt og skingert steg det op gennem struben, blev kastet tilbage fra isen og klipperne, rev såret i brystet op. Da han tav, tog han forsigtigt hænderne væk fra ørerne og åbnede øjnene. Kvinden og barnet var forsvundet. Han vidste, at hun ikke ville helme, før hun havde taget alt fra ham.

Hun var stadig krævende. Mor brugte utallige timer på at træne med hende, bøje hendes led, stimulere hende med billeder og musik. Hun havde sat himmel og jord i bevægelse, da hun omsider accepterede, hvordan det stod til; at der var noget galt med Alice.

Men han blev ikke lige så forbitret som før. Han hadede ikke sin søster på grund af al den tid, hun krævede af mor. For triumfen i hendes blik var forsvundet. Hun var rolig og tavs. Sad mest for sig selv og puslede med noget, gentog den samme bevægelse i timevis, stirrede ud ad vinduet eller ind i væggen på noget, som kun hun selv kunne se.

Hun lærte. Først at sidde oprejst, så at krabbe sig frem, dernæst at gå. Helt som andre børn. Det tog bare meget længere tid for Alice.

Nu og da skete det, at far mødte hans blik over hovedet på hende. Et kort, kort øjeblik mødtes deres øjne, og der var et eller andet hos far, han ikke kunne tyde, men han forstod, at far overvågede ham, overvågede Alice. Han ville fortælle far, at det ikke var nødvendigt. Hvorfor skulle han gøre hende noget? Hun var jo så sød nu.

Han elskede hende ikke, han elskede kun mor, men han tolererede hende. Alice var et indslag i hans verden, en del af hans virkelighed på samme måde som fjernsynet med dets susen, sengen, han lagde sig i om aftenen, og den knitrende lyd af aviserne, far læste i. Hun var et lige så selvfølgeligt indslag og betød lige så lidt.

Derimod dyrkede Alice ham, og det forstod han ikke. Hvorfor valgte hun ham og ikke deres smukke mor? Hun lyste op, når hun så ham, og det var kun ham, der fik hende til at løfte armene for at blive taget op og omfavnet. Herudover syntes hun ikke om at blive rørt ved, tit strittede hun imod, når mor ville tage hende op og kæle med hende. Han forstod det ikke. Hvis mor havde kælet med ham på den måde, ville han have puttet sig ind til hende med lukkede øjne og aldrig ønsket at forlade hendes arme igen.

Alices uforbeholdne kærlighed forvirrede ham, om end det gav en vis tilfredsstillelse. Sommetider satte han hendes kærlighed på prøve: Når far en sjælden gang slækkede på sin overvågning og gik på toilettet eller ud i køkkenet for at hente noget, plejede han at afprøve, hvor langt hendes kærlighed rakte. Han ville se, hvor meget han kunne udsætte hende for, før lyset i hendes øjne blev slukket. Nogle gange nev han hende, andre gange trak han hende i håret. Engang havde han taget den ene sko af hende og ridset hende under foden med den lille foldekniv, han havde fundet og altid gik rundt med i lommen.

I virkeligheden kunne han ikke lide at gøre hende fortræd, men han vidste, hvor flygtig kærligheden kunne være, hvor let den kunne opløse sig og forsvinde. Til hans store forundring græd Alice aldrig, hun kiggede ikke engang bebrejdende på ham. Hun fandt sig bare i det. Tavst, med sit lyse blik rettet mod ham.

Der var ingen, som tog notits af de små blå mærker og skrammer på hendes krop, for hun slog sig jo konstant, når hun faldt, ramlede ind i ting og skar sig. Det var, som om hun bevægede sig med nogle sekunders forsinkelse, og tit reagerede hun ikke, før hun var på vej ind i noget. Men heller ikke da græd hun.

Der var intet at se udadtil, og selv han måtte medgive, at hun lignede en engel. Når mor gik tur med Alice i barnevognen — som hun ret beset var for stor til nu, men som hun alligevel fik lov at sidde i, fordi hun gik så langsomt — kommenterede fremmede mennesker på gaden hendes udseende.

"Sikke et smukt barn," kvidrede de, bøjede sig frem og kiggede på hende med sultne øjne, som ville de labbe hendes sødme i sig. Han plejede at skæve op til mor, der strålede af stolthed, rankede sig og nikkede.

Derefter gik det altid galt. Alice rakte ud efter sine beundrere med kluntede bevægelser og prøvede at sige noget, men ordene var uforståelige, og der hang spyt i hendes mundvige. Så rykkede de tilbage. Kiggede først forfærdet og derefter medlidende på mor, mens stoltheden i hendes øjne forsvandt.

Ham værdigede de aldrig et blik. Han var bare en, der gik bag mor og Alice. En tyk, uformelig masse, som ingen skænkede den mindste tanke. Det var han ligeglad med. Den vrede, der sved i brystet, var afgået ved døden i samme øjeblik, som vandet lagde sig over Alices ansigt. Han kunne ikke engang fornemme lugten i næseborene mere. Den sødlige duft var forsvundet, som om den aldrig havde eksisteret. Den havde vandet også skyllet væk. Tilbage var erindringen. Ikke mindet om noget reelt, men snarere en følelse af noget, som havde været der engang. Han var en anden nu. En, der vidste, at mor ikke længere elskede ham.

D E GIK I gang tidligt. Patrik havde ikke accepteret nogen protester mod
at samles på slaget syv.

"Jeg forestiller mig en temmelig sammensat person," sagde han efter at
have ridset situationen op. "Vi har tilsyneladende at gøre med et menneske,
der er alvorligt psykisk forstyrret og desuden uhyre forsigtig og velorgani-
seret, hvilket er en farlig kombination."

"Vi ved jo ikke, om det er samme person, der har myrdet Magnus og står
bag brevene og indbruddet hos Kenneth," indvendte Martin.

"Nej, men der er heller ikke noget, som modsiger den antagelse, så jeg fo-
reslår, at vi indtil videre går ud fra, at tingene hænger sammen." Patrik kørte
fingrene gennem håret. Han havde ligget og vendt og drejet sig det meste af
natten og var mere træt end nogensinde. "Jeg ringer til Pedersen bagefter og
hører, om det med sikkerhed kan fastslås, hvad der forårsagede Magnus
Kjellners død."

"Men ville der ikke gå endnu et par dage, før vi fik besked?" spurgte Paula.

"Jo, men det skader ikke at presse på." Patrik pegede på opslagstavlen på
væggen. "Vi har mistet alt for meget tid. Der er gået tre måneder, siden Mag-
nus forsvandt, og det er først nu, vi kender trusselsbilledet mod disse per-
soner."

Alle rettede blikket mod fotografierne, der var sat op på væggen.

"Vi har fire venner: Magnus Kjellner, Christian Thydell, Kenneth Bengts-
son og Erik Lind. Den ene er død, de andre tre har modtaget trusselsbreve
fra en person, som vi tror er en kvinde. Vi ved desværre ikke, om Magnus
også var udsat for trusler, men hans kone Cia ser i hvert fald ikke ud til at
kende noget til det, så det får vi beklageligvis nok aldrig opklaret."

"Men hvorfor lige de fire?" spurgte Paula og granskede billederne.

"Hvis vi vidste det, ville vi formentlig vide, hvem der står bag det hele," sagde Patrik. "Annika, har du fundet noget af interesse om deres baggrund?"

"Nja, ikke foreløbig. Der er ingen overraskelser, hvad angår Kenneth Bengtsson, men derimod en del oplysninger om Erik Lind. Det er dog ikke noget af interesse for os, mest mistanke om lyssky finansielle transaktioner og den slags."

"Jeg tør vædde på, at ham der Erik er rodet ind i det," sagde Mellberg. "En snu satan, siger jeg jer. Der verserer rygter om hans forretningsmetoder, og så er han lidt af en skørtejæger. Han er helt klart en, vi bør se nærmere på."

"Men hvorfor myrde Magnus?" spurgte Patrik og modtog et irriteret blik fra sin chef.

"Jeg har ikke nået at tjekke Christian," tilføjede Annika uanfægtet, "men jeg fortsætter og siger naturligvis til, så snart jeg finder noget brugbart."

"Glem ikke, at han var den første, der modtog trusselsbreve." Paula sad stadig og stirrede på opslagstavlen. "De første kom allerede for halvandet år siden, og han er den, der har fået flest. På den anden side virker det underligt, at de andre skulle rodes ind i det, hvis det kun var den ene af dem, der var målet. Jeg har en klar fornemmelse af, at et eller andet binder dem sammen."

"Det er jeg enig i. Og det bør også betyde noget, at Christian var den første, som personen rettede sin opmærksomhed mod." Patrik tørrede sig over panden. Der var kvælende varmt i lokalet, og sveden var begyndt at pible frem. Han henvendte sig til Annika: "Koncentrér dig om Christian fra nu af."

"Jeg synes stadig, vi bør fokusere på Erik," sagde Mellberg og kiggede på Gösta. "Hvad mener du, Flygare? Du og jeg er trods alt dem med den største erfaring. Burde vi ikke kigge lidt nærmere på denne Erik Lind?"

Gösta kviede sig. Han havde klaret sig gennem hele sin karriere i politiet ved at holde sig til reglen om at indordne sig, men efter en kort indre kamp rystede han til sidst på hovedet:

"Nja, jeg kan godt se, hvad du mener, men jeg må nok give Hedström ret i, at Christian Thydell er den mest interessante lige nu."

"Jamen hvis I vil spilde endnu mere tid, så værsgo," sagde Mellberg for-

nærmet. "Jeg har vigtigere ting at foretage mig end at sidde her og kaste per-
ler for svin." Han rejste sig og forlod lokalet.

"Ja, så koncentrerer du dig om Christian," sagde Patrik til Annika. "Hvor-
når tror du, at du kan have noget til mig?"

"Jeg vil tro, jeg har noget mere om hans baggrund i morgen."

"Fint nok. Martin og Gösta, I tager hjem til Kenneth og prøver at finde
ud af lidt mere om brevene, og hvad der skete i går. Vi burde eventuelt også
snakke med Erik Lind igen. Selv vil jeg som sagt ringe til Pedersen efter klok-
ken otte." Patrik kiggede på sit armbåndsur: kun halv otte. "Bagefter havde
jeg tænkt mig, at vi to tager hjem til Cia, Paula."

Paula nikkede. "Bare sig til, når du er klar, så kører vi."

"Godt så. Og alle ved, hvad de skal?"

Martin rakte en hånd i vejret.

"Ja?"

"Bør vi ikke overveje en form for beskyttelse af Christian og de andre?"

"Det har jeg selvfølgelig også selv tænkt på, men vi har ikke ressourcer til
det, og vel egentlig heller ikke nok materiale til at begrunde det, så lad os
vente og se. Ellers noget?"

Tavshed.

"Okay, så kører vi derudad." Han tørrede sveden af panden. Selvom det
var skidekoldt udenfor, måtte de sørge for at åbne et vindue næste gang, så
de kunne få lidt ilt ind i lokalet.

Det føltes, som om hun konstant måtte liste på kattepoter om ham. De havde
aldrig haft det helt godt, ikke engang i begyndelsen. Sanne var ikke meget for
at erkende det, men hun kunne ikke længere lukke øjnene for realiteterne:
Han havde aldrig lukket hende ind i sit liv.

Han havde sagt det, der forventedes af ham, gjort de ting, man skulle,
havde vist hende opmærksomhed og givet hende komplimenter, men hun
havde aldrig rigtigt troet ham, selvom hun havde nægtet at indrømme det
over for sig selv. Han var mere, end hun nogensinde havde kunnet drømme
om. Hans arbejde kunne forlede en til at tro, at han var kedelig og tør, men
han havde været det stik modsatte. Uopnåelig og flot og med et blik, der til-
syneladende havde set alt. Og når han så hende i øjnene, havde hun selv ud-

fyldt tomrummet. Han havde aldrig elsket hende, og i virkeligheden havde hun vidst det hele tiden. Ikke desto mindre havde hun løjet for sig selv, set ting, hun ønskede at se, og ignoreret det, der skurrede falsk.

Nu vidste hun ikke, hvad hun skulle gøre, hun ville ikke miste ham. Selvom hendes kærlighed ikke var gengældt, elskede hun ham, og hvis bare han blev hos hende, måtte hun affinde sig med det. Samtidig følte hun sig tom og kold indvendig ved tanken om at leve på denne måde, at være den eneste, der elskede.

Hun satte sig op i sengen og kiggede på ham. Han sov dybt. Langsomt rakte hun hånden ud og rørte ved hans hår, det kraftige, mørke hår med de grå stænk. En hårlok var faldet ned over øjnene, og hun strøg den forsigtigt væk.

Den foregående aften havde været ubehagelig, og der blev stadig flere af den slags aftener. Hun vidste aldrig, hvornår han eksploderede og fik et raserianfald over et eller andet, stort såvel som småt. I går havde børnene larmet for meget, senere havde maden ikke smagt godt, og hun havde sagt noget i et forkert tonefald. Det kunne ikke fortsætte på denne måde. Alt det, der havde været svært i deres samliv, havde pludselig taget overhånd, så der snart ikke var noget af det gode tilbage. De for af sted med lysets hastighed mod noget ukendt, mod mørket, og hun havde lyst til at skrige og få det til at holde op. Hun ønskede, at alting igen skulle blive som før.

Hun forstod dog trods alt mere nu. Han havde skænket hende en stump af sin fortid, og hvor grufuld historien end var, føltes det som en smukt indpakket gave. Han havde fortalt om sig selv, delt noget med hende, som han ikke havde delt med nogen anden, og det værnede hun om.

Hun vidste bare ikke, hvad hun skulle stille op med betroelsen. Hun ville hjælpe ham, tale mere om det og få flere ting at vide, som ingen andre havde kendskab til, men han gav hende intet. I går havde hun forsøgt at tage det op igen, og han var endt med at gå og smække med døren, så ruderne klirrede. Ved ellevetiden havde hun grædt sig i søvn. Klokken var næsten syv, så hvis han skulle på arbejde, burde han stå op nu. Hun kiggede på vækkeuret – det var ikke sat til at ringe. Skulle hun mon vække ham?

Hun var i vildrede, blev siddende på sengekanten. Øjnene bevægede sig hurtigt under hans øjenlåg. Hun ville have givet hvad som helst for at vide, hvad han drømte, hvilke billeder han så. Hans krop rykkede i små spjæt, og ansigtet havde et forpint udtryk. Tøvende løftede hun hånden og lagde den forsigtigt på hans skulder. Han ville blive rasende, hvis han kom for sent på arbejde, fordi hun ikke havde vækket ham, men hvis han havde fri, ville han blive rasende, fordi hun ikke lod ham sove. Hun ville ønske, hun vidste, hvordan hun skulle gøre ham tilpas og måske lykkelig.

Nils' stemme fra børneværelset fik hende til at fare sammen. Han kaldte forskrækket på hende, Sanna rejste sig og lyttede. Et kort øjeblik troede hun, det var indbildning, at Nils' stemme var et ekko fra hendes egne drømme, hvor børnene altid kaldte på hende og havde brug for hende. Men så lød den igen:

"Moar!"

Hvorfor lød han så bange? Sannas hjerte begyndte at dunke vildt, hun fik fart på, trak i morgenkåben og styrtede ind på drengenes værelse ved siden af. Nils sad op i sengen. Hans øjne var opspærrede og rettet mod døren, mod hende. Han holdt armene ud til siden som en lille Jesusfigur på korset. Sanna mærkede chokket som et hårdt slag i maven. Hun så hans udspilede, sitrende fingre, hans brystkasse, hans elskede pyjamas med Bamsemotivet, som hun efterhånden havde vasket så mange gange, at den begyndte at trævle i kanterne. Hun så det røde, og hendes hjerne var knap nok i stand til at tage scenariet ind. Så kiggede hun op på væggen ovenover, og skriget byggede sig op, banede sig vej ud gennem struben:

"Christian! CHRISTIAN!"

Det brændte i lungerne. En besynderlig følelse midt i den tåge, han befandt sig i. Lige siden i går eftermiddag, hvor han fandt Lisbet død i sengen, havde alting været som en tågedis. Huset havde været så stille, da han kom hjem efter at have været henne på kontoret sammen med politiet. De havde hentet hende, hun var væk.

Han havde overvejet, om han skulle køre et andet sted hen. Det havde føltes umuligt at træde ind over dørtærsklen til deres hjem, men hvor skulle han tage hen? Han havde ingen, han kunne køre hen til, desuden var det her, hun var. I billederne på væggen og gardinerne i vinduet, i håndskriften på de små mærkater på madretterne i fryseren. I radioens kanalindstilling, når han tændte for den i køkkenet, og i alle de besynderlige madvarer, der fyldte spisekammeret: trøffelolie, speltkiks og glas med mystisk indhold. Ting, som hun med stor fornøjelse havde slæbt hjem, men aldrig spist. Gang på gang havde han drillet hende med hendes ambitiøse planer udi den finere kogekunst, der altid endte med noget betragteligt enklere. Han ville ønske, han kunne drille hende.

Kenneth satte farten op. Erik havde sagt, han ikke behøvede komme på arbejde i dag, men han havde brug for faste rutiner. Hvad skulle han foretage sig derhjemme? Han var stået op som sædvanlig, da uret ringede, op af drømmesengen ved siden af hendes tomme seng. Selv rygsmerterne havde været velkomne, det var jo samme smerte, som da hun var her. Om en time skulle han være på kontoret, morgenrunden i skoven tog fyrre minutter. Han havde passeret fodboldbanen et par minutter tidligere, løbet omkring det halve af ruten nu. Han satte farten yderligere op. Lungerne signalerede, at han var ved at nærme sig grænsen for sin formåen, men fødderne fortsatte fremad. Det var godt. Smerten i lungerne fortrængte lidt af smerten i hjertet. Lige nok til, at han ikke lod sig friste til at lægge sig på jorden, krumme sig sammen til en kugle og give efter for sorgen.

Han vidste ikke, hvordan han skulle kunne leve uden hende. Det var som at skulle leve uden luft, lige så umuligt, kvælende. Fødderne bevægede sig hurtigere og hurtigere. Små lysprikker flimrede foran øjnene, synsfeltet blev smallere. Han fokuserede på et punkt langt væk, en åbning i grenværket, som den første antydning af morgenlys silede igennem. Det skarpe lys fra lygterne langs ruten dominerede stadig.

Sporet blev til en smal sti, jorden blev mere ujævn og fuld af fordybninger og huller. Det var isglat, men han kendte ruten og behøvede ikke kigge ned. Han stirrede op mod lyset, koncentrerede sig om morgenen, der var ved at gry.

Først forstod han ikke, hvad der skete. Det var, som om nogen pludselig havde anbragt en usynlig mur lige foran ham. Han blev hængende midt i et skridt med fødderne i luften, hvorpå han ramlede forover. Instinktivt tog han fra med hænderne for at bremse faldet, og stødet, da håndfladerne ramte jorden, fik smerten til at forplante sig gennem armene og helt op i skuldrene. Herefter fulgte en anden slags smerte. En svidende og brændende smerte, der fik ham til at snappe efter vejret. Han kiggede ned på sine hænder; begge håndflader var dækket af et tykt lag glas. Store og små stumper klart glas, der langsomt blev farvet røde af blodet, som piblede frem de steder, hvor glasskårene var trængt gennem huden. Han rørte sig ikke, der var helt stille rundt om ham.

Da han endelig prøvede at komme op at sidde, mærkede han, at fødderne hang fast i noget. Han kiggede ned på sine ben og så, at glasskårene også dér var trængt ind i huden gennem bukserne. Derefter lod han blikket vandre videre ned på jorden. Da så han snoren.

"Men så hjælp dog lidt til!" Sveden haglede af Erica. Maja havde modsat sig at blive klædt på, lige fra undertøj til flyverdragt, og stod nu kobberrød i hovedet og hylede arrigt, mens Erica prøvede at give hende et par vanter på.

"Det er koldt udenfor, du er nødt til at have vanter på," forsøgte hun overtalende, skønt hun ikke havde haft succes med verbal kommunikation hele morgenen.

Erica mærkede gråden stige op i halsen. Hun havde dårlig samvittighed over al denne skælden og smælden og havde mest af alt lyst til at tage overtøjet af Maja igen og lade hende blive hjemme fra børnehaven og bare hygge sig med hende hele dagen. Men hun vidste, at det ikke kunne lade sig gøre. Hun orkede ikke at passe Maja en hel dag alene, og desuden ville det blive endnu værre i morgen, hvis hun gav efter nu. Hvis det var sådan her, Patrik havde det hver dag, var det ikke så sært, at han så nedslidt ud.

Med besvær fik hun sig halet op fra sin hugsiddende stilling, og uden yderligere diskussion tog hun datteren i hånden og trak hende med ud ad døren. Vanterne proppede hun i lommen. Måske gik det bedre, når de kom hen i børnehaven, eller også måtte hun håbe, at pædagogerne havde større held med sig.

På vej hen til bilen satte Maja hælene i og strittede imod af alle kræfter.

"Kom nu, jeg kan ikke bære dig." Erica tog hårdere fat i Maja med det resultat, at datteren faldt og begyndte at tudbrøle. Ericas tårer trængte sig på. Hvis nogen så hende nu, ville de garanteret ringe til børneværnet.

Hun satte sig langsomt ned på hug, mens hun prøvede at ignorere de indvolde, der kom i klemme. Hun hjalp Maja op og sagde med blidere stemme:

"Undskyld, at mor var dum. Skal vi ikke give hinanden et lille knus?"

Maja plejede normalt aldrig at sige nej til en lille kælestund, men nu skulede hun vredt til Erica og hylede endnu højere. Lød som et tågehorn.

"Så, så, lille skat," sagde Erica og klappede hende på kinden. Lidt efter begyndte datteren at falde til ro, og hendes hylen blev afløst af små hulk. Erica gjorde et nyt forsøg:

"Må mor ikke nok få et knus?"

Maja tøvede et øjeblik, men lod sig så omfavne. Hun borede ansigtet ind mod sin mors hals, og Erica kunne mærke, at hun blev helt gennemblødt af snot og tårer.

"Undskyld. Det var ikke meningen, at du skulle falde. Slog du dig?"

"Hmm," snøftede Maja og så ynkelig ud.

"Skal jeg puste på det?" spurgte Erica. Det plejede altid at falde i god jord. Maja nikkede.

"Hvor skal jeg puste? Hvor slog du dig?"

Maja tænkte efter et stykke tid og begyndte så at pege på alle de kropsdele, hun kunne komme i tanker om. Erica pustede på samtlige steder og børstede sneen af Majas røde flyverdragt.

"Tror du ikke, legekammeraterne savner dig henne i børnehaven?" spurgte Erica og trak så trumfkortet: "Ture undrer sig sikkert over, at du ikke er kommet endnu."

Maja holdt op med at snøfte. Ture var hendes store kærlighed og tre måneder ældre end hende. Han var lidt af en krudtugle og gengældte lidenskabeligt Majas kærlighed.

Erica holdt vejret, og lidt efter lyste Maja op i et smil. "Køre Ture."

"Jeps, nu kører vi hen til Ture," sagde Erica. "Og vi må nok hellere komme af sted i en fart, så Ture ikke når at finde sig et job og blive udstationeret i udlandet, før vi kommer."

Maja kiggede forvirret på hende, og Erica kunne ikke holde latteren tilbage.

"Du skal ikke høre på din dumme mor. Kom, nu skynder vi os hen til Ture."

Han var ti år, da alting ændrede sig. Egentlig havde han tilpasset sig situationen nogenlunde på det tidspunkt. Han var ikke lykkelig, ikke som han havde troet, han ville blive, da han så mor første gang, eller som han havde været, før Alice begyndte at vokse i hendes mave. Men han var heller ikke ulykkelig. Han havde en plads i tilværelsen, drømte sig væk i bøgernes verden og stillede sig tilfreds med det. Fedtet på hans krop beskyttede ham, var et værn mod det, der gnavede i hans indre.

Alice elskede ham lige så højt som før. Fulgte ham som en skygge, men sagde ikke så meget, hvad der passede ham glimrende. Hvis han havde brug for noget, så var hun på pletten. Var han tørstig, hentede hun straks et glas vand, ville han have noget at spise, listede hun ud i spisekammeret og hentede småkagerne, som mor gemte væk.

Far vogtede ikke længere på ham. Alice var stor nu, fem år gammel og havde langt om længe lært at gå og tale. Hun var kun som alle andre, når hun stod stille og ikke sagde noget. Så var hun så køn, at folk standsede op og kiggede på hende, ligesom de havde gjort, da hun var lille og sad i barnevognen. Hvis hun bevægede sig eller begyndte at snakke, kastede de et medlidende blik og rystede på hovedet.

Lægen havde sagt, at hun aldrig ville blive helt normal. Han fik ganske vist ikke lov til at følge med lægen, men han havde ikke glemt, hvordan man sneg sig af sted som en indianer. Han bevægede sig omkring i huset uden en lyd og med ørerne på stilke. Hørte diskussionerne og vidste alt, hvad der blev sagt om Alice. Det var mest mor, der snakkede. Det var hende, der tog Alice med til alle lægerne for at finde en ny behandling, en ny metode eller nogle nye øvelser, der kunne hjælpe med at få Alices bevægelser, hendes taleevner og øvrige færdigheder til at passe bedre til hendes ydre.

213

Ingen talte nogensinde om ham, det fandt han også ud af ved at smuglytte. Han optog bare plads, men det havde han lært at leve med. De få gange, det gjorde ondt, tænkte han på lugten og alt det andet, der mere og mere begyndte at føles som et væmmeligt eventyr. Et fjernt minde. Det var nok til, at han kunne leve med at være usynlig for alle, bortset fra Alice.

En telefonopringning forandrede alt. Kællingen var død, og huset var mors. Huset i Fjällbacka. De havde ikke været der efter Alices fødsel, ikke siden den sommer i campingvognen. Nu skulle de flytte derhen, det havde mor bestemt. Far prøvede at protestere, men som sædvanlig var der ingen, der lyttede til ham.

Alice kunne ikke lide forandringer. Hun ville have alting til at være, som det plejede, de samme forudsigelige rutiner hver dag. Så da alle deres ting var pakket ned, og de sad i bilen med far bag rattet, vendte Alice sig om og trykkede næsen mod bagruden, kiggede på huset, til det forsvandt bag dem. Derefter vendte hun sig om igen og puttede sig ind til ham. Hun hvilede kinden mod hans skulder, et kort øjeblik overvejede han at trøste hende, give hende et lille klap på hovedet eller tage hendes hånd. Han gjorde det ikke.

Hun lænede sig op ad ham hele vejen til Fjällbacka.

"DU BLAMEREDE DIG virkelig i går." Erik stod foran spejlet i soveværelset og prøvede at binde sit slips.

Louise svarede ikke, vendte sig bare om på siden med ryggen til ham.

"Hørte du, hvad jeg sagde?" Han hævede stemmen en anelse, men ikke så meget, at pigerne kunne høre ham.

"Ja," svarede hun lavmælt.

"Det gør du ikke igen. Aldrig! Jeg vil skide på, at du drikker dig stiv herhjemme, så længe du ter dig nogenlunde ædru, når pigerne ser det, men du har fandeme at holde dig væk fra kontoret."

Intet svar. Det irriterede ham, at hun ikke tog til genmæle. Han foretrak hendes spydige bemærkninger frem for hendes tavshed.

"Jeg væmmes ved dig, er du klar over det?" Slipseknuden sad for langt nede, han bandede og begyndte forfra, han skævede hen til Louise. Hun lå stadig med ryggen til ham, men nu så han, at skuldrene rystede. For helvede da også. Denne morgen blev sgu da bare bedre og bedre. Han hadede hendes tømmermændsangst med gråd og selvmedlidenhed.

"Hold nu op. Tag dig dog sammen." Den evige gentagelse af den samme gamle historie, igen og igen, sled hårdt på tålmodigheden.

"Ser du stadig Cecilia?" Spørgsmålet blev mumlet ned i hovedpuden, men så drejede hun ansigtet om mod ham for at høre hans svar.

Erik betragtede hende med afsky. Uden makeup, uden forklædningen i dyrt tøj så hun rædsom ud.

Hun gentog spørgsmålet: "Ser du hende stadig? Går du i seng med hende?"

Hun havde altså regnet det ud. Det var mere, end han havde tiltroet hende.

"Nej." Han tænkte på sin sidste samtale med Cecilia. Han ville ikke tale om det.

"Hvorfor? Er du allerede blevet træt af hende?" Louise bed sig fast som en pitbullterrier, hvis kæber er låst.

"Så styr dig dog!"

Der var stille inde på pigernes værelser, og han håbede, de ikke havde hørt ham råbe op, men han orkede ikke at tænke på Cecilia og barnet, som han ville være tvunget til at betale for i hemmelighed.

"Jeg vil ikke snakke om hende," sagde han lidt roligere og fik omsider bundet slipset.

Louise kiggede på ham med åben mund. Hun så gammel ud. Tårerne havde samlet sig i øjenkrogene, underlæben sitrede, og hun blev ved med at betragte ham tavst.

"Jeg går på arbejde nu, og se så at få lettet røven og få sendt pigerne i skole. Hvis du da kan klare det." Han så koldt på hende, vendte ryggen til. Måske var det alligevel pengene værd at slippe af med hende. Der var masser af kvinder, som ville være overlykkelige for det, han kunne tilbyde. Hun ville blive nem at erstatte.

"Tror du, han kan klare at snakke med os?" Martin så spørgende på Gösta. De sad i bilen på vej hjem til Kenneth, men ingen af dem havde rigtig lyst til at trænge sig på så hurtigt efter hans kones død.

"Det ved jeg ikke," svarede Gösta kort for hovedet, markerede, at han ikke ville tale om det. Der blev stille.

"Hvordan går det så med lillepigen?" spurgte Gösta lidt efter.

"Super!" Martin lyste op. Efter en række mislykkede forhold havde han næsten opgivet håbet om at stifte familie, men det havde Pia lavet om på, i efteråret havde de fået en lille pige. Ungkarlelivet føltes nu som en fjern og ikke specielt rar drøm.

Tavshed igen. Gösta trommede med fingrene på rattet, men holdt op igen efter et irriteret øjekast fra Martin.

Martins mobil ringede. Han tog den, og hans ansigt blev mere og mere alvorligt.

"Planerne er ændret," sagde Martin.

"Hvorfor? Hvad er der sket?"

"Det var Patrik. Der er sket noget hjemme hos Christian Thydell. Han har lige ringet til stationen og rablede en masse usammenhængende af sig, men det var noget med børnene."

"For helvede da." Gösta satte omgående farten op. "Hold fast," sagde han til Martin og gav endnu mere gas. Han fornemmede et begyndende ubehag i maven. Han havde altid haft svært ved at tackle sager, hvor børn var involveret, og det blev ikke lettere med årene.

"Vidste han ikke mere end det?"

"Nej," svarede Martin. "Christian var tydeligvis meget oprevet, og det var umuligt at få ret meget fornuftigt ud af ham, vi må se, når vi kommer derhen. Patrik og Paula er også på vej, men vi kommer åbenbart først. Vi skulle ikke vente på dem, sagde Patrik." Martin var også blevet bleg. Det var slemt nok at troppe op på et gerningssted, selv når man var forberedt, og nu havde de ingen anelse om, hvad der ventede dem.

Da de nåede hjem til Christian og Sanna, gjorde de sig ikke den ulejlighed at parkere ordentligt, men holdt bare ind til siden og sprang ud af bilen. Ingen reagerede, da de ringede på.

"Hallo? Er her nogen?" De åbnede døren.

De hørte lyde på første sal og løb op ad trappen.

"Hallo? Det er politiet!" Der var stadig ingen, som svarede, men inde fra et af værelserne kunne de høre hulken og høj barnegråd blandet med lyden af plaskende vand.

Gösta tog en dyb indånding og kiggede ind. Sanna sad på badeværelsesgulvet og græd så voldsomt, at hele hendes krop rystede. I badekarret sad to små drenge. Vandet rundt om dem var lyserødt, og Sanna sæbede dem ind med heftige bevægelser.

"Hvad er der sket? Er de kommet til skade?" Gösta stirrede på børnene i badekarret.

Sanna vendte sig om og kiggede flygtigt på dem, hvorpå hun drejede sig om mod drengene igen og fortsatte med at vaske dem.

"Er de kommet til skade, Sanna? Skal vi tilkalde en ambulance?" Gösta gik hen til hende, satte sig på hug og lagde en hånd på hendes skulder. Men Sanna svarede ikke. Hun skrubbede bare videre uden det store resultat. Det røde sad fast og så snarere ud til at brede sig endnu mere.

Han kiggede nærmere på drengene og mærkede pulsen falde igen. Det røde var ikke blod.

"Hvem har gjort det her?"

Sanna hulkede og kørte hånden hen over ansigtet for at fjerne de lyserøde vanddråber, der havde stænket op på hende.

"De ... de ..." Stemmen knækkede over, Gösta gav hendes skulder et beroligende klem. Ud af øjenkrogen så han Martin stå afventende i døren.

"Det er maling," sagde han til Martin og kiggede så på Sanna igen. Hun tog en dyb indånding og gjorde et nyt forsøg på at sige noget:

"Nils kaldte på mig. Han sad op i sengen. De ... de så sådan her ud. Nogen har skrevet på væggen, og der må være sprøjtet maling ned i deres senge. Jeg troede, det var blod."

"Og I har ikke hørt noget i løbet af natten? Eller nu til morgen?"

"Nej, ingenting."

"Hvor ligger børneværelset?" spurgte Gösta.

Sanna pegede ud på gangen.

"Jeg går ind og tjekker," sagde Martin og forsvandt.

"Jeg går med." Gösta tvang Sanna til at møde hans blik, før han rejste sig. "Vi er straks tilbage, okay?"

Hun nikkede, og Gösta gik ud i gangen. Henne fra børneværelset hørtes ophidsede stemmer.

"Christian, sæt den der fra dig."

"Jeg skal have det her ..." Christian lød lige så forvirret som Sanna. Da Gösta kom ind i værelset, så han ham stå med en stor spand vand, parat til at hælde indholdet ud over væggen.

"Vi er nødt til at kigge på det først." Martin holdt afværgende en hånd op foran Christian, der kun var iført underbukser.

Han gjorde anstalter til at smide vandet, men Martin gik hen og lirkede spanden ud af Christians hænder. Han gjorde ikke modstand, slap taget og blev stående og svajede ganske let.

Gösta kiggede på væggen oven over børnenes senge. Nogen havde skrevet: *Du fortjener dem ikke.*

Den røde maling var løbet ned fra bogstaverne, der så ud, som var de skrevet med blod, og også pletterne af maling i børnenes senge lignede blod. Gösta forstod, hvilket chok Sanna måtte have fået, da hun trådte ind i børneværelset. Og Christians reaktion. Hans ansigt var helt udtryksløst, da han stirrede på bogstaverne på væggen, men han mumlede for sig selv. Gösta gik tættere på for at høre, hvad han sagde.

"Jeg fortjener dem ikke. Jeg fortjener dem ikke."

Gösta tog ham varsomt i armen. "Få nu lidt tøj på, så snakker vi sammen bagefter." Venligt, men bestemt gennede han ham hen mod rummet ved siden af, som han havde bemærket var Sannas og Christians soveværelse.

Christian lod sig føre derhen, men satte sig bare på sengen uden at tage initiativ til at klæde sig på. Gösta så sig søgende omkring og fik øje på en morgenkåbe på en knage inden for døren. Han rakte den til Christian, der tog den på med langsomme, sløve bevægelser.

"Jeg kigger lige ud til Sanna og børnene, og bagefter går vi ned i køkkenet og taler sammen."

Christian nikkede. Øjnene var tomme og så ud, som var de dækket af en glasagtig hinde. Gösta lod ham blive siddende på sengen og gik tilbage til Martin i børneværelset.

"Hvad foregår der egentlig?"

Martin rystede på hovedet. "Det er sgu sygt. Den, der har gjort det her, må jo være rablende gal. Og hvad betyder det? 'Du fortjener dem ikke.' Fortjener hvad eller hvem? Børnene?"

"Det må vi finde ud af. Patrik og Paula må være lige på trapperne. Gider du gå ned og tage imod dem? Og ring også lige efter en læge. Ungerne ser ikke ud til at være kommet noget til, men både de og Sanna og Christian virker dybt chokerede, så det er nok bedst at lade nogen kigge på dem. Jeg har tænkt mig at hjælpe Sanna med at få rengjort ungerne, inden hun skrubber huden af dem."

"Vi må også have teknikerne herhen."

"Klart nok. Bed Patrik kontakte Torbjörn på minuttet, så de kan sende nogle folk herhen. Og så skal vi nok ikke trampe mere rundt herinde."

"Det lykkedes os i det mindste at redde væggen," sagde Martin.

"Ja, der var vi sgu heldige."

De fulgtes ned ad trappen, Gösta fik hurtigt lokaliseret døren til kælderen. En nøgen pære oplyste trappen, og han gik forsigtigt ned. Som de fleste kældre var familien Thydells fyldt med en masse ragelse: papkasser, gammelt legetøj, kasser mærket "julepynt", værktøj, der ikke så ud til at blive brugt alt for tit, en hylde med malergrej, bøtter med maling, flasker, pensler og klude. Gösta rakte ud efter en halvfuld flaske terpentin, men i samme øjeblik fingrene lukkede sig om flasken, fik han øje på noget ud af øjenkrogen. Der lå en klud oppe på trappen. Med rød maling på.

Han læste hurtigt etiketterne på malerbøtterne. Ingen af dem indeholdt rød maling. Men malingen på kluden havde samme røde farve som den på drengenes værelse. Den, der havde spildt malingen og skrevet på væggen, havde måske selv fået noget på sig og været hernede for at fjerne pletterne. Han kiggede på flasken i sin hånd. Satans også, der kunne sidde fingeraftryk, som han ikke måtte ødelægge, men han skulle bruge indholdet. Drengene skulle have malingen fjernet og se at komme op af badekarret. En tom colaflaske blev løsningen, og uden at ændre sit greb om terpentinflasken hældte han indholdet over i plasticflasken, hvorpå han stillede terpentinflasken tilbage på hylden.

Med colaflasken i hånden gik han ovenpå igen. Patrik og Paula var endnu ikke kommet, men kunne næppe være langt væk.

Sanna var stadig i gang med sin stædige skrubben, da han trådte ind på badeværelset. Drengene vrælede fortvivlet, og Gösta satte sig på hug ved karret og sagde blidt:

"Du kan ikke fjerne malingen med sæbe alene. Vi er nødt til at bruge terpentin." Han viste hende flasken, og hun holdt inde og stirrede på ham. Gösta tog et håndklæde fra en krog ved siden af håndvasken og hældte noget af væsken ud på frotteen, mens Sanna iagttog ham. Han holdt håndklædet op foran hende og greb så fat i den ældste drengs arm. Han ville næppe kunne få dem beroliget først, så det var bare om at gå i gang.

"Se, nu forsvinder malingen." Selvom drengen vred sig som en orm, lykkedes det Gösta at komme til. "Vi skal nok få det væk, så de bliver rene."

Det gik op for ham, at han talte til Sanna med samme tonefald som til et barn, men det så ud til at virke, for hun begyndte at se mere nærværende ud.

"Nu er den ene klar." Han lagde håndklædet fra sig, greb bruseren og skyllede terpentinen af drengens krop. Knægten sparkede vildt, da Gösta løftede ham op af karret, men Sanna fik hurtigt fat i en badekåbe, som hun svøbte ham ind i, hvorpå hun trak ham ned på skødet og vuggede ham mod brystet.

"Okay, lille ven, nu er det din tur."

Den yngste dreng så ud til at forstå, at hvis han lod politimanden vaske sig, ville han blive taget op af badekarret og komme hen på sin mors skød. Han tav øjeblikkelig stille og sad helt ubevægelig, mens Gösta hældte mere terpentin på håndklædet og begyndte at rense ham. Lidt efter var også han svagt lyserød og blev anbragt på Sannas skød, indhyllet fra top til tå i et stort badehåndklæde.

Gösta kunne høre stemmer nede i stueetagen og derefter skridt på trappen, hvorpå Patrik kom til syne i døren.

"Hvad er der sket?" spurgte han forpustet. "Er alle okay? Martin sagde, at børnene ikke så ud til at være kommet noget til." Patrik fik øje på badekarret, der var fuldt af lyserødt vand.

"Børnene har det godt nok. De er bare lidt chokerede ligesom forældrene." Gösta rejste sig og gik ud i gangen til Patrik, som fik et kort resumé af, hvad der var sket.

"Det er jo helt sygt. Hvem kan dog finde på sådan noget?"

"Det samme sagde Martin og jeg.

"Hvor er Christian?"

"Inde i soveværelset, og nu må vi jo se, om han er i stand til at tale med os."

"Det må vi håbe."

Patriks telefon ringede, han tog den op af lommen og besvarede opkaldet. Så stivnede han.

"Hvad siger du? Gider du gentage det?" Han kiggede oprevet på Gösta, der forgæves forsøgte at høre, hvad der blev sagt i den anden ende. "Okay. Vi er hjemme hos Thydell, hvor der også er noget, men vi løser det."

Han afsluttede samtalen.

"Kenneth Bengtsson er blevet indlagt på hospitalet i Uddevalla. Han var ude at løbe i morges, og nogen havde spændt en snor tværs over stien, så han faldt hovedkulds ned i en masse glasskår."

"Gudfader," hviskede Gösta. "Hvad foregår der egentlig?"

Erik stirrede på mobilen. Kenneth var på vej til hospitalet. Pligtopfyldende som han var, havde han åbenbart bedt ambulancefolkene ringe og fortælle, at han ikke kom på arbejde.

Nogen havde lagt en fælde for ham på joggingruten. Erik ikke så meget som overvejede, om der kunne være tale om en fejltagelse, en eller anden practical joke, der var udartet. Kenneth tog altid samme rute, den samme strækning hver eneste morgen. Alle hans nærmeste vidste det, så det var ingen kunst for andre at finde ud af det. Der herskede ingen tvivl om, at nogen var ude efter Kenneth, hvilket betød, at vedkommende også ville komme efter ham selv.

Jorden begyndte at brænde under fødderne på ham. Han havde taget mange chancer og trampet på mange mennesker gennem årene, men han havde aldrig forestillet sig det her og den rædsel, han nu følte.

Han vendte sig om mod computerskærmen og loggede sig på netbanken for at sondere sine muligheder. Tankerne hvirvlede gennem hovedet på ham, men han prøvede at koncentrere sig om saldoen på sine konti og kanalisere frygten over i en plan, en flugtvej. Et kort øjeblik tillod han sig at spekulere på, hvem der kunne stå bag brevene, og hvem der sandsynligvis havde myrdet Magnus, og som nu så ud til at have rettet opmærksomheden mod Kenneth. Til en begyndelse. Så skubbede han tankerne fra sig. Det tjente ikke noget formål at gruble over det. Det kunne være hvem som helst. Nu måtte han sørge for at redde sit eget skind, hæve så mange penge som muligt og rejse til et varmere sted, hvor ingen kunne få fat i ham. Blive der, til stormen havde lagt sig.

Han ville selvfølgelig savne pigerne, mens han var væk, men de var jo ved at være store, og det kunne måske få Louise til at tage sig sammen, hvis hun fik hovedansvaret for dem og ikke kunne læne sig op ad ham. Han ville naturligvis ikke efterlade dem helt på bar bund, men sørge for, at der var penge nok på kontoen, så de kunne klare sig et godt stykke tid. Bagefter måtte Louise finde sig et arbejde, det havde hun kun godt af. Hun kunne jo ikke forvente, at han skulle forsørge hende resten af livet. Han var i sin gode ret til at gøre det her, de penge, han havde lagt til side gennem årene, skulle være nok til at skabe sig en ny tilværelse. Det ville give ham økonomisk tryghed.

Indtil videre havde han situationen under kontrol, han skulle bare have styr på det praktiske. Han skulle blandt andet have snakket med Kenneth. Han ville tage ind på hospitalet i morgen, hvor kollegaen forhåbentlig havde fået det godt nok til at kunne gennemgå nogle tal med ham. Det var selvfølgelig hårdt for Kenneth, at han forlod firmaet så hurtigt efter Lisbets død, og der ville sikkert opstå nogle ubehagelige efterdønninger, men Kenneth var en stor dreng nu, og måske gjorde Erik ham en tjeneste ved på denne måde at tvinge ham til at stå på egne ben. Når han tænkte nærmere over det, ville det formentlig være godt for både Louise og Kenneth, at han ikke længere var der og agerede sikkerhedsnet for dem.

Så var der Cecilia, men hun havde allerede i tydelige vendinger gjort det klart, at hun ikke havde brug for hans hjælp ud over rent økonomisk, og han kunne jo godt sætte et mindre beløb af til hende.

Sådan måtte det blive. Cecilia skulle nok klare sig, alle ville klare sig, og pigerne ville sikkert forstå det. Med tiden ville de forstå det.

Det havde taget lang tid at fjerne alle glasskårene, og der var endnu to tilbage. De sad så dybt, at der skulle et større indgreb til for at få dem ud, men han havde været heldig, sagde de. Ingen af glasskårene havde ramt de større blodkar, for i modsat fald kunne det være gået rigtig galt. Præcis sådan havde lægen sagt i et muntert tonefald.

Kenneth vendte hovedet ind mod væggen. Fattede de ikke, at det her var så slemt, som det kunne blive? At han ville have foretrukket, at et glasskår skar hans pulsåre over, skar smerten væk. Fjernede de onde minder. I ambulancen, mens sirenen hylede i ørerne, og han skar ansigt ved det mindste stød, der forplantede sig gennem bilen, som drønede af sted, var det gået op for ham. Pludselig vidste han, hvem der jagtede dem. Hvem der var opfyldt af had og ville ham og de andre til livs. Hvem der havde taget Lisbet fra ham. At hun døde med sandheden ringende i ørerne, var mere, end han kunne bære.

Han kiggede på sine arme. De hvilede oven på dynen, viklet ind i bandage. Benene så ligesådan ud. Han havde løbet sit sidste maraton. Der skulle et mirakel til, hvis det skulle hele ordentligt, havde lægen sagt, men det var ligegyldigt. Han ville ikke løbe mere.

Han havde heller ikke tænkt sig at løbe fra hende. Hun havde allerede taget det, der betød noget, så pyt med resten. Der var en næsten bibelsk retfærdighed i det hele, som han ikke kunne værge sig imod. Øje for øje, tand for tand.

Kenneth lukkede øjnene, så de billeder, som han havde gemt langt bort i hukommelsen. Som årene gik, begyndte det at føles, som om det aldrig var sket. Én eneste gang var minderne dukket op til overfladen. Det var den midsommer, hvor alting havde været på nippet til at sprække, men murene havde holdt, og han havde skubbet billederne tilbage igen, helt ind i hjernens mørkeste kroge.

Nu var de kommet tilbage. Hun havde trukket dem frem i lyset igen, tvunget ham til at se sig selv. Og han kunne ikke udholde det, han så. Frem for alt kunne han ikke udholde tanken om, at det havde været det sidste, Lisbet oplevede. Havde det forandret alt? Var hun død med et sort hul i brystet, hvor kærligheden til ham havde været? Havde han været en fremmed for hende i det øjeblik?

Han åbnede øjnene igen, stirrede op i loftet og mærkede tårerne trille ned ad kinderne. Hun kunne komme og tage ham nu. Han ville ikke løbe.

Øje for øje, tand for tand.

"Flyt dig, dit fede læs!"

Drengene skubbede med vilje til ham, når de mødtes på gangen. Han prøvede at ignorere dem, at være lige så usynlig i skolen som derhjemme, men det nyttede ikke. Det var, som om de bare havde ventet på en som ham, en, der skilte sig ud, så de havde et offer at kaste sig over. Han havde gennemskuet det. Al hans læsning medførte, at han vidste mere, forstod mere end de fleste på hans alder, og i timerne brillerede han, lærerne elskede ham. Men hvad hjalp det, når han ikke kunne sparke til en bold, løbe hurtigt eller spytte langt? Al den slags, der talte, færdigheder, der betød noget.

Han traskede langsomt hjemad. Kiggede hele tiden vagtsomt rundt for at forvisse sig om, at ingen stod på lur. Heldigvis boede han ikke ret langt fra skolen, den farefulde vej var i det mindste kort. Han skulle bare ned ad Håckebacken, dreje til venstre mod havnen ud for Badholmen, så lå huset der. Huset de havde arvet efter Kællingen.

Det kaldte mor hende stadig. Hun havde kaldt hende det, hver gang hun fuld af nydelse smed hendes ting i den container, de stillede op i haven, da de flyttede ind.

"Det her skulle Kællingen bare se. Der røg hendes fine stole," sagde mor og gjorde rent og ryddede ud som en vanvittig. "Se lige, nu smider jeg din mormors porcelæn ud."

Han havde aldrig fået at vide, hvordan hun var blevet til Kællingen, hvorfor mor var så vred på hende. Engang havde han prøvet at spørge far, men han havde bare mumlet et eller andet uforståeligt.

"Er du allerede hjemme?" Mor sad og redte Alice, da han trådte ind ad døren.

"Vi fik fri på samme tid, som vi plejer," svarede han og ignorerede Alices smil. *"Hvad skal vi have til middag?"*

"Du har vist spist rigeligt til resten af året, så der vanker ingen aftensmad til dig i dag. Du kan tære på fedtet."

Klokken var ikke mere end fire, og allerede nu kunne han mærke, hvor sulten han ville blive, men han kunne se på mor, at det var nytteløst at protestere.

Han gik op på sit værelse, lukkede døren og lagde sig på sengen med en bog. Forhåbningsfuldt stak han hånden ind under madrassen. Hvis han var heldig, havde hun overset noget, men der var tomt. Hun var dygtig. Hun fandt altid hans mad- og slikforråd, hvor godt han end forsøgte at gemme det.

Et par timer senere knurrede maven højlydt, og han var grædefærdig af sult. En lugt af hjemmebag trængte op nedefra, og han vidste, at mor bagte kanelsnegle, bare for at duften skulle gøre ham vanvittig af sult. Han snusede ud i luften, vendte sig om på siden og borede ansigtet ned i puden. Sommetider overvejede han at løbe hjemmefra. Ingen ville alligevel tage sig det nær. Alice ville muligvis savne ham, men hende ville han blæse på. Hun havde mor.

Mor tilbragte hvert et ledigt øjeblik sammen med Alice. Hvorfor kunne Alice ikke kigge med de der tilbedende øjne på hende i stedet? Hvorfor tog hun det for givet, som han ville have ofret alt for at få?

Han måtte være døset hen. Vågnede ved en sagte banken på døren. Bogen var faldet ned over hans ansigt, og han måtte have savlet i søvne, for hovedpuden var våd af spyt. Han tørrede kinden med hånden, rejste sig klatøjet og gik hen for at åbne. Alice stod udenfor, holdt en kanelsnegl frem mod ham. Tænderne løb i vand, men han tøvede. Mor ville blive rasende, hvis hun opdagede, at Alice sneg sig op med noget til ham.

Alice kiggede på ham med store øjne. Hun bad om at blive set og elsket af ham. Et billede dukkede op. Et billede og fornemmelsen af en glat, våd barnekrop. Alice, der stirrede op fra vandet. Hvordan hun fægtede med armene og derefter blev stille.

Han snuppede kanelsneglen, lukkede døren for næsen af hende. Det hjalp ikke. Billederne var der stadig.

PATRIK HAVDE SENDT Gösta og Martin til Uddevalla for at tale med Kenneth, hvis ellers hans tilstand tillod det. Torbjörn Ruuds teknikerhold var på vej for dels at undersøge det sted, hvor Kenneth var faldet, dels huset, hvor de nu befandt sig. Gösta havde protesteret mod at blive sendt af sted, han ville hellere være med til afhøringen af Christian, men Patrik havde foretrukket at lade Paula blive. Det var bedst at lade en kvinde tale med Sanna og børnene. Han havde derimod noteret sig oplysningen om kluden i kælderen og måtte nødtvungent erkende, at det var kvikt observeret af Gösta. Med lidt held ville den kunne skaffe dem både fingeraftryk og dna fra den gerningsmand, der hidtil havde udvist så stor forsigtighed.

Han betragtede manden foran sig. Christian så udtæret og gammel ud, som var han blevet ti år ældre, siden han så ham sidst. Han havde ikke gjort sig den ulejlighed at binde bæltet om morgenkåben, så sårbar ud med det nøgne bryst blottet. Patrik spekulerede på, om han for Christians egen skyld skulle bede ham binde morgenkåben, men droppede det. Påklædning var formodentlig det sidste, Christian bekymrede sig om lige nu.

"Drengene er faldet lidt til ro. Min kollega Paula vil tale med din kone og børnene, og hun skal nok gå varsomt frem og gøre sit bedste, for at de ikke skal blive endnu mere bange. Er det okay?" Patrik prøvede at fange Christians blik for at se, om han hørte efter. Først var der ingen respons, og han overvejede at gentage det, han lige havde sagt, men til sidst nikkede Christian langsomt.

"Imens tænkte jeg, at du og jeg kunne tage os en snak," tilføjede Patrik. "Jeg ved, at du ikke har været meget for at tale med os før, men nu har du ikke noget valg. En eller anden er trængt ind i dit hjem, er gået ind på dine børns værelse og har gjort noget, som – selvom de ikke har lidt fysisk over-last – må have været en overordentligt skræmmende oplevelse for dem. Hvis du ved noget om, hvem der kan stå bag, er du nødt til at fortælle det. Det forstår du vel, ikke?"

Igen gik der et stykke tid, før Christian omsider nikkede. Han rømmede sig som for at sige noget, men ingen ord kom over hans læber. Patrik fortsatte:

"Så sent som i går fandt vi ud af, at både Kenneth og Erik har modtaget trusselsbreve fra den samme person som dig, og i morges kom Kenneth alvorligt til skade på sin joggingtur. Nogen havde lagt en fælde for ham."

Christian kiggede op, sænkede så blikket igen.

"Vi har ingen oplysninger om, at Magnus blev truet, men vi arbejder nu ud fra den antagelse, at der er tale om samme person, og jeg har en følelse af, at du ved mere om det her, end du fortæller. Det er måske noget, du ikke vil have frem i lyset, eller som du tror, er uden betydning, men lad os afgøre det i så fald. Den mindste ledetråd kan være vigtig."

Christian tegnede cirkler på bordet med fingeren og kiggede så op på Patrik. Et kort øjeblik syntes Patrik, det så ud, som om han ville fortælle noget, men så trak han sig ind i sig selv igen.

"Jeg har ingen anelse om det. Jeg ved lige så lidt som jer om, hvem der render rundt og gør det her."

"Er du klar over, at både du og din familie er i overhængende fare, så længe vi ikke får fat i vedkommende?"

En uhyggelig ro havde lagt sig over Christians ansigt. Væk var det bekymrede udtryk. I stedet udstrålede han noget, som Patrik nærmest ville beskrive som beslutsomhed.

"Ja, det ved jeg, og jeg går ud fra, at I vil gøre jeres bedste for at finde den skyldige, men jeg kan desværre ikke hjælpe jer. Jeg ved ingenting."

"Jeg tror dig ikke," sagde Patrik ligefremt.

Christian trak på skuldrene. "Det kan jeg ikke gøre noget ved. Jeg kan kun sige det, som det er: At jeg ikke ved noget." Han så pludselig ud til at opdage, at han praktisk taget var nøgen, trak morgenkåben tættere om sig og bandt bæltet.

Patrik havde lyst til at ruske i ham af ren og skær frustration. Han var overbevist om, at Christian holdt noget tilbage. Hvad vidste han ikke, og heller ikke om det var relevant for efterforskningen, men noget var der.

"Hvornår gik I i seng i går?" Patrik besluttede at lade spørgsmålet ligge indtil videre og vende tilbage til det senere. Han havde ikke i sinde at lade Christian slippe så let. Han havde set, hvor skrækslagne børnene havde været ude på badeværelset, og næste gang drejede det sig måske ikke kun om rød maling. Han måtte få Christian til at fatte, hvor alvorligt det var.

"Jeg gik sent i seng, lidt over et. Hvornår Sanna lagde sig, ved jeg ikke."

"Var du hjemme hele aftenen?"

"Nej, jeg gik mig en tur. Sanna og jeg har ... nogle problemer. Jeg trængte til frisk luft."

"Hvor gik du hen?"

"Det ved jeg ikke. Ikke noget specielt sted. Jeg gik blandt andet rundt om klippen og derefter lidt omkring i byen."

"Alene? Midt om natten?"

"Jeg ville ikke være hjemme, hvor skulle jeg gå hen?"

"Så du var hjemme ved ettiden? Er du sikker på klokkeslættet?"

"Helt sikker. Jeg kiggede på uret nede på Ingrid Bergmans Torg, og da var den kvart i. Det tager ti-femten minutter at gå hjem derfra, så klokken må have været præcis et."

"Sov Sanna på det tidspunkt?"

Christian nikkede. "Ja, hun sov, og det samme gjorde børnene. Der var helt stille i huset."

"Kiggede du ind til børnene, da du kom hjem?"

"Det gør jeg altid. Nils havde sparket dynen af sig som vanligt, jeg puttede den rundt om ham."

"Og da bemærkede du ikke noget usædvanligt eller mærkeligt?"

"Såsom store, røde bogstaver på væggen, mener du?" Tonen var sarkastisk, og Patrik mærkede irritationen komme snigende.

"Lad mig gentage: Du observerede altså ikke noget usædvanligt, noget, du reagerede på, da du kom hjem?"

"Nej," svarede Christian. "Jeg observerede ikke noget, jeg reagerede på. I så fald var jeg næppe gået i seng, vel?"

"Nej, det var du nok ikke." Patrik mærkede, at han begyndte at svede igen. At folk absolut skulle skrue så højt op for varmen! Han trak lidt ud i skjortekraven. Det føltes, som om han ikke kunne få luft.

"Låste du døren, da du kom hjem?"

Christian så spekulativ ud. "Det ved jeg ikke," sagde han. "Jeg tror det, jeg plejer altid at låse, men ... men jeg kan ikke genkalde mig det." Nu var sarkasmen væk, og stemmen var dæmpet, næsten hviskende: "Jeg kan ikke huske, om jeg låste døren."

"Og I hørte ikke noget i nat?"

"Nej, intet. Jeg gjorde i hvert fald ikke, og jeg tror heller ikke, Sanna hørte noget. På den anden side sover vi ret tungt begge to. Jeg vågnede først, da Sanna begyndte at skrige. Jeg hørte ikke engang Nils ..."

Patrik besluttede sig for at gøre endnu et forsøg: "Og du har altså ingen teori om, hvorfor nogen gør det her, og hvorfor nogen har sendt dig trusselsbreve det sidste halvandet år? Ikke den mindste mistanke?"

"Så hør dog for helvede efter, hvad jeg siger!"

Udbruddet kom så pludseligt, at det gav et sæt i Patrik.

Christian så ud til at være på sammenbruddets rand. Hans ansigt var kobberrødt, og han kløede sig indædt i håndfladen.

"Jeg ved ingenting," gentog Christian og så ud til at måtte beherske sig for ikke at skrige igen. Han kløede sig så hårdt, at rifterne tegnede sig i huden.

Patrik ventede, indtil Christians ansigtskulør langsomt vendte tilbage til det normale, og han så ud til at slappe af. "Er der et sted, hvor I kan flytte hen, indtil vi ved mere?" spurgte Patrik.

"Sanna og drengene kan bo hos hendes søster i Hamburgsund et stykke tid."

"Og dig?"

"Jeg bliver her." Christian lød bestemt.

"Det lyder ikke som nogen god idé," sagde Patrik lige så bestemt. "Vi har ikke mulighed for at tilbyde dig politibeskyttelse døgnet rundt, så jeg vil foretrække at få dig indlogeret på en anden adresse, hvor du kan føle dig mere tryg."

"Jeg bliver her."

Christians tonefald afskar enhver diskussion.

230

"Okay," sagde Patrik modstræbende. "Men sørg for at få din familie væk herfra hurtigst muligt. Vi skal forsøge at holde øje med huset, men vi har ikke ressourcer til …"

"Jeg har ikke brug for beskyttelse," afbrød Christian. "Jeg skal nok klare mig."

Patrik fastholdt hans blik. "Der render en sindssyg person rundt, som allerede har myrdet én, måske to, og som ser ud til at være fast besluttet på, at du og Kenneth og muligvis også Erik skal ekspederes samme vej. Det her er ikke noget at spøge med, men det forstår du åbenbart ikke." Han talte langsomt og tydeligt for at få budskabet til at trænge ind.

"Jeg forstår det i allerhøjeste grad, men jeg bliver her."

"Hvis du fortryder, så ved du, hvor du kan finde mig, og som sagt: Jeg tror ikke et sekund på dig, når du påstår, at du ikke ved noget, og jeg håber, du er klar over, hvad du sætter på spil ved ikke at komme frem med det. Uanset hvad finder vi alligevel ud af det til sidst, spørgsmålet er bare, om det sker før eller efter, at nogen kommer til skade igen."

"Hvordan har Kenneth det?" mumlede Christian og undgik Patriks blik.

"Jeg ved kun, at han kom til skade, ikke andet."

"Hvad skete der?"

"Nogen havde spændt en snor hen over joggingruten og anbragt et tykt lag glasskår på stien, så du forstår måske, hvorfor jeg beder dig samarbejde med os."

Christian svarede ikke, men drejede hovedet og kiggede ud ad vinduet. Huden var hvid som sneen udenfor, kæberne stramme. Men stemmen var kold og tømt for følelser, da han med et fjernt blik gentog:

"Jeg ved ingenting. Jeg. Ved. Ingenting."

"Gør det ondt?" Martin kiggede på bandagerne oven på dynen. Kenneth nikkede.

"Kan du klare et par spørgsmål?" Gösta trak en stol hen til sengen og gjorde tegn til Martin om at gøre det samme.

"I har tydeligvis besluttet jer for at blive hængende, så I går vel ud fra, at jeg kan klare det," sagde Kenneth med et blegt smil.

Martin kunne ikke tage øjnene fra armene, der var viklet ind i bandager.

Det måtte have gjort ondt som ind i helvede. Både at falde ned på skårene og derefter at få dem trukket ud.

Han kiggede usikkert på Gösta. Indimellem føltes det, som om han aldrig ville få erfaring og rutine nok til at vide, hvordan han skulle agere i de situationer, han havnede i som betjent. Skulle han vise, hvad han duede til, og kaste sig ud i nogle spørgsmål? Eller skulle han vise respekt for sin ældre kollega og lade ham føre an i samtalen? Disse evindelige afvejninger. Altid den yngste, altid den, der blev kostet rundt med. Han ville også helst være blevet, sådan som Gösta havde siddet og brummet om hele vejen ind til Uddevalla. Han havde også villet udspørge Christian og hans kone, få sig en snak med Torbjörn og teknikerholdet, når de kom, befinde sig i brændpunktet.

Det sårede ham, at Patrik som oftest valgte at arbejde sammen med Paula, skønt Martin havde været på stationen et par år længere end hende. Hun havde godt nok erfaring fra Stockholm, mens han havde arbejdet i Tanumshede hele sin korte karriere ved politiet, men var det nødvendigvis noget negativt? Han kendte miljøet, han kendte alle småkriminelle på egnen, han vidste, hvordan folk tænkte, hvordan et lille bysamfund var skruet sammen. Han havde faktisk gået i klasse med et par af de værste banditter, mens de for Paula var helt ukendte. Og efter at rygtet om hendes privatliv havde spredt sig som en løbeild i området, så mange på hende med mistænksomhed. Personlig havde Martin intet imod, at folk af samme køn boede sammen, men mange af de mennesker, de omgikkes til daglig, var ikke helt så forstående, det var temmelig underligt, at Patrik efterhånden altid valgte Paula til sin fortrolige. Det eneste, Martin forlangte, var at blive mødt med lidt tillid. At de holdt op med at behandle ham som en grønskolling. Så skideung var han altså heller ikke længere. Og nu var han faktisk også far.

"Hvabehar?" Han var så fordybet i sine dystre tanker, at han ikke havde hørt Gösta henvende sig til ham.

"Jeg spurgte, om du godt vil begynde."

Martin stirrede overrasket på Gösta. Var manden tankelæser? Men han greb chancen:

"Vil du fortælle med egne ord, hvad der skete?"

Kenneth rakte ud efter et glas vand på bordet ved siden af sengen, hvorpå det gik op for ham, at han ikke kunne bruge hænderne.

"Nu skal jeg." Martin tog glasset og holdt det hen til ham, så han kunne drikke af sugerøret. Kenneth lod sig synke tilbage i puderne, fortalte sagligt og roligt, hvad der var sket fra det øjeblik, han havde snøret skoene for at begive sig ud på den rute, han løb hver morgen.

"Hvad var klokken, da du tog hjemmefra?" Martin havde fundet blok og kuglepen frem.

"Kvart i syv," svarede Kenneth, og Martin noterede det uden tøven. Han var sikker på, at hvis Kenneth sagde, at klokken var kvart i syv, så var den det. På slaget.

"Løber du på samme tidspunkt hver morgen?" Gösta lænede sig tilbage i stolen med armene foldet på brystet.

"Ja, plus/minus ti minutter."

"Du overvejede ikke at … i betragtning af …" stammede Martin.

"Du overvejede ikke at springe løbeturen over i betragtning af, at din kone døde i går?" fortsatte Gösta, uden dog at lyde uvenlig. Uden at lyde bebrejdende.

Kenneth svarede ikke med det samme. Han gjorde en synkebevægelse og sagde så lavmælt:

"Hvis der var nogen morgen, hvor jeg trængte til at komme ud at løbe, så var det i dag."

"Jeg er med," sagde Gösta. "Løber du altid samme tur?"

"Ja, bortset fra i weekenden, hvor jeg tager to runder. Jeg er vist en smule firkantet indrettet. Jeg er ikke meget for overraskelser, nye udfordringer eller forandringer." Han holdt inde. Både Gösta og Martin forstod, hvad han tænkte, og tav også.

Kenneth rømmede sig og drejede hovedet, så de ikke skulle se tårerne, der var steget op i hans øjne. Endnu en rømmen, så stemmen kunne bære:

"Jeg går som sagt ind for faste rutiner og har løbet på denne måde i over ti år."

"Og det er der formodentlig mange, der ved." Martin kiggede op fra notesblokken efter at have skrevet "ti år" og tegnet en cirkel omkring ordene.

"Der har aldrig været grund til at holde det hemmeligt." Der var antydningen af et smil, som dog forsvandt lige så hurtigt igen.

"Mødte du nogen på ruten i morges?" spurgte Gösta.

"Nej, ikke et øje. Det gør jeg sjældent. Af og til møder jeg nogen, der er tidligt ude og lufte hunden, eller nogen, der går tur med en morgenfrisk rolling i barnevognen, men det hører til sjældenhederne. Som regel er jeg alene på stien, og sådan var det også i morges."

"Lagde du mærke til, om der holdt nogen biler i nærheden af ruten?" Martin modtog et påskønnende nik fra Gösta for spørgsmålet.

Kenneth tænkte efter et øjeblik. "Nej, det tror jeg ikke, men jeg er ikke sikker. Der kan selvfølgelig have stået en bil, uden at jeg bemærkede det, men nej, det ville jeg have set, nu jeg tænker efter."

"Så du observerede ikke noget ud over det sædvanlige?" fremturede Gösta.

"Nej, det var en morgen som alle andre. Bortset fra …" Ordene blev hængende i luften, og tårerne begyndte atter at strømme.

Martin skammede sig over, at Kenneths gråd gjorde ham forlegen. Han følte sig kejtet og vidste ikke, om han skulle gøre noget, men Gösta rakte bare roligt hen over Kenneth, tog en serviet på sengebordet og tørrede varsomt hans kinder. Så strakte han sig ind over ham igen og lagde servietten tilbage.

"Har I fundet ud af noget?" hviskede Kenneth. "Om Lisbet?"

"Nej, det er alt for tidligt. Der kan godt gå et stykke tid, før vi hører fra retsmedicineren," svarede Martin.

"Hun slog hende ihjel." Manden i sengen krympede sig og sank sammen, mens han stirrede ud i luften.

"Undskyld, hvad sagde du?" spurgte Gösta og lænede sig frem. "Hvilken 'hun'? Ved du, hvem der har gjort det her mod dig og din kone?" Martin så, at Gösta holdt vejret, og opdagede, at han gjorde det samme selv.

Et eller andet glimtede i Kenneths øjne.

"Det har jeg ingen anelse om," sagde han bestemt.

"Du sagde 'hun'," påpegede Gösta.

Kenneth undgik hans blik. "Håndskriften i brevene ligner en kvindes, så jeg er bare gået ud fra, at det er en 'hun'."

"Hmm," brummede Gösta, signalerede til Kenneth, at han ikke troede ham, uden dog at sige det ligeud. "Der må være en eller anden grund til, at lige netop I fire er blevet skydeskiver. Magnus, Christian, Erik og dig. Nogen har et eller andet udestående med jer, men alligevel påstår alle – nå ja, bortset fra Magnus – at I ikke har nogen anelse om hvem og hvorfor. Der må ikke desto mindre ligge et voldsomt had til grund for den slags handlinger, spørgsmålet er, hvad der har forårsaget det. Jeg har meget svært ved at tro, at I ikke skulle vide noget, eller i det mindste ikke have en teori." Han bøjede sig ind over Kenneth.

"Det må være et sindssygt menneske. Jeg har ingen anden forklaring." Kenneth vendte hovedet væk og kneb munden sammen.

Martin og Gösta vekslede blikke hen over hospitalssengen, begge vidste, at de ikke ville få mere ud af ham. Lige nu.

Erica stirrede chokeret på telefonen. Patrik havde ringet fra stationen og meddelt, at han måtte arbejde over. Derefter havde han ganske kort opridset situationen, og hun troede knap sine egne ører. At nogen ville kaste sig over Christians børn. Og Kenneth. En snor spændt ud over joggingstien; enkelt, men genialt.

Hjernen gik omgående i gang. Det burde være muligt at få mere skub i efterforskningen. Hun kunne høre Patriks frustration, og hun forstod ham. Begivenhederne var eskaleret, og politiet var ikke i nærheden af en opklaring.

Hun holdt grublende mobiltelefonen i hånden. Patrik ville blive edderspændt, hvis hun blandede sig, men hun var vant til at foretage research til sine bøger. Det handlede ganske vist om allerede afsluttede politiefterforskninger, men der kunne vel næppe være den store forskel på dem og igangværende sager. Og hvad vigtigere var: Det var så kedeligt bare at gå rundt herhjemme. Det formelig kløede i hende af lyst til at være til lidt nytte.

Desuden havde hun sin intuition. Den havde ført hende på rette spor mange gange før, og nu fortalte den hende, at svaret lå hos Christian, og det var der flere ting, som talte for: At han var den, der først havde modtaget brevene, at han var så hemmelighedsfuld vedrørende sin fortid, og at han var så tydeligt nervøs. Små, men vigtige detaljer.

Hurtigt, for ikke at nå at fortryde, tog hun overtøj på. Hun måtte ringe til Anna fra bilen og høre, om hun kunne hente Maja i børnehaven. Hun ville kunne nå hjem hen ad aften, men ikke tids nok til at hente datteren. Der var halvanden times kørsel til Göteborg hver vej, så det var lidt af en køretur på grund af en pludselig indskydelse, men hvis hun ikke fandt noget, kunne hun jo benytte anledningen til at besøge sin og Annas nyfundne halvbror Göran.

Tanken om, at hun havde en storebror, var stadig næsten ikke til at fatte. Det havde været en overrumplende opdagelse, at deres mor under Anden Verdenskrig i al hemmelighed havde født en søn, som hun efterfølgende havde bortadopteret. De dramatiske begivenheder sidste sommer havde trods alt ført noget godt med sig, og siden da havde hun og Anna opbygget et nært forhold til Göran. Hun vidste, at hun altid var velkommen til at besøge ham og den mor, han var vokset op hos.

Anna sagde straks ja til at hente Maja.

Erica i gang. Hun ærgrede sig over, at hun ikke havde Christians personnummer, da det ville have sparet hende for adskillige opringninger, men hun måtte klare sig med navnet og det, hun pludselig var kommet i tanker om, at Sanna engang havde sagt: At Christian havde boet i Göteborg, da de mødte hinanden. May henne på biblioteket havde nævnt det med Trollhättan, og det lå stadig og gnavede i baghovedet, men hun var blevet enig med sig selv om, at Göteborg trods alt var det mest logiske udgangspunkt. Det var der, han havde boet, før han kom til Fjällbacka, og det var der, hun måtte begynde. Forhåbentlig kunne hun siden da arbejde sig bagud, hvis det blev nødvendigt. At sandheden skulle findes i Christians fortid, betvivlede hun ikke et sekund.

Fire opringninger senere var der bid: Den adresse, Christian havde boet på, før han flyttede sammen med Sanna. Hun holdt ind på en benzintank i udkanten af Göteborg og købte et kort over byen, benyttede samtidig anledningen til at tisse og få strakt benene. Det var yderst ubekvemt at køre bil med to babyer mellem sig selv og rattet, hun var stiv i ryggen og følelsesløs i benene.

Netop som hun havde maset sig ind på førersædet igen, ringede telefonen, og balancerende med et papbæger kaffe i den ene hånd fandt hun mobilen frem og kiggede på displayet. Patrik. Hun måtte hellere overlade ham til telefonsvareren, og hun kunne jo altid forklare det senere. Især hvis hun kom hjem med noget brugbart og således måske ville slippe for nogle af de bebrejdelser, der ellers ventede.

Efter et sidste kig på kortet startede hun bilen og kørte ud på motorvejen. Det var godt og vel syv år siden, Christian havde boet på den adresse, hun nu var på vej til, og pludselig blev hun i tvivl. Hvor stor var chancen for, at der stadig ville være spor efter Christian? Folk flyttede jo hele tiden uden at efterlade noget.

Erica sukkede. Nå, men nu var hun her, og Göran ville byde på en kop kaffe, før hun kørte hjem igen, så helt forgæves ville turen ikke være.

Der lød en biptone. Patrik havde lagt en besked.

Hvor var alle folk henne? Mellberg så sig søvndrukken omkring. Han var døset hen, og da han vågnede, var stationen mennesketom. Var de andre gået hen på cafeen uden at spørge ham?

Han stormede ud i receptionen, hvor han fandt Annika.

"Sig mig, hvad foregår der? Tror de, det er weekend allerede? Hvorfor sidder folk ikke på deres pladser? Hvis de sidder og danderer den henne på konditoriet, så står de til en alvorlig reprimande, når de kommer tilbage. Kommunen forventer, at vi er i fuldt beredskab, det er vores pligt" – han viftede med fingeren i luften – "at stå til rådighed, når borgerne har brug for os." Mellberg elskede lyden af sin egen stemme. Han havde altid syntes, at det myndige tonefald klædte ham. Annika stirrede tavst på ham, Mellberg begyndte at vride sig. Han havde regnet med, at Annika ville overøse ham med undskyldninger og bortforklaringer på kollegernes vegne. I stedet begyndte det at krible ubehageligt i kroppen.

Lidt efter sagde Annika roligt:

"De har en udrykning. Til Fjällbacka. Der er sket et og andet, mens du sad og arbejdede inde på kontoret." Ordet *arbejdede* blev udtalt uden påviselig sarkasme, men noget sagde ham, at hun var helt på det rene med hans lille lur. Nu gjaldt det om at redde situationen.

"Hvorfor var der ikke nogen, som sagde noget til mig?"

"Patrik gjorde, hvad han kunne. Han bankede på flere gange, men du havde låst døren og reagerede ikke, så til sidst blev han nødt til at tage af sted."

"Ja … indimellem bliver jeg så opslugt, at jeg hverken hører eller ser," sagde Mellberg og bandede indvendig. Satans også, at han havde sådan et godt sovehjerte. Det var både en velsignelse og en forbandelse.

"Hmm …" svarede Annika og vendte tilbage til sin computer.

"Men hvad er der da sket?" spurgte han hidsigt, stadig med en følelse af at være helt til grin.

Annika redegjorde kort for det, der var sket hjemme hos Christian og med Kenneth, og Mellberg lyttede med åben mund. Det her blev mere og mere mystisk.

"De er snart tilbage, i hvert fald Patrik og Paula, og så kan du jo høre mere om, hvad der er sket. Martin og Gösta tog til Uddevalla for at snakke med Kenneth, så der går måske lidt længere tid, før de er her."

"Sig til Patrik, at han skal melde sig hos mig, straks han kommer," sagde Mellberg. "Og bed ham banke ordentligt på denne gang."

"Det skal jeg nok. Og gøre ham opmærksom på, at han skal banke hårdere for det tilfælde, at du igen er helt opslugt af arbejdet."

Annika så alvorligt på ham, men Mellberg kunne alligevel ikke ryste følelsen af, at hun gjorde nar af ham af sig.

"Kan du ikke tage med? Hvorfor vil du blive her?" Sanna smed nogle bluser ned i kufferten på må og få.

Christian svarede ikke, hvilket blot gjorde hende endnu mere ophidset.

"Så svar dog! Vil du bo her helt alene? Det er jo latterligt, fuldstændigt …" Hun kylede rasende et par cowboybukser hen mod kufferten, ramte ved siden af, så de landede på gulvet for fødderne af Christian. Hun gik hen for at samle dem op, men lagde i stedet hænderne om hans ansigt. Prøvede at fange hans blik, men han nægtede at se på hende.

"Søde, elskede Christian. Jeg forstår det ikke. Hvorfor tager du ikke med os? Du er ikke i sikkerhed her."

"Der er ikke noget at forstå," sagde han og fjernede hendes hænder. "Jeg bliver her, sådan er det bare. Jeg har ikke tænkt mig at flygte."

"Flygte fra hvem? Fra hvad? Du er fandeme led, at du ikke siger noget, hvis du ved, hvem det er." Hendes øjne blev våde, hun fornemmede stadig varmen i hænderne fra Christians ansigt. Han lod hende ikke komme nær, og det sved indvendig. I situationer som den her burde de støtte hinanden, men han vendte hende ryggen, ville ikke have hende. Ydmygelsen fik hende til at rødme, og hun så væk og fortsatte med at pakke.

"Hvor længe tror du, vi bliver nødt til at være der?" spurgte hun og tog en håndfuld trusser og strømper op af den øverste kommodeskuffe.

"Jeg ved det ikke." Christian havde taget morgenkåben af, iført sig et par cowboybukser og en T-shirt. Hun syntes stadig, at han var den smukkeste mand, hun nogensinde havde set. Hun elskede ham så højt, at det gjorde ondt.

Sanna lukkede kommodeskuffen og kastede et blik ud på gangen, hvor drengene sad og legede. De var mere afdæmpede end normalt. Alvorlige. Nils kørte sine biler frem og tilbage, og Melker lod sine actionmænd slås, men begge gjorde det uden de sædvanlige lydeffekter og uden at skændes, hvad der ellers var uundgåeligt.

"Tror du, at de ..." Gråden trængte sig på igen, og hun prøvede igen: "Tror du, at de har taget skade?"

"De har jo ikke en skramme."

"Jeg mener ikke fysisk." Sanna fattede ikke, hvordan han kunne være så kold, så rolig. I morges havde han været lige så chokeret, forvirret og bange som hende, men nu var det, som om det aldrig var sket, eller som om det var en bagatel.

En eller anden var trængt ind i deres hjem, mens de sov, ind i deres børns værelse, og havde måske gjort dem bange og usikre for altid. De kunne ikke længere leve i tryg forvisning om, at intet ondt kunne overgå dem i deres egne senge. At der ikke kunne ske dem noget, når mor og far befandt sig blot nogle meter væk. Den tryghedsfølelse var måske væk for altid. Ikke desto mindre sad deres far dér rolig og uanfægtet, som om han var ligeglad, og lige nu, i dette øjeblik, hadede hun ham for det.

"Børn glemmer hurtigt," sagde Christian og kiggede på sine hænder.

Hun så rifter i hans ene håndflade. For én gangs skyld spurgte hun ikke. Kunne det her være slutningen? Hvis Christian ikke engang kunne nærme sig hende, elske hende, når noget ondt og forfærdeligt truede dem, var tiden måske inde til at give op.

Hun fortsatte med at smide tøj ned i kufferten uden at kere sig om, hvad det var. Tårerne slørede hendes blik, og hun flåede bare tøjet af bøjlerne. Til sidst svømmede kufferten næsten over, og hun måtte sætte sig på den for at få den lukket.

"Vent, lad mig." Christian rejste sig, og hans vægt fik presset låget så meget ned, at Sanna kunne lyne kufferten. "Jeg skal nok bære den ned." Han tog fat i hanken og bar den ud af værelset og forbi drengene.

"Hvorfor skal vi hen til moster Agneta? Hvorfor skal vi have så mange ting med? Hvor længe skal vi være der?" Ængstelsen i Melkers stemme fik Christian til at standse op halvvejs nede ad trappen. Så fortsatte han tavst.

Sanna satte sig på hug hos drengene, forsøgte at lyde helt rolig, da hun sagde:

"Vi skal lade, som om vi er på ferie, men vi tager ikke så langt væk, kun ned til moster og jeres fætter og kusine. I plejer jo at have det smaddersjovt sammen, og i aften skal vi rigtigt hygge os, og nu hvor vi er på ferie, får I også slik, selvom det ikke er lørdag."

Drengene kiggede mistroisk på hende, men slik så ud til at være det magiske ord. "Skal vi alle sammen med?" spurgte Melker, og hans bror gentog læspende: "Skal vi alle sammen med?"

Sanna tog en dyb indånding. "Nej, det er kun os tre. Far er nødt til at blive her."

"Ja, far skal blive her og slås med de der dumme nogen."

"Hvad for nogle dumme nogen?" sagde Sanna og klappede Melker på kinden.

"Dem, der har griset vores værelse til." Han foldede armene over brystet og så vred ud. "Hvis de kommer tilbage, skal far nok slå dem!"

"Far skal ikke slås med nogle dumme nogen, og der er ikke nogen, som kommer tilbage." Hun strøg Melker over håret og forbandede Christian. Hvorfor tog han ikke med? Hvorfor tav han? Hun rejste sig.

"Det bliver smadderskægt. Et rigtigt eventyr, men nu skal jeg lige hjælpe far med at pakke bilen, så kommer jeg og henter jer. Okay?"

"Okay," svarede de, om end uden den store begejstring. Hun kunne mærke deres øjne i ryggen, da hun gik ned ad trappen.

Han var ved at lægge kufferten i bagagerummet. Sanna gik hen til ham og tog fat i hans arm.

"Det her er sidste chance, Christian. Hvis du ved noget, hvis du har den mindste anelse om, hvem der gør det her mod os, så bønfalder jeg dig om at sige det. For vores skyld. Hvis du ikke fortæller noget nu, og jeg bagefter finder ud af, at du vidste det, så er det slut. Er du med? Så er det slut!"

Christian blev stående med kufferten halvt inde i bagagerummet. Et øjeblik troede hun, at han ville komme til fornuft, så flyttede han hendes hånd og skubbede kufferten på plads.

"Jeg ved ikke noget." Han knaldede bagsmækken i.

Da Patrik og Paula vendte tilbage til stationen, greb Annika fat i Patrik.

"Mellberg vågnede, mens I var væk, og var en anelse oprevet over, at han ikke var blevet orienteret."

"Men jeg bankede jo på, jeg ved ikke hvor mange gange, uden at han åbnede."

"Ja, det sagde jeg også, men han påstod, at han var så fordybet i sit arbejde, at han ikke hørte det."

"Ja, det tror jeg sgu gerne," sagde Patrik. Han kastede et hurtigt blik på sit armbåndsur. "Okay, så går jeg ind og orienterer vores højtærede boss. Vi ses i køkkenet til en hurtig briefing om et kvarter. Gider du sige det til Gösta og Martin? De skulle være her om et øjeblik."

Han gik direkte hen til Mellbergs dør og bankede på. Hårdt.

"Kom ind." Mellberg var tilsyneladende fordybet i en større stak dokumenter. "Det forlyder, at sagen er tilspidset, og jeg må sige, at det ikke tager sig godt ud i offentligheden, at vi rykker så talstærkt ud, medmindre den øverstbefalende er til stede."

Patrik åbnede munden for at svare, men Mellberg løftede hånden. Han var tydeligvis ikke færdig endnu.

"Det sender et forkert signal til borgerne, hvis vi ikke tager situationer som dem her alvorligt."

"Men ..."

"Ikke noget men her, tak, jeg accepterer din undskyldning. Og lad det ikke gentage sig."

Patrik mærkede pulsen banke i ørerne. Lede stodder! Han knyttede hænderne, men åbnede dem igen og tog en dyb indånding. Han måtte prøve at ignorere Mellberg og fokusere på det vigtigste: efterforskningen.

"Lad mig så høre, hvad der er sket. Hvad har I fundet ud af?" Mellberg lænede sig ivrigt frem.

"Jeg forestiller mig, at vi holder et fællesmøde i køkkenet. Hvis det ellers er i orden med dig?" tilføjede Patrik sammenbidt.

Mellberg overvejede det et øjeblik. "Ja, det kunne måske være en god idé. Tænk, at man skal blive ved med at sige det. Nå, men skal vi gå i gang, Hedström? Tiden er jo en vigtig faktor i den slags efterforskninger, ved du nok."

Patrik vendte ryggen til sin chef og gik ud af lokalet. Én ting havde Mellberg unægtelig ret i: Tiden var vigtig.

Det handlede om at overleve, men for hvert år der gik, blev det stadigt sværere. Flytningen havde været til gavn for alle på nær ham. Far havde fået et arbejde, han trivedes med, og mor nød at bo i Kællingens hus og forvandle det til ukendelighed, slette alle spor efter hende. Alice så også ud til at have godt af roen og den fredfyldte atmosfære, der herskede i hvert fald ni af årets måneder.

Mor underviste hende hjemme. Først havde far modsat sig det og sagt, at Alice havde brug for at komme ud og møde jævnaldrende, at hun burde møde andre mennesker, men mor havde set på ham og med isnende stemme sagt:

"Alice har kun brug for mig."

Det havde afgjort diskussionen.

Selv var han blevet tykkere og tykkere, han spiste konstant. Det var, som om ædetrangen havde fået sit eget liv, han proppede alt i sig. Nu og da sendte mor ham et blik fuldt af væmmelse, men for det meste ignorerede hun ham. Det var længe siden, han havde tænkt på hende som sin smukke mor og længtes efter hendes kærlighed. Han havde givet op og forliget sig med, at han ikke var en, man kunne elske.

Den eneste, der elskede ham, var Alice, og hun var et misfoster ligesom ham. Hun kunne ikke styre sine lemmer, talte snøvlende og var ikke i stand til at klare de mest basale ting. Hun var otte år og kunne ikke engang snøre sine sko. Hun var altid i hælene på ham, fulgte ham som en skygge. Når han gik hen til skolebussen om morgenen, sad hun i vinduet og kiggede efter ham med hænderne mod ruden og længsel i blikket. Han forstod det ikke.

Skolen var en pine. Hver morgen, når han hoppede på bussen, føltes det, som var han på vej i fængsel. Han glædede sig ganske vist til timerne, men gruede for frikvartererne. Hvis underskolen havde været frygtelig, så var real-

243

skolen endnu værre. De var altid efter ham, drillede og skubbede, vandaliserede hans skab og gjorde nar af ham i skolegården. Han var ikke dum og vidste, at han var et oplagt offer.

"Kan du finde tissemanden, når du skal pisse, eller er maven i vejen?"

Erik. Han sad på en af bænkene i skolegården og var omgivet af sit sædvanlige hof af ivrige rygklappere. Han var den værste. Den populæreste fyr i klassen, flot og selvsikker, rapkæftet over for lærerne og med løbende adgang til smøger, som han både røg selv og delte ud til sine tilhængere. Han vidste ikke, hvem han foragtede mest. Erik, der så ud til at være drevet af ren og skær ondskabsfuldhed, og som konstant ledte efter nye måder at såre andre på, eller de fnisende idioter, der sad beundrende ved siden af og solede sig i Eriks stråleglans.

Samtidig vidste han, at han ville give hvad som helst for at være en af dem. Sidde på bænken sammen med Erik, snuppe en smøg og kommentere tøserne, der gik forbi, blive belønnet med frydefylde fnis og blussende kinder.

"Halløj! Jeg taler til dig. Du har bare at svare, når jeg spørger dig om noget!" Erik rejste sig fra bænken, og de andre to kiggede spændt på ham. Sportsfreaken, Magnus, mødte hans blik. Nogle gange syntes han, at han kunne skimte en smule medfølelse hos ham, men den var åbenbart ikke stor nok til, at Magnus turde risikere at falde i unåde hos Erik. Kenneth var bare fej, undgik altid at se ham i øjnene. Han stirrede på Erik, så ud til at afvente yderligere direktiver, men det lod ikke til, at Erik var oplagt til ballade i dag, for han sagde bare grinende:

"Skrid, dit ulækre svin! Hvis du skynder dig, slipper du for bank i dag."

Han drømte om at stille sig op og sige til Erik, at han kunne skride ad helvede til. Give ham sådan et lag tæsk, at alle rundt om ville forstå, at deres helt stod for fald. Og Erik ville med besvær løfte hovedet fra jorden og med blodet løbende ud af næsen se på ham med ny respekt. Hvorefter han ville indtage sin selvfølgelige plads i flokken. Og høre til.

I stedet vendte han sig om og løb. Så hurtigt han kunne, møffede han sig hen over skolegården. Det sved i brystet, og fedtet blævrede. Bag sig hørte han deres latter.

ERICA PASSEREDE RUNDKØRSLEN ved Korsvägen med tilbageholdt åndedræt. Trafikken i Göteborg gjorde hende altid nervøs, og lige præcis det her kryds var hendes største skræk. Hun kom helskindet igennem og kørte langsomt op ad Eklandagatan, mens hun holdt øje med sidegaderne.

Rosenhillsgatan. Ejendommen lå for enden af gaden med udsigt til Korsvägen og Liseberg. Hun tjekkede gadenummeret, parkerede uden for den rigtige opgang og så på uret. Planen var at ringe på og håbe, at der var nogen hjemme. Hvis det ikke var tilfældet, havde hun og Göran aftalt, at hun kunne tilbringe et par timer hjemme hos hans mor og derefter prøve igen. Det ville i så fald betyde, at hun kom sent hjem i aften, så hun krydsede fingre for, at den nye lejer var hjemme. Hun havde lært navnet udenad, da hun foretog sine opringninger på vej til Göteborg, og fandt det hurtigt på dørtelefonen: Janos Kovács.

Hun ringede på. Ingen reaktion. Hun trykkede igen, og der lød en skratten og en stemme med kraftig accent.

"Hvem er det?"

"Mit navn er Erica Falck, jeg har nogle spørgsmål vedrørende en tidligere beboer, en Christian Thydell." Hun ventede spændt. Forklaringen lød mystisk, selv i hendes egne ører, men hun håbede, at manden ville være nysgerrig nok til at lukke hende ind. En summen fortalte hende, at hun havde heldet med sig.

Elevatoren stoppede på anden etage, og hun steg ud. Den ene af de tre døre stod på klem, og en lille, korpulent mand i tresserne skævede ud gennem dørsprækken. Da han fik øje på hendes enorme mave, løsnede han sikkerhedskæden og åbnede døren på vid gab.

"Kom ind, kom ind," sagde han ivrigt.

Erica takkede og trådte indenfor. En fortættet duft af mange års krydret madlavning nåede hendes næsebor, og det vendte sig i maven. Lugten var egentlig ikke ubehagelig, men graviditeten havde gjort hendes lugtesans overfølsom for kraftige dunster.

"Jeg har kaffe, god, stærk kaffe." Han pegede på et lille køkken i den anden ende af entreen. Hun fulgte efter ham, kastede et blik ind i stuen, der tilsyneladende var lejlighedens eneste rum og fungerede som både opholdsstue og soveværelse.

Det var altså her, Christian havde boet, før han flyttede til Fjällbacka. Erica mærkede hjertet slå hurtigere af forventning.

"Sid ned." Janos Kovács nærmest skubbede hende ned på en pindestol, skænkede en kop kaffe og stillede med et triumferende udbrud et stort fad småkager frem.

"Valmuekager, en ungarsk specialitet! Min mor sender mig tit pakker med valmuekager, fordi hun ved, at jeg elsker dem. Tag en!" Han gjorde tegn til hende om at tage for sig, så hun tog forsigtigt en kage fra fadet og bed prøvende i den. En ny smag, helt sikkert, men god. Det gik pludselig op for hende, at hun ikke havde spist noget siden morgenmaden, og maven knurrede taknemmeligt, da den første bid kage nåede mavesækken.

"Du skal spise for to. Tag en til, tag to til, tag så mange du vil!" Janos Kovács skubbede fadet hen til hende med tindrende øjne. "Stor baby," sagde han smilende og pegede på hendes mave.

Erica blev smittet af hans gode humør og smilede tilbage.

"Nja, jeg har faktisk to babyer i maven."

"Åh, tvillinger!" Han klappede begejstret. "Hvilken velsignelse."

"Har du selv børn?" spurgte Erica med munden fuld af kage.

Janos Kovács rankede stolt ryggen. "Jeg har to dejlige sønner. Voksne nu. Begge har gode job. Hos Volvo. Og fem børnebørn har jeg også."

"Og din kone?" spurgte Erica forsigtigt og kiggede rundt. Det så ikke ud, som om der boede nogen kvinde i lejligheden. Janos Kovács smilede stadig, men smilet var blevet noget blegere.

"For omkring syv år siden kom hun bare hjem en dag og sagde, at 'nu flytter jeg', og så var hun væk." Han slog ud med armene. "Og så flyttede jeg herop. Vi boede allerede i ejendommen i en treværelses nedenunder" – han pegede på gulvet – "men da jeg blev førtidspensionist, og min kone forlod mig, kunne jeg ikke blive boende. Og da Christian samtidig mødte en pige og skulle flytte, ja, så rykkede jeg herop. Alting ordner sig til det bedste!" udbrød han og så ud til virkelig at mene det.

"Du kendte altså Christian, inden han flyttede?" spurgte Erica og nippede til kaffen. Den smagte rigtig godt, faktisk.

"Tja, kendte og kendte, men vi rendte da tit ind i hinanden. Jeg er ret fiks på fingrene" – Janos Kovács løftede hænderne – "så jeg hjælper til, hvor jeg kan, og Christian, ja, han kunne ikke engang skifte en pære."

"Nej, det tror jeg gerne," sagde Erica smilende.

"Kender du Christian? Det er mange år siden, han boede her. Der er vel ikke sket ham noget?"

"Jeg er journalist," sagde Erica og brugte det påskud, hun havde udtænkt på turen til Göteborg. "Christian er forfatter nu, og jeg er i gang med en længere artikel om ham, så jeg prøver at finde ud af lidt om hans baggrund."

"Er Christian forfatter? Det må jeg nok sige. Ja, han havde jo altid en bog i hånden."

"Ved du, hvad han lavede, da han boede her? Hvor han arbejdede?"

Janos Kovács rystede på hovedet. "Det ved jeg ikke, og jeg spurgte aldrig. Man skal vise sine naboer respekt og ikke blande sig. Hvis folk har lyst til at snakke om sig selv, så gør de det."

Det lød som en sund livsfilosofi, og Erica ville ønske, at flere i Fjällbacka delte den.

"Havde han tit gæster?"

"Sjældent. Jeg havde faktisk lidt ondt af ham. Han var altid alene, og det er mennesket ikke skabt til. Vi har brug for selskab."

Erica tænkte, at det havde han fuldstændig ret i, håbede, at Janos Kovács selv havde nogen, der kom på besøg en gang imellem.

"Efterlod han noget? I pulterrummet på loftet, for eksempel?"

"Nej, det var tømt, da jeg flyttede ind. Alt var væk."

Erica besluttede at give op. Det så ikke ud til, at Janos Kovács havde flere oplysninger om Christian. Hun takkede for kaffe og afslog venligt, men bestemt tilbuddet om en pose småkager til turen.

Hun var netop på vej ud ad døren, da Janos Kovács holdt hende tilbage.

"Nå ja, tænk, at jeg kunne glemme det. Man er vist ved at blive senil." Han prikkede sig i tindingen med pegefingeren, vendte sig om og gik ind i stuen. Lidt efter kom han tilbage med noget i hånden.

"Når du ser Christian, gider du så give ham dem her? Sig til ham, at jeg gjorde, som han sagde, og smed al post til ham ud, men disse her ... ja, jeg syntes, det var lidt underligt bare at smide dem væk. Der er jo kommet et eller to hvert eneste år, siden han flyttede, så der er åbenbart nogen, som godt vil i kontakt med ham. Jeg fik aldrig hans nye adresse, så jeg lagde dem til side. Giv dem til ham og hils fra Janos." Han smilede sit glade smil og rakte hende et bundt konvolutter.

Erica tog imod dem med rystende hænder.

STILHEDEN I HUSET var rungende. Han satte sig ved bordet i køkkenet og lagde hovedet i hænderne. Det dunkede i tindingerne, kløen var begyndt igen. Hele kroppen brændte og sved, da han kradsede på rifterne i håndfladen. Han lukkede øjnene og hvilede kinden mod bordpladen, prøvede at blive ét med stilheden og fortrænge følelsen af, at et eller andet var på vej ud gennem huden.

En blå kjole. Den flimrede forbi bag hans øjenlåg, forsvandt og vendte tilbage. Barnet på hendes arm. Hvorfor så han aldrig barnets ansigt? Det var tomt og konturløst, og han kunne ikke udskille det. Havde han nogensinde kunnet det? Eller var barnet altid blevet overskygget af hans brændende kærlighed til hende? Han huskede det ikke, det var så længe siden.

Gråden kom sagte, langsomt samlede tårerne sig i en lille pyt på bordet. Så tog den til, steg op i brystet og væltede frem, indtil hele kroppen rystede. Christian løftede hovedet. Han var nødt til at få billederne væk, få hende væk, hvis han ikke skulle bryde sammen. Han lod hovedet falde tungt ned på bordet, lod kinden ramme det med fuld kraft. Han mærkede træet mod huden, og han løftede hovedet igen og igen. Knaldede det ned i den hårde bordplade. Sammenlignet med kløen og den svidende fornemmelse i kroppen var smerten næsten behagelig, men den hjalp ikke mod billederne. Hun stod der lige så tydelig, lige så levende foran ham. Hun smilede og rakte hånden frem mod ham, var så tæt på, at hun kunne have rørt ved ham, hvis hun bare strakte hånden lidt længere frem.

Hørte han en lyd oppe på første sal? Han stivnede midt i en bevægelse med hovedet en decimeter over bordet, som om nogen pludselig havde trykket på pauseknappen i filmen om hans liv. Han lyttede, sad musestille. Ja, han kunne høre noget ovenpå. Lette skridt.

Christian rettede sig langsomt op med kroppen spændt, afventende. Han rejste sig fra stolen og bevægede sig lydløst hen til trappen. Tog fat i gelænderet, holdt sig ude i den ene side, helt op ad væggen, hvor han vidste, trinnene knirkede mindst. Ud af øjenkrogen skimtede han noget, der flagrede forbi oppe i gangen – eller var det indbildning? Nu var det væk, og der var helt stille i huset.

Et trappetrin knirkede, og han snappede efter vejret. Hvis hun var deroppe, vidste hun nu, at han var på vej. Ventede hun på ham? Han blev opfyldt af en sær ro. Familien var rejst, så dem kunne hun ikke gøre fortræd mere. Nu var der kun ham, det var de to, det handlede om, sådan som det havde gjort fra begyndelsen.

Et barn klynkede. Eller var det et barn? Han hørte det igen, men nu lød det som en af alle de lyde, et gammelt hus kunne rumme. Christian tog langsomt de sidste trin og trådte op på første sal. Gangen var tom, og den eneste lyd kom fra hans eget åndedræt.

Døren til drengenes værelse stod åben, og alting var ét kaos derinde. Teknikerne havde svinet yderligere til, sorte plamager af fingeraftrykspulver lå i hele værelset. Han satte sig midt på gulvet med ansigtet mod bogstaverne på væggen. Malingen lignede stadig blod ved første øjekast. *Du fortjener dem ikke.*

Han vidste, at hun havde ret; han fortjente dem ikke. Christian blev ved med at stirre på ordene, lod dem synke ind i sin bevidsthed. Han ville rette op på det hele. Kun han og ingen anden kunne rette op på tingene. Det var ham, hun var ude efter, og han vidste, hvorfor hun ville møde ham. Han ville give hende, hvad hun forlangte.

"Ja, så er vi her allerede igen." Patrik tog køkkenrullen på bordet og tørrede sig i panden. Det var dog satans, som han svedte. Han måtte være i dårligere form end normalt. "Situationen er altså følgende: Kenneth Bengtsson er indlagt, men det fortæller Gösta og Martin mere om lige straks." Han nikkede til dem. "Herudover er en eller anden trængt ind i Christian Thydells hjem i nat. Ingen har ganske vist lidt fysisk overlast, men vedkommende har skrevet en besked med rød maling på væggen i børnenes værelse, og hele familien er selvsagt i chok. Vi må således antage, at vi har at gøre med en skruppelløs og potentielt farlig person."

"Jeg ville forståeligt nok godt have deltaget i morgenens udrykning" – Mellberg rømmede sig – "men jeg blev beklageligvis ikke orienteret."

Patrik valgte at ignorere ham og fortsatte med blikket rettet mod Annika: "Har du fundet ud af noget mere om Christian?"

Annika tøvede. "Muligvis, men jeg vil godt dobbelttjekke et par ting først."

"Fint nok," sagde Patrik og henvendte sig til Gösta og Martin. "Hvad fandt I ud af under jeres samtale med Kenneth? Hvordan har han det?"

Martin kiggede spørgende på Gösta, der gjorde tegn til ham om at indlede.

"Hans skader er ikke livstruende, men ifølge lægen er det lidt af et under, at han overlevede. Glasskårene flænsede både arme og ben, og hvis de havde ramt nogen af de større blodårer, ville han formentlig være forblødt på stien."

"Spørgsmålet er, hvad gerningsmandens hensigt var. Ville han eller hun blot give Kenneth en advarsel, eller er der tale om drabsforsøg?"

Ingen gjorde mine til at svare Patrik, og Martin fortsatte:

"Kenneth sagde, det var almindelig kendt, at han løb samme rute hver morgen på stort set samme tidspunkt, så hvad det angår, kan vi betragte alle i Fjällbacka som mistænkte."

"Men vi kan ikke gå ud fra, at gerningsmanden er her fra byen. Det kan være en, der er her midlertidigt," indskød Gösta.

"Hvordan kunne vedkommende i så fald have kendskab til Kenneths joggingrutiner? Tyder det ikke på, at det er nogen her fra området?" spurgte Martin.

Patrik overvejede det et øjeblik. "Nja, vi kan nok ikke udelukke, at det er en udefra. Man behøvede bare at holde Kenneth under observation et par dage for at opdage, at han er et vanemenneske. Hvad sagde Kenneth selv?" tilføjede han. "Havde han gjort sig nogen tanker om, hvem der kan stå bag alt det her?"

Gösta og Martin kiggede på hinanden igen, men denne gang tog Gösta ordet først:

"Han påstår, at han ikke har nogen anelse om det, men både Martin og jeg fik en fornemmelse af, at han lyver. Han ved noget, men af en eller anden grund holder han det tilbage. Han omtalte en 'hun'."

"Det siger du ikke?" Patrik fik en dyb rynke mellem øjenbrynene. "Jeg får samme indtryk, når jeg taler med Christian, at han skjuler noget, men hvad kan det være? De burde jo være overordentlig interesserede i at få det her opklaret, ikke mindst Christian, hvis familie også ser ud til at være i farezonen. Og Kenneth er jo overbevist om, at hans kone blev myrdet, selvom vi endnu ikke har kunnet konstatere, om det er tilfældet, så hvorfor samarbejder de ikke?"

"Sagde Christian heller ikke noget?" Gösta delte omhyggeligt en Ballerinakiks i to, slikkede nougatfyldet i sig, hvorpå han stak resten ned under bordet til Ernst, der lå på hans fødder.

"Nej, jeg fik intet ud af ham," sagde Patrik. "Han var chokeret, ingen tvivl om det, men han fastholder stædigt, at han ikke ved noget om hvem og hvorfor, og jeg har intet, der kan bevise det modsatte. Ud over en fornemmelse, ligesom I oplevede med Kenneth. Han insisterer på at blive boende, men Sanna og børnene har han gudskelov sendt ned til Sannas søster i Hamburgsund, hvor de forhåbentlig er i sikkerhed."

"Fandt teknikerne noget af interesse? Du fortalte dem vel om terpentinflasken og kluden med maling?" sagde Gösta.

"De gik i hvert fald grundigt til værks, og ja, de tog også de ting med, som du fandt i kælderen. Godt set, skulle jeg hilse og sige fra Torbjörn. Men der vil som altid gå et stykke tid, før vi har noget konkret. Jeg vil derimod ringe og rykke Pedersen. Jeg fik ikke fat på ham i morges, men forhåbentlig kan de omprioritere, så vi snart kan få resultaterne fra obduktionerne. I betragtning af, hvordan begivenhederne er eskaleret, har vi ingen tid at spilde."

"Sig til, hvis jeg skal ringe i stedet. Så der kommer lidt mere tyngde bag vores anmodning," sagde Mellberg.

"Tak, det bliver svært, men jeg skal gøre mit bedste."

"Godt, men husk endelig, at jeg er her og klar til at bakke dig op," sagde Mellberg.

"Og Paula, hvad sagde Christians kone?" spurgte Patrik sin kollega. Han havde ikke nået at spørge til Sanna. Telefonen havde kimet uafbrudt, da de havde fulgtes tilbage til stationen fra Fjällbacka.

"Jeg tror ikke, hun ved noget," svarede Paula. "Hun er fortvivlet og forvirret. Og bange. Hun mente heller ikke, at Christian vidste, hvem gerningsmanden kunne være, men hun tøvede en anelse, da hun sagde det, så jeg gætter på, at hun ikke er helt sikker. Det kunne være en god idé at tale med hende igen under mere udramatiske omstændigheder, og når det værste chok har lagt sig. Jeg optog for øvrigt vores samtale, så du kan jo høre den selv, hvis du har lyst. Båndet ligger på dit skrivebord. Måske kan du opfange noget, som jeg har overset."

"Tak," sagde Patrik igen, og denne gang mente han det. Paula var altid pålidelig, og det var skønt at have hende med i efterforskningen.

Han så ud over den lille gruppe. "Jamen det var vist alt for nu. Annika, du fortsætter som sagt med baggrundsmaterialet, og så kigger vi på det om et par timer. Selv har jeg tænkt mig at køre hen til Cia sammen med Paula. Vi nåede jo aldrig derhen, og et besøg virker endnu mere magtpåliggende nu efter morgenens begivenheder. Magnus' død hænger på en eller anden måde sammen med alt det her, det er jeg sikker på."

Erica tog ind på en café for at gennemgå brevene i fred og ro. Hun havde ingen skrupler over at åbne Christians post, hvis han virkelig havde været interesseret i at få brevene, ville han vel have sørget for at give Janos Kovács sin nye adresse eller fået postvæsnet til at eftersende dem.

Hun rystede en smule på hænderne, da hun sprættede det første brev op. Hun havde taget sine tynde skindhandsker på, som hun plejede at have liggende i bilen. Konvolutten drillede. Da hun lagde flere kræfter i, var hun lige ved at vælte sit store glas med latte ud over de andre breve. Hurtigt flyttede hun glasset og stillede det fra sig på sikker afstand.

Hun kunne ikke genkende håndskriften på konvolutten. Det var ikke den samme som på trusselsbrevene, hun ville gætte på, at det nærmere var en mands end en kvindes. Hun trak papiret op, foldede det ud og blev noget overrasket. Hun havde forventet et brev, men i stedet var det en barnetegning. Hun havde holdt papiret på hovedet, da hun foldede det ud, vendte det om og studerede motivet: to personer, to tændstikmænd. En stor og en lille.

Den store holdt den lille i hånden, og begge så glade ud. Der var blomster rundt om dem, og solen strålede oppe i højre hjørne. De stod på en grøn stribe, der måtte være græs. *Christian* stod der med skæve bogstaver oven over den store figur, og ved den lille: *mig*.

Erica greb glasset, drak en slurk og tørrede åndsfraværende mælkeskummet af overlæben med ærmet. Hvem var Mig?

Hun stillede glasset fra sig igen og tog resten af konvolutterne, som hun i rask tempo sprættede op. Til sidst sad hun med en lille stak tegninger foran sig, og så vidt hun kunne bedømme, var de lavet af samme person. Hvert billede viste to skikkelser: den store Christian og den lille Mig. Herudover varierede motiverne. På én tegning stod den store på noget, der lignede en strand, mens den lilles hoved og arme stak op af vandet. På en anden var der bygninger i baggrunden, blandt andet en kirke. På den sidste i bunken var der flere skikkelser, om end det var svært at se hvor mange. Tegningen virkede mere dyster end de andre. Der var ingen sol. Den store figur var blevet forvist til venstre hjørne og manglede den smilende mund. I det andet hjørne var der bare en masse sorte streger. Erica kneb øjnene sammen og prøvede at tyde, hvad det kunne være, men det var kluntet tegnet og umuligt at se, hvad det forestillede.

Hun kiggede på uret, mærkede, at hun længtes hjem. Der var et eller andet ved den sidste tegning, som fik det til at vende sig i maven på hende. Hun kunne ikke sætte fingeren på, hvad det var, men det berørte hende dybt.

Erica rejste sig med besvær og besluttede at springe besøget hos Göran over. Han ville sikkert blive skuffet, men de måtte tage revanche en anden dag.

Hele vej hjem til Fjällbacka sad hun hensunket i tanker, mens billederne flaksede forbi på nethinden. Den store Christian og den lille Mig. Hun fornemmede instinktivt, at Mig var nøglen til alt det her, og der var kun én, som kunne svare på, hvem denne person var. Hun ville tale med Christian i morgen, før hun foretog sig noget andet. Denne gang ville han blive nødt til at svare.

"Jamen hvilket sammentræf. Jeg skulle lige til at ringe til dig." Pedersen lød lige så tør og formel som altid, men Patrik vidste, at der gemte sig humor under overfladen. Han havde faktisk hørt ham lave sjov nogle gange, selvom det hørte til sjældenhederne.

"Jeg ville bare høre, om jeg kunne presse jer lidt. Vi venter spændt på nogle resultater. Hvad som helst, der kan hjælpe os videre."

"Tja, jeg ved ikke, om jeg kan være til den store hjælp, men jeg sørgede faktisk for at få fremskyndet jeres obduktioner. Vi blev færdige med Magnus Kjellner sent i går aftes, og jeg er lige blevet færdig med Lisbet Bengtsson."

Patrik så for sig, hvordan Pedersen sad og talte med ham iført en blodig kittel og med telefonrøret i en behandsket hånd.

"Hvad er I så nået frem til?"

"Først det indlysende: at Kjellner blev myrdet. Den konklusion kunne man jo drage allerede ved en umiddelbar besigtigelse af liget, men man kan aldrig vide. Jeg har haft flere tilfælde i årenes løb, hvor mennesker er døde af helt igennem naturlige årsager og har pådraget sig nogle fysiske skader post mortem."

"Men det er ikke tilfældet her?"

"Nej, afgjort ikke. Ofret har adskillige snitsår på brystkasse og mave, fra en skarp genstand, formodentlig en kniv. Det var uden tvivl det, der forårsagede hans død. Han blev overfaldet forfra, har klassiske skader på hænder og underarme, der viser, at han har gjort modstand."

"Kan du sige noget om, hvilken type kniv der er brugt?"

"Nja, det vil jeg nødig udtale mig om, men efter skaderne at dømme vil jeg gætte på en kniv med glat æg, og" – Pedersen gjorde en kunstpause – "jeg vil tro, der er tale om en form for fiskekniv."

"Hvordan kan du vide det?" spurgte Patrik. "Der må jo findes en million forskellige knivtyper."

"Ja, og i virkeligheden kan jeg heller ikke sige, at det er lige præcis en fiskekniv, men det er i hvert fald en kniv, der er blevet renset fisk med."

"Okay, hvordan ved du det?" Patrik var ved at gå til af utålmodighed, ville ønske, at Pedersen ikke havde sådan en forkærlighed for dramatiske effekter. Retsmedicineren havde jo allerede hans fulde opmærksomhed.

"Jeg fandt fiskeskæl," svarede Pedersen.

"Hvor? Hvordan kan de sidde der endnu, efter at liget har ligget så længe i vandet?" Patrik mærkede pulsen stige. Han var syg efter at høre noget, hvad som helst, der kunne give ham et fingerpeg om, hvordan de kom videre.

"De fleste er sikkert forsvundet i vandet, men jeg fandt nogle dybt nede i sårene, og jeg har sendt dem til analyse for om muligt at få dem artsbestemt. Jeg håber, I kan bruge det til noget."

"Ja, det kan vi sikkert," sagde Patrik, selvom oplysningen i princippet forekom meningsløs. Det var trods alt Fjällbacka, de talte om. Et sted, hvor fiskeskæl var noget ganske almindeligt.

"Ellers andet om Kjellner?"

"Ikke noget særligt." Pedersen lød en anelse skuffet over, at Patrik ikke udviste større begejstring over hans fund. "Han blev stukket ned og døde formodentlig næsten omgående. Han har mistet store mængder blod, så gerningsstedet må have lignet et slagtehus."

"Blev han smidt i vandet lige efter?"

"Det er umuligt at afgøre," svarede Pedersen. "Jeg kan kun sige, at han har ligget længe i vandet, og at liget efter al sandsynlighed blev skaffet af vejen med det samme. Det er dog mere en logisk konklusion end en videnskabelig kendsgerning, så den detalje er det op til jer at afklare. Jeg faxer obduktionserklæringen til jer."

"Og Lisbet? Hvad fandt du ud af om hende?"

"Hun døde en naturlig død."

"Er du sikker på det?"

"Jeg har foretaget en yderst grundig obduktion." Pedersen lød fornærmet.

"Du siger altså, at hun ikke blev myrdet?" skyndte Patrik sig at tilføje.

"Det er korrekt opfattet," svarede Pedersen, stadig lettere pikeret. "Sandt at sige er det lidt af et mirakel, at hun overhovedet levede så længe. Kræften havde bredt sig til stort set alle kroppens vitale organer. Lisbet Bengtsson var en meget syg kvinde, og hun sov simpelthen ind."

"Så Kenneth tog altså fejl," sagde Patrik til sig selv.

"Hvabehar?"

"Nå, det var ikke noget. Jeg tænkte bare højt. Og du skal have tak, fordi du fremskyndede sagsbehandlingen. Vi har brug for al den hjælp, vi kan få."

"Står det så skidt til?" spurgte Pedersen.

"Ja, det er lige nøjagtig så skidt, det står til."

Alice og han havde noget tilfælles: De elskede sommeren. Han fordi han havde skoleferie og slap for sine plageånder. Alice fordi hun kunne svømme i havet. Hun tilbragte hvert et ledigt minut i vandet, svømmede frem og tilbage og lavede kolbøtter. Alt det kejtede ved hendes krop og bevægelser, når hun var oppe på land, forsvandt i samme øjeblik, hun gled ned i vandet. Her bevægede hun sig ubesværet og smidigt omkring.

Mor kunne sidde og betragte hende i timevis. Klappe i hænderne ad hendes kunster i vandet og heppe på hende, når hun gjorde svømmeøvelser. Hun kaldte hende sin havfrue.

Men Alice var ikke særlig interesseret i mors begejstring. I stedet kiggede hun efter ham og råbte:

"Kig!" Hun kastede sig ud fra klippen og smilede, da hun dukkede op igen.

"Så du det? Så du, hvad jeg kunne?" Stemmen var ivrig, og hun så på ham med sit sultne blik. Han svarede aldrig. Kiggede bare hurtigt op fra sin plads fra håndklædet på klipperne. Han vidste ikke, hvad hun ville have af ham.

Mor plejede at svare i hans sted efter først at have kastet et irriteret og forundret blik på ham. Hun forstod det heller ikke. Hende, der viede al sin tid og kærlighed til Alice.

"Jeg så det godt, skat! Hvor er du dygtig!" råbte hun ud til Alice, men det var, som om Alice ikke hørte hende. I stedet kaldte hun på ham igen:

"Kig nu! Se, hvad jeg kan!" Og hun crawlede ud mod horisonten med koordinerede og rytmiske svømmetag.

Mor rejste sig nervøst: "Alice-skat, ikke længere ud." Skyggede for øjnene med hånden.

"Hun svømmer for langt ud. Hent hende!"

Han prøvede at gøre som Alice, lade som om han ikke hørte hende. Vendte langsomt en side i bogen og stirrede på ordene, på de sorte bogstaver mod den hvide baggrund. Derefter en brændende smerte i hovedbunden. Mor havde grebet fat i hans hår og trak til af alle kræfter. Han for op, og hun slap taget.

"Hent din søster. Få så lettet din fede røv og få hende til at svømme ind igen."

Et kort øjeblik mindedes han mors hånd om sin, da de badede sammen, hvordan hun havde sluppet taget, og han var blevet trukket ned under overfladen. Siden den dag havde han ikke kunnet lide at bade. Der var noget skræmmende ved vand. Ting under havoverfladen, han ikke kunne se, ikke stolede på.

Mor greb fat i dellen omkring hans mave og nev til.

"Hent hende. Nu. Ellers lader jeg dig blive her, når vi tager hjem." Hendes tonefald levnede ham ingen valgmuligheder. Han vidste, at det var hendes alvor. Hvis han ikke lystrede, ville hun efterlade ham ude på øen.

Med hamrende hjerte gik han ned til vandet, det krævede al hans viljestyrke at tage tilløb, skubbe fra med fødderne og springe i. Han turde ikke springe på hovedet ligesom Alice, faldt ned i det blå og grønne med benene først. Han fik vand i øjnene og blinkede for at kunne se igen. Mærkede panikken nærme sig, vejrtrækningen blive gispende og overfladisk. Han tissede. I det fjerne, på vej ind i solen, så han Alice. Han begyndte kejtet at svømme ud mod hende. Fornemmede mors tilstedeværelse bag sig, på klippen med hænderne i siden.

Han kunne ikke crawle, hans svømmetag var korte og hurtige, men han fortsatte udefter, hele tiden bevidst om dybet nedenunder. Solen sved i øjnene på ham, han kunne ikke længere se Alice. Han så kun det hvide, blændende lys, der fik øjnene til at løbe i vand. Han ville bare vende om, men det kunne han ikke. Han måtte nå ud til Alice og hente hende tilbage til mor. Mor elskede Alice, og han elskede mor. Han elskede hende på trods af alt.

Han mærkede noget om halsen. Noget, der holdt fast i ham og trak hans hoved ned under vandet. Panikken greb ham for alvor, han fægtede med armene, forsøgte at rive sig løs og komme op til overfladen igen. Så løsnedes grebet om halsen lige så pludseligt, som det var kommet, og han hev efter vejret, da han atter mærkede luften mod ansigtet.

"Dumrian, det er jo bare mig."

Alice trådte ubesværet vande, kiggede på ham med strålende øjne. Det

259

mørke hår, hun havde arvet fra mor, glinsede i solen, og saltvandet i øjenvipperne glitrede.

Han så øjnene for sig igen. Øjnene, der stirrede under vandoverfladen. Kroppen, slap og livløs på bunden af badekarret. Han virrede med hovedet, ville ikke se billederne.

"Mor siger, du skal komme ind igen," sagde han stakåndet. Han var ikke lige så god til at træde vande som Alice, hans store krop blev trukket ned under havoverfladen, som havde han vægtlodder fæstet til lemmerne.

"Du skal trække mig ind," sagde Alice på den særlige måde, som om der ikke rigtigt var plads til tungen i munden, når hun talte.

"Det kan jeg ikke. Hold nu op."

Hun lo og kastede med det våde hår.

"Jeg kommer kun med ind, hvis du trækker mig."

"Du er jo meget bedre til at svømme end mig, hvorfor skal jeg trække dig?" Men han vidste, at han havde tabt. Han gjorde tegn til hende om at lægge armene om halsen på ham igen, og nu hvor han vidste, hvad det var, at det var hende, var det ikke så slemt.

Han begyndte at svømme. Det gik trægt, men frem kom de. Han kunne mærke Alices stærke arme om sin hals. Hun havde svømmet så meget hele sommeren, at hun havde fået tydelige muskler på overarmene. Hun hægtede sig bag på ham, lod sig bugsere som en lille jolle med kinden hvilende på hans ryg.

"Jeg er din havfrue," sagde hun. "Ikke mors."

"MEN JEG VED jo ikke ..." Cia kiggede på et punkt bag Patriks skulder, pupillerne var store. Han gik ud fra, at hun havde fået noget beroligende, og at det var derfor, hun var så åndsfraværende.

"Jeg ved godt, at vi efterhånden har stillet disse spørgsmål masser af gange, men vi må prøve at finde sammenhængen mellem Magnus' død og det, der er sket i dag. Det er endnu vigtigere nu, hvor det er fastslået, at Magnus rent faktisk blev myrdet. Det kan være noget, du ikke har tænkt over før, en lille detalje, der kan få os på sporet." Paulas stemme var indtrængende.

Ludvig kom traskende ind i køkkenet og satte sig ved siden af Cia. Han havde sandsynligvis stået udenfor og lyttet.

"Vi vil godt hjælpe," sagde han alvorligt, udtrykket i hans øjne fik ham til at se betragteligt ældre ud end sine tretten år.

"Hvordan tager Sanna og børnene det?" spurgte Cia.

"De er selvfølgelig chokerede."

På turen til Fjällbacka havde Patrik og Paula diskuteret, om de trods alt burde forskåne Cia for at høre om den seneste udvikling. Hun havde næppe behov for flere dårlige nyheder lige nu, men på den anden side var de nødt til at fortælle hende det. Hun ville alligevel få det at vide fra venner og bekendte inden længe. Begivenhederne kunne måske også få hende til at komme i tanker om ting, hun havde glemt.

"Hvem kan dog finde på sådan noget? Og så mod børnene ..." sagde hun i et tonefald, der var både medfølende og klangløst. Medicinen sløvede, lagde en dæmper på såvel følelser som indtryk. Gjorde dem mindre smertelige.

"Det ved jeg ikke," sagde Patrik, og det føltes, som om ordene rungede i køkkenet.

"Og Kenneth …" Hun rystede på hovedet.

"Det er faktisk derfor, vi bliver ved med vores spørgsmål. En eller anden har set sig ond på Kenneth, Christian og Erik. Og efter al sandsynlighed også Magnus," sagde Paula.

"Men Magnus modtog jo ikke den slags breve som de andre."

"Nej, ikke så vidt vi ved, men vi tror ikke desto mindre, at hans død hænger sammen med truslerne mod de andre," sagde Paula.

"Hvad siger Erik og Kenneth? Ved de heller ikke, hvad det går ud på? Eller Christian? Nogen af dem burde da vide det," sagde Ludvig og lagde armen beskyttende om sin mor.

"Ja, det skulle man mene," svarede Patrik, "men de hævder, at de ikke ved noget."

"Hvordan skulle jeg så kunne …" Cias stemme døde hen.

"Er der sket noget særligt i den tid, I har kendt hinanden? Noget, du har hæftet dig ved? Bare et eller andet?" spurgte Patrik.

"Nej, der var ikke noget usædvanligt ved nogen af os, det har jeg jo sagt." Hun tog en dyb indånding. "Magnus, Kenneth og Erik har holdt sammen siden skoletiden, i begyndelsen var det bare de tre, der så hinanden. Jeg har aldrig syntes, at Magnus havde ret meget tilfælles med nogen af dem, men de holdt vel kontakten for gammelt venskabs skyld. Man møder jo ikke så mange nye mennesker her i Fjällbacka."

"Hvordan var deres indbyrdes forhold?" Paula lænede sig frem.

"Hvad mener du?"

"Tja, alle forhold har jo en slags indbygget dynamik, man indtager forskellige roller. Hvordan var deres indbyrdes forhold, før Christian kom ind i billedet?"

Cia tænkte efter og svarede så:

"Erik var altid lederen. Den, der bestemte. Kenneth var … skødehunden. Ja, det er måske ikke pænt sagt, men han har altid adlydt Eriks mindste vink. Jeg har altid set ham for mig som en lille hund, der vimser rundt om Erik og tigger om opmærksomhed."

"Hvordan havde Magnus det med det?" spurgte Patrik.

Cia tænkte efter igen. "Jeg ved, at han indimellem opfattede Erik som lidt af en bølle, og sommetider sagde han da også fra, når Erik gik over stregen. Til forskel fra Kenneth kunne Magnus tale Erik til fornuft."

"Var de aldrig uvenner?" fortsatte Patrik.

"Nja, de havde vel deres kontroverser af og til som alle, der har kendt hinanden i lang tid. Erik kan jo godt være lidt af en hidsigprop en gang imellem, men Magnus var altid så rolig. Jeg har aldrig oplevet ham fare op eller hæve stemmen. Ikke én eneste gang i alle de år, vi var sammen, og Ludvig er sin far op ad dage." Hun vendte sig om mod sønnen og strøg ham over kinden. Han sendte hende et lille smil, og bed sig i læben.

"Jeg har set far skændes engang. Med Kenneth."

"Hvornår?" spurgte Cia forbavset.

"Kan du huske den sommer, hvor far havde købt videokameraet, og jeg rendte rundt og filmede hele tiden?"

"Ja, gud fri mig vel. Du var en sand pest. Du gik sågar ind på badeværelset og filmede, mens Elin sad på toilettet. Jeg skal love for, at du fik læst og påskrevet." Hun fik lidt liv i øjnene og en smule farve i kinderne, da hun smilede.

Ludvig for op og havde nær væltet sin stol.

"Nu skal jeg vise jer noget!" Han var allerede på vej ud af køkkenet. "Gå ind og vent i stuen, så kommer jeg om lidt."

De hørte ham løbe op ad trappen til første sal, og Patrik og Paula fulgte hans opfordring. Lidt efter kom Cia også ind i stuen.

"Her er det." Ludvig var kommet ned igen med et bånd i den ene hånd og et videokamera i den anden.

Han tog en ledning frem og sluttede kameraet til fjernsynet. Patrik og Paula iagttog ham i tavshed.

"Hvad er det, du vil vise os?" spurgte Cia og tog plads i sofaen.

"Det får du at se," svarede Ludvig, satte båndet i og trykkede på play. Pludselig fyldte Magnus' ansigt hele skærmen. Bag dem snappede Cia efter vejret, Ludvig vendte sig ængsteligt om.

"Er det okay, mor? Ellers kan du gå ud i køkkenet så længe."

"Det er i orden," sagde hun, mens hun stirrede på tv'et med våde øjne.

Magnus pjattede, lavede ansigter og talte med den, der holdt kameraet.

"Jeg filmede hele den midsommeraften," sagde Ludvig stille. Patrik bemærkede, at også han havde fået blanke øjne. "Se, der kommer Erik og Louise," sagde han og pegede.

Erik trådte ud ad terrassedøren og vinkede til Magnus. Louise og Cia gav hinanden et knus, og Louise rakte værtinden en gave.

"Jeg skal lige spole frem. Det kommer længere henne," sagde Ludvig og trykkede på en knap, så midsommerfesten flimrede stadigt hurtigere forbi. Aftenen var faldet på, det var blevet mørkere.

"I troede, vi var gået i seng," sagde Ludvig, "men vi sneg os op, sad og lyttede til jer i smug. I var fulde og fjantede, og vi syntes, det var skideskægt."

"Ludvig!" sagde Cia flovt.

"Jamen I var jo *fulde*," indvendte hendes søn.

Stemmerne steg, og latteren rungede i sommernatten, og det lød, som om folk morede sig.

Cia begyndte at sige noget, men Ludvig holdt fingeren op til munden.

"Schh, nu kommer det snart."

Alle stirrede på skærmen, og bortset fra de festlige lyde på optagelsen var der helt stille i stuen. To personer rejste sig, tog deres tallerkener med og gik hen mod huset.

"Hvor gemte I jer?" spurgte Patrik.

"I legehuset. Det var det perfekte sted, jeg kunne filme fra vinduet." Han holdt fingeren op til munden igen. "Hør nu godt efter."

To stemmer, et stykke fra hinanden, begge lød ophidsede. Patrik kiggede spørgende på Ludvig.

"Far og Kenneth," forklarede Ludvig uden at fjerne blikket fra tv-skærmen. "De stak af for at ryge."

"Far røg da ikke dengang, gjorde han?" spurgte Cia og lænede sig frem for bedre at kunne se.

"Han festrøg en gang imellem. Lagde du ikke mærke til det?" Ludvig havde sat filmen på pause, mens de snakkede.

"Gjorde han det?" sagde Cia forbløffet. "Det anede jeg ikke."

"Han og Kenneth listede i hvert fald rundt om hjørnet for at ryge." Han pegede med fjernbetjeningen og trykkede filmen i gang igen.

De samme to stemmer, og man kunne kun lige akkurat høre, hvad de sagde.

"Tænker du nogensinde på det?" Det var Magnus.

"Hvad snakker du om?" snøvlede Kenneth.

"Du ved udmærket, hvad jeg mener."

"Jeg vil ikke snakke om det."

"Vi er jo nødt til at snakke om det før eller siden," sagde Magnus. Sårbarheden i hans stemme fik hårene til at rejse sig på Patriks arme.

"Hvem siger det? Gjort er gjort."

"Men vi er jo for fanden nødt til …" Resten af sætningen forsvandt i en utydelig mumlen.

Kenneth igen. Han lød irriteret, men der var også noget andet. Frygt.

"Tag dig nu sammen, Magnus! Det tjener ikke noget formål at tale mere om det. Tænk på Cia og børnene. Og på Lisbet."

"Jeg ved det, men hvad fanden skal jeg gøre? Sommetider kommer jeg til at tænke på det, og så føles det herinde …" Det var for mørkt til at se, hvor han pegede hen.

Derefter var det umuligt at opfatte mere af samtalen. De dæmpede stemmerne, mumlede et eller andet og vendte tilbage til selskabet. Ludvig trykkede på pauseknappen og frøs billedet af de to dunkle skikkelser med ryggen til kameraet.

"Så din far filmen?" spurgte Patrik.

"Nej, jeg beholdt den for mig selv. Normalt var det ham, der opbevarede båndene, men det her havde jeg jo optaget i smug, så jeg gemte det på mit værelse. Jeg har et par stykker mere i klædeskabet."

"Og du har heller ikke set det før?" Paula satte sig ved siden af Cia, der stirrede på fjernsynet med åben mund.

"Nej," svarede hun. "Nej."

"Ved du, hvad de snakker om?" spurgte Paula og lagde en hånd på Cias.

"Jeg … Nej." Hun blev ved med at stirre på Magnus' og Kenneths mørke rygge.

"Jeg har ingen anelse om det."

Patrik troede hende. Hvad det end var, Magnus havde talt om, så havde han skjult det godt for sin kone.

"Kenneth må jo vide det," sagde Ludvig. Han trykkede på stopknappen, tog båndet ud og lagde det tilbage i kassetten.

"Jeg vil godt låne det," sagde Patrik.

Ludvig tøvede et øjeblik, før han lagde båndet i Patriks fremstrakte hånd.

"I ødelægger det vel ikke?"

"Jeg lover at tage godt vare på det. Du skal nok få det tilbage i samme stand."

"Snakker I så med Kenneth?" spurgte Ludvig, og Patrik nikkede.

"Ja, vi vil tale med ham."

"Hvorfor har han ikke sagt noget allerede?" Cia lød desorienteret.

"Det samme spørger vi om." Paula klappede hende på hånden igen. "Og vi skal nok finde ud af det."

"Tak, Ludvig," sagde Patrik og holdt båndet i vejret. "Det her kan vise sig at være vigtigt."

"Det var så lidt. Jeg kom bare i tanker om det, fordi du spurgte, om de nogensinde havde været uvenner." Han rødmede helt op til hårrødderne.

"Skal vi smutte?" Patrik vendte sig om mod Paula. "Pas godt på din mor, og ring endelig, hvis der er noget," sagde Patrik lavmælt til Ludvig og gav ham sit visitkort.

Ludvig stod og kiggede efter dem, da de kørte. Så gik han ind og lukkede døren efter sig.

Tiden sneglede sig af sted på hospitalet. Fjernsynet var tændt og viste en amerikansk tv-serie. Sygeplejersken var kommet ind og havde spurgt, om hun skulle skifte kanal for ham, men han havde ikke orket at svare, så hun var gået igen.

Ensomheden var værre, end han nogensinde havde kunnet forestille sig. Savnet var så stort, at det eneste, han magtede, var at koncentrere sig om at trække vejret.

Og han vidste, at hun ville komme. Hun havde ventet længe, og nu var der ingen steder at flygte hen. Men han var ikke bange, han bød hende velkommen. Det ville frelse ham fra ensomheden og sorgen, der var ved at sønderrive ham. Han ville mødes med Lisbet, så han kunne forklare, hvad der var sket. Han håbede, hun ville forstå, at han var et andet menneske dengang, at hun havde forandret ham. Han kunne ikke udholde tanken om, at hun var

266

død med hans synder på nethinden. Dette mere end noget andet tyngede hans bryst og gjorde hvert et åndedrag til en pine.

En banken lød på døren, og Patrik Hedström, politimanden, trådte ind. Efter ham kom den lille, mørklødede kvindelige kollega.

"Hej, Kenneth, hvordan går det?" Betjenten så alvorlig ud, fandt to stole og trak dem hen til sengen.

Kenneth svarede ikke, fortsatte blot med at kigge på tv-skærmen, hvor nogle skuespillere overspillede deres roller mod en baggrund af dårligt opsatte kulisser. Patrik gentog sit spørgsmål, og omsider drejede Kenneth ansigtet om mod dem.

"Jeg har haft det bedre, tak." Hvad skulle han sige? Hvordan kunne han beskrive, hvordan han i virkeligheden havde det, hvordan det brændte og sved indvendig? Alle svar ville lyde som klicheer.

"Du har jo allerede hilst på vores kolleger, Gösta og Martin, tidligere i dag." Kenneth så, at Patrik kiggede på hans bandager, som om han prøvede at forestille sig, hvordan det måtte føles at få huden gennemboret af hundredvis af glasskår.

"Ja," svarede Kenneth ligeglad. Han havde ikke sagt noget da, og han ville ikke sige noget nu.

"Du sagde, at du ikke vidste, hvem der kunne stå bag det, som overgik dig i morges." Patrik kiggede på ham, og Kenneth mødte roligt hans blik.

"Det er rigtigt."

Betjenten rømmede sig. "Vi tror ikke, det er rigtigt."

Hvad havde de fundet ud af? Med ét blev Kenneth skrækslagen. De skulle ikke vide noget, de måtte ikke finde hende. Hun skulle afslutte det, hun havde sat i gang. Det var hans eneste redning. Hvis han betalte prisen for det, han havde gjort, ville han kunne forklare Lisbet det hele.

"Jeg ved ikke, hvad I snakker om." Han kiggede væk, men vidste, at frygten havde stået at læse i hans øjne, at begge betjentene reagerede på den. De opfattede det som svaghed, som en mulighed for at få ham til at gå til bekendelse, men der tog de fejl. Han havde alt at vinde og intet at tabe ved at tie. Et øjeblik tænkte han på Erik og Christian. Men han kunne ikke tage hensyn til dem. Det var kun Lisbet, der talte.

"Vi kommer lige henne fra Cia, hvor vi så en videooptagelse af en midsommerfest hjemme hos dem." Patrik så ud, som om han ventede på en reaktion, men Kenneth anede ikke, hvad manden fablede om. Det gamle liv med fester og venner føltes som noget meget fjernt.

"Magnus var temmelig beruset, og I to gik afsides for at ryge. Det virkede, som om I var omhyggelige med, at ingen kunne høre, hvad I sagde."

Han forstod stadig ikke, hvad Patrik hentydede til. Alting lå hen i en tågedis. Utydeligt og uden konturer.

"Magnus' søn Ludvig filmede jer, uden at I vidste det. Magnus var oprevet og ville tale med dig om noget, der var sket, men du blev irriteret og sagde, at gjort var gjort. At han skulle tænke på sin familie. Kan du ikke huske det?"

Jo, nu huskede han det. Mindet var stadig sløret, men nu huskede han, hvad han havde følt, da han så panikken i Magnus' øjne. Hvorfor det kom op lige præcis den aften, havde han aldrig fundet ud af, Magnus havde været opildnet af et behov for at tale ud, at gøre det godt igen, og det havde skræmt ham. Han havde tænkt på Lisbet, på hvad hun ville sige, hvordan hun ville kigge på ham. Til sidst var det lykkedes ham at berolige Magnus, så meget huskede han, men fra det øjeblik havde han ventet på, at noget ville få hans verden til at styrte i grus. Nu var det sket, om end ikke på den måde, han havde regnet med. Selv i de frygteligste scenarier, han havde fremmanet, havde Lisbet altid været i live og kunnet bebrejde ham hans handlinger. Der havde været en mulighed for at forklare sig. Sådan var det ikke nu, og det var nødvendigt, at retfærdigheden skete fyldest, hvis han skulle have en chance for at gøre det. Han kunne ikke lade dem ødelægge det.

Så han rystede på hovedet. Prøvede at se ud, som om han tænkte efter.

"Nej, det har jeg overhovedet ingen erindring om."

"Vi kan lade dig se båndet, hvis det kan hjælpe på hukommelsen," sagde Paula.

"Ja, lad mig endelig se det, men jeg kan ikke forestille mig, at det var noget vigtigt, for i så fald burde jeg jo kunne huske det. Det var sikkert bare fuldemandssnak. Sådan var Magnus af og til, når han drak. Teatralsk og sentimental. Bagateller blev pustet op til noget stort."

Han kunne se, at de ikke troede ham, men det var ligegyldigt. De kunne ikke læse hans tanker.

De blev hængende et stykke tid endnu, men det var let nok at afværge deres spørgsmål. Han ville ikke gøre arbejdet for dem, han måtte tænke på sig selv og Lisbet. Erik og Christian måtte klare sig, som de bedste kunne.

Før de gik, så Patrik venligt på ham.

"Vi kom også for at fortælle, at vi har modtaget Lisbets obduktionserklæring. Hun blev ikke myrdet. Hun døde af naturlige årsager."

Kenneth vendte ansigtet væk. Vidste, at de tog fejl.

Han var ved at falde i søvn, da de kørte fra Uddevalla. Et kort øjeblik faldt øjenlågene i, og han slingrede over i den modsatte kørebane.

"Hvad laver du?!" Paula greb fat i rattet og fik bilen på ret kurs.

Patrik snappede efter vejret.

"Hvor satan da. Jeg ved ikke, hvad der skete. Jeg er bare så træt."

Paula kiggede bekymret på ham. "Nu kører vi hjem til jer og sætter dig af, så holder du fri i morgen. Du ser ikke rask ud."

"Det går ikke. Jeg har en masse, jeg skal have kigget på." Han glippede med øjnene og prøvede at koncentrere sig om kørslen.

"Nu gør du, som jeg siger," sagde Paula bestemt. "Kør ind på den tankstation derovre, så bytter vi plads. Jeg kører dig hjem, og bagefter tager jeg hen på stationen og henter alt det materiale, du skal bruge, og kører tilbage til Fjällbacka med det. Jeg sørger også for at få videobåndet sendt til analyse, men så skal du også love at tage den med ro. Du har arbejdet for meget og har det sikkert også hårdt på hjemmefronten. Det var en barsk tid, da Johanna ventede Leo. Du må formentlig trække et ekstra tungt læs nu."

Patrik nikkede modstræbende og gjorde, som hun sagde. Han drejede ind på benzinstationen ved Hogstorp og steg ud af bilen. Han var simpelthen for udmattet til at protestere. Det var egentlig utænkeligt at tage en dag fri, ja, bare nogle timer, men kroppen sagde stop. Hvis han bare kunne hvile lidt ud, mens han gennemgik materialet i fred og ro, kunne han måske genvinde nogle af de kræfter, han skulle bruge for at køre efterforskningen videre.

Patrik lænede hovedet op ad ruden i passagersiden og faldt i søvn, næsten før Paula nåede ud på motorvejen igen. Da han åbnede øjnene, holdt bilen foran hans hjem, og han steg klatøjet ud.

"Gå nu ind og læg dig. Jeg er snart tilbage. Lad døren være ulåst, så jeg bare kan gå ind med papirerne," sagde Paula.

"Okay, og tak." Patrik havde ikke kræfter til at sige mere.

Han låste sig ind, kaldte på Erica.

Intet svar. Han havde ringet til hende om formiddagen uden at få fat på hende. Hun og Maja var måske taget hjem til Anna og var blevet hængende. For en sikkerheds skyld lagde han en besked til hende på kommoden i entreen, så hun ikke skulle blive forskrækket, hvis hun hørte lyde, når hun kom hjem. Derefter gik han tungt op ad og trappen og kravlede i seng. Han faldt i søvn i samme øjeblik, han lagde hovedet på puden, men søvnen var let og urolig.

Noget var ved at ændre sig. Hun kunne ikke påstå, at hun syntes om sit liv, som det havde set ud de seneste år, men det var i det mindste forudsigeligt. Kulden, ligegyldigheden, udvekslingen af sylespidse og velindstuderede replikker.

Nu mærkede hun, hvordan jorden rystede under fødderne på hende, hvordan sprækkerne blev større. Under deres sidste meningsudveksling havde der været en slags kompromisløshed i Eriks blik. Hans afsky var ikke noget nyt og var efterhånden holdt op med at gå hende på, men denne gang havde den været anderledes. Det skræmte hende mere, end hun nogensinde ville have troet, inderst inde havde hun nok altid forestillet sig, at de ville fortsætte deres dødedans med stadigt større elegance.

Han havde reageret besynderligt, da hun nævnte Cecilia. Normalt plejede han ikke at tage sig af, at hun talte om hans elskerinder, men vendte bare det døve øre til. Hvorfor var han blevet så rasende i morges? Var det et tegn på, at Cecilia betød noget for ham?

Louise skyllede det sidste i glasset ned. Hun var allerede begyndt at have svært ved at samle tankerne. Alting forsvandt i den behagelige omtågethed, i varmen, der bredte sig i kroppen. Hun skænkede mere vin op, kiggede ud ad vinduet, ud over isen, der omfavnede øerne, mens hånden nærmest af sig selv førte glasset op til munden.

Hun måtte finde ud af, hvad der foregik. Om jorden virkelig var ved at revne under fødderne eller ej. Én ting vidste hun i hvert fald: Hvis dansen skulle få en ende, skulle det ikke ske med en stille piruet. Hun havde tænkt sig at danse med trampen i gulvet og fægtende arme, indtil der kun var smuler tilbage af deres ægteskab. Hun ville ikke have ham, men det betød ikke, at hun ville slippe ham.

Det var ikke uden protester, at Maja fulgte med, da Erica hentede hende hos Anna. Det var alt for sjovt at lege med kusinerne til at tage hjem, men efter en del forhandlinger var det lykkedes Erica at få hende i overtøjet og ud i bilen. Hun syntes, det var lidt underligt, at Patrik ikke havde ladet høre fra sig igen, men hun havde på den anden side heller ikke selv ringet til ham. Hun havde endnu ikke fundet ud af, hvordan hun skulle forklare sin udflugt, men noget var hun nødt til at sige, for hun måtte aflevere tegningerne til Patrik omgående. Noget sagde hende, at de var vigtige, at politiet burde se dem. Først og fremmest måtte de tale med Christian om dem. Inderst inde havde hun mest lyst til at gøre det selv, men hun vidste, at turen til Göteborg var slem nok – hun kunne ikke gå bag om ryggen på Patrik én gang til.

Da hun kørte ind foran huset, så hun i bakspejlet, at en patruljevogn fulgte efter hende. Det var sikkert Patrik, men hvorfor kørte han ikke i sin egen bil? Hun løftede Maja op af autostolen, mens hun kiggede på patruljevognen, der kørte ind og parkerede ved siden af hende. Overrasket så hun, at det ikke var Patrik, men Paula, der sad bag rattet.

"Hej, hvor har du Patrik?" spurgte Erica og vraltede hen til hende.

"Han er hjemme," svarede Paula, idet hun steg ud af bilen. "Han var så træt, at jeg beordrede ham til at tage hjem og få hvilet ud. Jeg overskred mine beføjelser, men han adlød i det mindste." Hun lo, men latteren kunne ikke helt fortrænge bekymringen i hendes blik.

"Er der sket noget?" spurgte Erica og blev grebet af frygt. Så vidt hun vidste, var det aldrig sket, at Patrik bare sådan tog tidligere fri.

"Nej da, han har bare arbejdet for meget på det sidste, tror jeg. Han så noget udkørt ud, så det lykkedes mig at overbevise ham om, at han ikke var til nytte for nogen, hvis han ikke fik hvilet ud."

"Og det accepterede han? Bare sådan uden videre?"

"Nja, vi indgik et kompromis. Han gik med til det, mod at jeg til gengæld kørte hen og hentede sagsmapperne til ham. Jeg kom bare for at stille dem ind i entreen, men nu kan du jo tage dem." Hun rakte Erica en papirpose.

"Det lyder mere som Patrik," sagde Erica og følte sig straks mere rolig. Hvis han ikke kunne slippe arbejdet, var han i det mindste nogenlunde rask.

Hun takkede Paula og slæbte posen ind i entreen med Maja luntende i hælene. Erica smilede, da hun så sedlen, som Patrik havde lagt til hende på kommoden. Ja, hun ville sikkert have været ved at dø af skræk, hvis hun ikke vidste, at Patrik var hjemme, og pludselig hørte nogen rumstere oppe ovenpå.

Maja begyndte at skrige af arrigskab, fordi hun ikke kunne få skoene af, og Erica skyndte sig at tysse på hende.

"Schh, lille skat. Far ligger og sover ovenpå, vi må ikke vække ham."

Maja spærrede øjnene op og lagde fingeren på læberne. "Schh," sagde hun højt, mens hun kiggede op mod trappen. Erica hjalp hende af med skoene og overtøjet, hvorefter Maja løb ind til sit legetøj, der lå spredt ud over hele stuegulvet.

Erica flåede jakken af og trak ud i blusen for at få lidt luft. Efterhånden svedte hun konstant, og eftersom hun havde en dybt indgroet skræk for at lugte af sved, skiftede hun bluse to-tre gange om dagen og var storforbruger af deodoranter.

Hun skævede op til første sal og derfra til papirposen, som Paula var kommet med. Til første sal og tilbage til posen. Hun udkæmpede en indre kamp, skønt hun sandt at sige vidste på forhånd, hvad udfaldet ville blive. Sådan en fristelse kunne hun simpelthen ikke modstå.

En time senere havde hun gennemgået alle sagsmapperne i posen, men følte sig ikke en skid klogere, spørgsmålstegnene havde snarere hobet sig op. Mellem dokumenterne lå sedler med Patriks notater: Hvad er forbindelsen mellem de fire? Hvorfor døde Magnus først? Hvorfor var han oprevet den morgen? Hvorfor ringede han og sagde, han ville blive forsinket? Hvorfor begyndte Christian at modtage brevene så meget tidligere end de andre? Fik Magnus også breve? Hvis ikke – hvorfor? Side op og side ned med spørgsmål, og det ærgrede Erica, at hun ikke kendte svaret på ét eneste af dem.

Hun kunne snarere tilføje nogle flere: Hvorfor flyttede Christian uden at oplyse sin nye adresse? Hvem sendte tegningerne til ham? Hvem forestillede den lille skikkelse på tegningerne?

Erica tjekkede, at Maja stadig var travlt optaget af sit legetøj, før hun vendte tilbage til materialet. Det eneste, hun manglede nu, var et kassettebånd uden etiket. Hun rejste sig fra sofaen og hentede sin båndoptager. Til alt held kunne den afspille båndet, og hun skævede lidt nervøst op mod første sal, før hun forsigtigt trykkede på play. Hun skruede så meget ned for lyden som muligt og holdt båndoptageren op til øret.

Optagelsen var tyve minutter lang, og hun lyttede opmærksomt. Hovedparten af det, der blev sagt, fortalte hende ikke noget nyt, men en enkelt ting fik hende til at stivne, og hun spolede tilbage for at høre det igen.

Da hun havde hørt optagelsen til ende, tog hun forsigtigt båndet ud og lagde det tilbage i posen sammen med resten. Efter utallige interviews i arbejdet med bøgerne var hun blevet god til at opfange detaljer og nuancer i samtaler, og det, hun netop havde hørt, var vigtigt, det kunne der ikke herske tvivl om.

Hun måtte arbejde videre med det i morgen tidlig. Hun hørte Patrik begynde at røre på sig ovenpå, og hurtigere, end hun havde kunnet præstere i månedsvis, stillede hun posen ud i entreen, skyndte sig tilbage til sofaen og prøvede at se ud, som om hun var dybt optaget af Majas leg.

Mørket havde sænket sig over huset. Han havde ikke tændt lys, hvad skulle det gøre godt for. Ved vejs ende har man ikke brug for belysning.

Christian sad halvnøgen på gulvet og stirrede på væggen. Han havde malet hendes ord over med sort maling, som han havde fundet nede i kælderen. Tre gange havde han overmalet det røde, overmalet hendes dom over ham. Alligevel syntes han, at han kunne se teksten lige så tydeligt som før.

Malingen havde smittet af på hænder og krop. Sort som tjære. Han kiggede på sin højre hånd. Klistret. Han tørrede den af på brystet, men det sorte blev bare tværet mere ud.

Hun ventede på ham nu. Han havde vidst det hele tiden, men alligevel havde han udskudt det, narret sig selv og næsten trukket børnene med i faldet. Budskabet var tydeligt. *Du fortjener dem ikke.*

Han så barnet på armen. Og den kvinde, han havde elsket. Med ét ønskede han, at han kunne have elsket Sanna. Han havde aldrig ønsket at såre hende, og dog havde han bedraget hende. Ikke med andre kvinder, men på den værst tænkelige måde. Han vidste, at Sanna elskede ham, og han havde altid givet hende lige præcis så meget, at hun bevarede håbet om, at han også ville komme til at elske hende. Skønt det var en umulighed. Han havde ikke længere den evne. Den forsvandt med den blå kjole.

Det var noget andet med drengene. De var hans kød og blod og grunden til, at han måtte lade hende tage ham med. Det var deres eneste redning, og det burde han have forstået, før det udartede sig, i stedet for at bilde sig selv ind, at det kun var en ond drøm, at han var i sikkerhed. De var i sikkerhed.

Det havde været en fejltagelse at vende tilbage, at prøve igen, men det havde været sådan en uimodståelig fristelse at tage tilbage hertil og blotte sig. Han forstod det ikke selv, men fristelsen havde været der fra det øjeblik, muligheden viste sig, og han havde troet, han ville få en ny chance. En chance for at få en familie igen. Hvis han blot holdt dem på afstand og valgte nogen, han ikke ville knytte sig til. Der havde han taget fejl.

Ordene på væggen var sandheden. Han elskede drengene, men han fortjente dem ikke. Han havde heller ikke gjort sig fortjent til det andet barn, ikke gjort sig fortjent til hende, hvis læber smagte af jordbær. De havde måttet betale prisen, men denne gang ville han sikre sig, at det blev ham, der betalte.

Christian rejste sig langsomt, så sig omkring i værelset. En laset bamse i hjørnet. Nils havde fået den, da han blev født, og havde elsket den så inderligt, at der ikke var meget pels tilbage. Melkers actionfigurer blev omhyggeligt forvaret i en kasse. Han vogtede ømt over dem, og der vankede bank, hvis lillebroderen rørte dem. Christian mærkede sin beslutsomhed vakle, tvivlen begynde at indfinde sig, og det stod klart for ham, at han måtte se at komme af sted. Han var nødt til at møde hende, før modet svigtede ham.

Han gik ind i soveværelset for at tage tøj på. Det var ligegyldigt hvad, det var ikke længere vigtigt. Han gik ned ad trappen, tog jakken fra bøjlen og så sig om i huset en sidste gang. Mørkt og stille. Han gjorde sig ikke den ulejlighed at låse.

Han tilbagelagde den korte strækning med sænket blik. Ville ikke se på nogen, ikke tale med nogen. Han måtte koncentrere sig om det, han skulle gøre, om den, han skulle møde. Håndfladerne var begyndt at klø igen, men det faldt ham let at ignorere det. Det var, som om hjernen havde afbrudt enhver kommunikation med kroppen. Den var overflødig nu. Det eneste af betydning var det, der befandt sig inde i hovedet, billederne og minderne. Han levede ikke længere i nuet, så kun det, der havde været engang, som en film, der langsomt blev afspillet, mens sneen knitrede under hans fødder.

Der blæste en let vind, da han begav sig ud på gangbroen til Badholmen. At han frøs, vidste han kun, fordi han rystede, for han mærkede ikke kulden. Stedet lå øde hen. Der var mørkt og stille og ingen mennesker inden for synsvidde, men han fornemmede hendes tilstedeværelse, sådan som han altid havde gjort. Gælden skulle indfris her, der var ikke noget andet sted. Han havde set hende i vandet fra udspringstårnet, set hende række armene ud efter ham. Nu kom han.

Da han passerede træbygningen ved indgangen til badepladsen, begyndte filmen i hovedet at køre hurtigere. Billederne skar som knive gennem maven, smerten var intens og skarp. Han tvang sig til at se forbi den, se fremad.

Han satte foden på tårnets første trappetrin, træet gav efter under støvlerne. Han trak vejret lettere, der var ingen vej tilbage. Kiggede opad, mens han tog trappen. Sneen gjorde trinnene glatte, han holdt fast i gelænderet, mens han stirrede op mod toppen, mod den sorte himmel. Ingen stjerner. Han fortjente ingen stjerner. Halvvejs oppe mærkede han, at hun fulgte efter ham. Han vendte sig ikke om for at kigge, hørte hendes skridt bag sig. Samme rytme, samme knirken i træet. Hun var her nu.

Oppe på øverste afsats stak han hånden i lommen og tog det reb op, han havde med. Rebet, der skulle bære vægten og indfri gælden. Hun ventede på trappen, mens han gjorde rebet klar. Viklede det rundt om rækværket og bandt det fast. Et øjeblik blev han usikker. Tårnet var gammelt og vakkelvornt, træværket mørnet af vind og vejr. Tænk, hvis det ikke holdt? Men hendes tilstedeværelse beroligede ham. Hun ville ikke tillade, at det mislykkedes. Ikke når hun havde ventet så længe og næret sit had i så mange år.

Da han var færdig, stillede han sig med ryggen til trappen og blikket rettet mod Fjällbackas silhuet. Først da han mærkede, at hun stod lige bag ham, vendte han sig om.

Der var ingen glæde i hendes øjne, kun visheden om, at han omsider, efter alt det, der var sket, var rede til at sone sin skyld. Hun var nøjagtig lige så smuk, som han huskede hende. Håret var vådt, det overraskede ham, at der ikke lagde sig iskrystaller i det i kulden. Intet ved hende var, som man forventede. Intet ved en havfrue kunne være, som man forventede.

Det sidste, han så, før han tog et skridt ud i havet, var en blå kjole, der flagrede i vinden.

"Hvordan har du det?" spurgte Erica, da Patrik kom ned ad trappen, bleg med uglet hår.

"Jeg er bare lidt træt," svarede Patrik..

"Er du sikker? Du ser ikke rask ud."

"Mange tak. Det samme sagde Paula. Gider I tøser ikke holde op med at fortælle mig, at jeg ser herrens ud? Det er ikke specielt smigrende." Han smilede, men så stadig ikke helt vågen ud. Han bøjede sig ned og greb Maja, der kom løbende.

"Hej, skattepige. Du synes da, at farmand ser rask ud, ikke? At farmand er den flotteste i hele verden?" Han prikkede hende i maven, så hun spruttede af grin.

"Mmm," sagde hun og nikkede gammelklogt.

"Gudskelov, endelig én med god smag." Han vendte sig om mod Erica og kyssede hende på munden. Maja tog fat om hans ansigt og spidsede sine små læber som tegn på, at hun også ville kysses.

"Sæt dig og hyg dig med hende, så laver jeg noget te og smører nogle madder," sagde Erica og gik ud i køkkenet. "Paula har for resten været forbi med en pose til dig," råbte hun og prøvede at lyde så henkastet som muligt. "Den står ude i entreen."

"Tak!" råbte Patrik tilbage, hvorpå hun hørte ham rejse sig og komme ud til hende.

"Skal du arbejde i aften?" spurgte hun, skævede til ham, mens hun hældte kogende vand i to krus med teposer.

"Nej, jeg tror, jeg slapper af i aften og hygger mig med min kære hustru, går tidligt i seng og bliver hjemme i morgen formiddag og gennemgår det hele i fred og ro. Indimellem er der lige lovlig hektisk henne på stationen."

Han sukkede, stillede sig bag Erica og lagde armene om hende.

"Jeg kan ikke engang nå rundt om dig mere," mumlede han og borede ansigtet ned i hendes nakke.

"Det føles også, som om jeg er ved at revne."

"Er du nervøs?"

"Jeg ville lyve, hvis jeg påstod andet."

"Vi hjælpes ad," sagde han, knugede hende tættere ind til sig.

"Det ved jeg godt, og Anna siger det samme. Jeg tror, det går bedre denne gang, hvor jeg jo ved, hvad det handler om, men til gengæld er der to på én gang."

"Dobbelt lykke," sagde Patrik smilende.

"Og dobbelt arbejde," sagde Erica og vendte sig om for at omfavne ham forfra – hvad der var lettere sagt end gjort.

Erica lukkede øjnene med kinden mod Patriks. Hun havde spekuleret på, hvilket tidspunkt der var bedst til at fortælle om sin ekskursion til Göteborg, og var nået frem til, at hun burde gøre det allerede i aften. Men Patrik så træt ud, og han ville jo blive hjemme og arbejde i morgen formiddag, hun kunne vente indtil da. Desuden ville hun også kunne nå at tjekke de sidste ting. Ja, sådan måtte det blive. Hvis det lykkedes hende at finde noget, der kunne bruges i efterforskningen, ville Patrik sikkert blive mindre sur over, at hun havde blandet sig.

I grunden led han ikke så meget under ikke at have nogen venner. Han havde bøgerne. Men jo ældre han blev, des mere savnede han det, han kunne se, alle andre havde. Fællesskabet, samhørigheden, at være en af flokken. Han var altid alene. Den eneste, der ville være sammen med ham, var Alice.

Sommetider kunne de finde på at jagte ham hele vejen hjem fra skolebussen. Erik, Kenneth og Magnus. De hylede af grin, mens de løb efter ham, langsommere, end de i virkeligheden kunne. Det eneste formål var at få ham til at løbe.

"Så skynd dig dog, dit fede dyr!"

Og han løb og foragtede sig selv, fordi han gjorde det. Håbede på et mirakel, at de bare ville holde op en dag og se ham, opdage, at han var nogen. Men han vidste, det ikke var andet end en drøm. Ingen så ham. Alice talte han ikke med, hun var spasser. Det kaldte drengene hende. Han plejede at smage på ordet, når han så hende. Spaaasser ...

Alice stod tit og ventede, når han kom med bussen, og han hadede det. Hun så normal ud, når hun stod i busskuret med det lange, mørke hår samlet i en hestehale. Glade, blå øjne spejdede ivrigt efter ham, når eleverne fra realskolen i Tanumshede stod af. Nogle gange kunne han næsten føle sig lidt stolt, når bussen holdt ind ved stoppestedet, og han så hende fra vinduet. Den langbenede, mørkhårede skønhed var hans søster.

Men så indtraf altid det øjeblik, hvor han stod af, og hun fik øje på ham. Hun begav sig hen mod ham med sine kejtede bevægelser, som om nogen på må og få trak i nogle usynlige tråde fæstet til hendes arme og ben. Så råbte hun snøvlende hans navn, og drengene skreg af grin. "Spaaasser!"

Alice opfattede ingenting, det var næsten det, der gjorde ham mest flov. Hun smilede bare lykkeligt, sommetider vinkede hun til dem, hvad der fik ham til at løbe sin vej, selvom ingen jagtede ham. Flygte fra Eriks brølen, der rungede gennem byen. Men han kunne aldrig løbe fra Alice. Hun troede altid, at de legede, og indhentede ham hurtigt. Nogle gange kastede hun sig leende om halsen på ham med en sådan voldsomhed, at han var ved at falde.

I de øjeblikke hadede han hende næsten lige så indædt, som dengang hun skreg og tog mor fra ham. Han havde lyst til at slå hende i ansigtet, så hun holdt op med at gøre ham til grin. Han ville aldrig blive en af flokken, så længe Alice stod ved stoppestedet og ventede på ham, råbte hans navn og kastede sig om halsen på ham.

Han ville så fortvivlet gerne være nogen. Ikke kun for Alice.

DA HUN VÅGNEDE, sov Patrik tungt. Klokken var halv otte, og selv Maja sov endnu, selvom hun som regel allerede vågnede før syv. Erica følte sig rastløs. Hun var vågnet flere gange i løbet af natten, kunne næsten ikke vente til det blev morgen, og hun kunne gå i gang.

Hun stod lydløst op, tog tøj på og gik ned i køkkenet. Satte kaffe over og tog plads ved computeren. Efter den første, vitale koffeinindsprøjtning kiggede hun utålmodigt på uret. Det var jo ikke utænkeligt, at de allerede var stået op. Med småbørn i huset var det oven i købet sandsynligt.

Hun lagde en besked til Patrik, i svævende vendinger fortalte hun, at hun var ude i et ærinde. Han ville nok undre sig lidt, men hun havde jo tænkt sig at forklare det hele, når hun kom tilbage.

Ti minutter senere kørte hun ind i Hamburgsund. Hun havde fundet adressen på Sannas søster på nettet. Det var et stort, gråpudset hus. Hun holdt vejret, da hun kørte ind i indkørslen gennem den snævre åbning mellem to portstolper af sten. Hun ville få sin sag for, når hun skulle bakke ud senere, men den tid, den sorg.

Erica hørte lyde indenfor og åndede lettet op: De var vågne. Hun ringede på, og lidt efter lød skridt på vej ned ad en trappe, og en kvinde, der måtte være Sannas søster, åbnede døren.

"Hej," sagde Erica og præsenterede sig. "Er Sanna stået op? Jeg vil godt veksle et par ord med hende."

Sannas søster så nysgerrig ud, men kom ikke med spørgsmål.

"Ja da, Sanna og uhyrerne er vågne. Kom indenfor."

Erica trådte ind i entreen og hængte jakken fra sig. Hun fulgte efter søsteren op ad en stejl trappe, gik hen ad en gang og drejede til venstre ind i et stort, åbent rum, der gjorde det ud for både køkken, spisestue og dagligstue.

Sanna og drengene sad og spiste morgenmad sammen med nogen, der måtte være børnenes fætter og kusine, de så ud til at være nogle år ældre end Sannas sønner.

"Undskyld, jeg forstyrrer midt i morgenmaden," sagde Erica. "Der er noget, jeg godt vil tale med dig om."

Først gjorde Sanna ikke mine til at rejse sig. Hun blev siddende med skeen hængende i luften og så ud til at overveje det nøje, lagde så skeen fra sig og kom på benene.

"I kan sidde nede i havestuen, hvor I kan være i fred," sagde Sannas søster.

Erica fulgte efter hende ned ad trappen, gennem endnu nogle værelser i stueetagen og ud i en havestue med udsigt til en sneklædt græsplæne og Hamburgsunds lille bymidte.

"Hvordan går det?" spurgte Erica, da de havde sat sig.

"Nogenlunde, vil jeg tro." Sanna så bleg og hærget ud, som om hun ikke havde fået mange minutters søvn. "Drengene spørger hele tiden efter deres far, og jeg ved ikke, hvad jeg skal svare. Jeg ved heller ikke, om jeg skal prøve at få dem til at snakke om det, der er sket, eller om det er uklogt. Jeg har tænkt mig at ringe til Børne- og Ungdomsrådgivningen i dag og bede om hjælp."

"Det lyder som en god idé," sagde Erica, "børn er stærke og kan klare mere, end man tror."

"Ja, det er nok rigtigt." Sanna stirrede ud i luften med et tomt blik. Så vendte hun sig om mod Erica:

"Hvad var det, du ville tale om?"

Som så mange gange før vidste Erica ikke, hvordan hun skulle komme i gang. Hun var ikke sendt ud på en opgave, havde ingen ret til at stille spørgsmål. Det eneste, hun havde, var sin nysgerrighed. Og sin gode vilje. Hun grublede lidt. Så bøjede hun sig frem og tog tegningerne op af håndtasken.

Han stod op med hønsene. Det var noget, han var overmåde stolt af og benyttede enhver anledning til at bryste sig af. "Sove kan man gøre, når man kommer på plejehjem," sagde han selvtilfreds og tilføjede, at han stod op senest seks. Sommetider drillede hans svigerdatter ham, fordi han allerede gik i seng klokken ni hver aften. "Bliver de ikke lagt i seng tidligt på plejehjemmet?" kunne hun sige med et smil, men den slags bemærkninger var under hans værdighed, han ignorerede dem. Han var jo i gang hele dagen.

Efter en solid portion havregrød satte han sig i yndlingslænestolen og læste avisen grundigt igennem, mens det langsomt lysnede uden for vinduet. Når han var færdig, var det som oftest lyst nok til, at han kunne foretage sin sædvanlige morgeninspektion, som var blevet en fast rutine med årene.

Han rejste sig, hentede kikkerten, der hang på et søm, og satte sig til rette foran vinduet. Huset lå på bakkeskråningen oven for bådehusene med kirken i ryggen, han havde en perfekt udsigt over hele Fjällbackas havneindløb. Han førte kikkerten op til øjnene og indledte sin besigtigelse fra venstre mod højre. Først naboen. Jo da, de var også oppe. Der var efterhånden ikke mange, som boede her om vinteren, men han var så heldig at være nabo til en af de få fastboende. En ekstra bonus var, at nabokonen havde for vane at gå halvnøgen rundt om morgenen. Hun var omkring de halvtreds, men så fandens godt ud, noterede han sig og lod kikkerten vandre videre.

Tomme huse, lutter tomme huse. Nogle var helt mørklagte, andre havde installeret tænd-og-sluk-indretninger, så en lampe lyste hist og her. Han sukkede, som han altid gjorde. Det var den rene elendighed, sådan som tingene havde udviklet sig. Han huskede stadig, dengang alle husene var beboet, og der var liv og røre året rundt. Nu havde sommergæsterne snart overtaget rub og stub, nedlod sig kun til at tilbringe tre måneder om året på stedet. Herefter vendte de hjem til storbyerne med en klædelig solbrændthed, de kunne vigte sig af til fester og middagsselskaber langt hen på efteråret: "Ja, vi tilbragte jo hele sommeren i huset i Fjällbacka. Tænk, hvis man kunne bo der hele året; sikke en fred, hvilken ro. Der kan man virkelig stresse af." Selvfølgelig mente de ikke et ord af det. De ville ikke overleve ét døgn herude om vinteren, når alting var lukket ned og mennesketomt, og man ikke kunne ligge og lade sig stege på klipperne.

Kikkerten bevægede sig hen over Ingrid Bergmans Torg, der lå øde hen. Han havde hørt, at turistforeningen havde opsat et kamera, så folk kunne gå ind på deres hjemmeside og til hver en tid se, hvad der foregik i Fjällbacka.

Man måtte godt nok kede sig, hvis man gad bruge tid på det, der var sgu ikke meget at glo på.

Han rettede kikkerten længere ud, lod den glide hen over Södra Hamngatan, forbi isenkræmmeren og videre mod Brandparken. Lod den hvile et øjeblik på Kystvagtens båd og beundrede den, som han plejede. Hvor var den dog smuk! Han havde elsket skibe hele livet, og MinLouis var en fryd for øjet, når hun lå til kaj. Han fulgte vejen ud mod Badholmen, som altid vældede ungdomsminderne frem, når han så træbygningen med de adskilte båse, hvor man klædte sig om, herrer og damer for sig. Han og de andre drenge havde altid prøvet at finde måder, hvorpå de kunne kigge ind til damerne, selvom de sjældent havde det store held med det.

Han kunne se klipperne og trampolinen, som børnene brugte flittigt om sommeren. Derefter tårnet, efterhånden godt ramponeret. Han håbede, de ville renovere det og ikke fandt på at rive det ned. Det hørte til Fjällbacka.

Kikkerten gled forbi tårnet og videre hen over vandet mod Valön. Det gibbede i ham, han flyttede den tilbage igen. Hvad i alverden? Han skruede på skarphedsindstillingen og kneb øjnene sammen. Hvis han ikke tog fejl, hang der noget ned fra tårnet. Noget mørkt, der duvede lidt i vinden. Han kneb øjnene sammen igen. Kunne nogle unge labaner have været på spil og hængt en dukke eller sådan noget op? Han kunne ikke rigtigt se, hvad det var.

Nysgerrigheden overtog kommandoen, han trak i overtøjet og stak fødderne i skoene, som han havde forsynet med snepigge, og gik ud. Han havde glemt at gruse på trappen, klamrede sig til gelænderet for ikke at ryge på rumpen. Nede på vejen gik det bedre. Han gik så rask til, han turde, i retning af Badholmen.

Der var ikke et øje at se, da han gik hen over Ingrid Bergmans Torg, og han overvejede, om han skulle tilkalde hjælp, hvis der kom en bil, men besluttede at lade være. Der var ingen grund til at vække opstandelse, hvis det alligevel viste sig ikke at være noget.

Da han nærmede sig, satte han farten yderligere op. Han tilstræbte at tage en længere spadseretur i hvert fald et par gange om ugen, han var stadig i rimeligt god form. Ikke desto mindre var han godt forpustet, da han nåede frem til bygningen på Badholmen.

Han standsede op et øjeblik for at få vejret. I det mindste bildte han sig ind, at det var derfor. Sandheden var, at han havde haft en uhyggelig forudanelse, lige siden han så den mørke silhuet i kikkerten. Han tøvede, tog en dyb indånding og trådte ind ad porten til badepladsen. Han kunne ikke få sig selv til at kigge op på udspringstårnet endnu. I stedet stirrede han på sine fødder, flyttede dem forsigtigt hen over klippen for ikke at risikere at falde. Et par meter før tårnet, løftede han blikket, lod det glide langsomt opad.

Patrik satte sig søvndrukkent op. Et eller andet summede. Han så sig omkring, kunne først ikke orientere sig eller identificere, hvad det var for en lyd, men til sidst vågnede han så meget, at han kunne række ud efter mobilen. Han havde sat den på lydløs, men vibratoren var tændt, displayet lyste i halvmørket og telefonen hoppede hidsigt på natbordet.

"Ja?"

Han blev øjeblikkelig lysvågen og begyndte at tage tøj på, mens han lyttede og stillede opklarende spørgsmål. Få minutter senere var han fuldt påklædt, og på vej ud ad døren. Tøvede da han fik øje på Ericas besked og kom i tanker om, at hun ganske rigtigt ikke havde ligget ved siden af ham i sengen. Han bandede, løb ovenpå igen og ind på Majas værelse, hvor han fandt hende siddende fredeligt og lege på gulvet. Hvad fanden skulle han nu gøre? Han kunne jo ikke lade hende være alene hjemme. Irriteret ringede han til Ericas mobil, men efter en utallige ubesvarede opkald blev den koblet til telefonsvareren. Hvor kunne hun være på denne tid af morgenen?

Han tastede nummeret til Anna og Dan. Anna tog den, han sukkede lettet og satte hende hurtigt ind i situationen, hvorefter han stod og trippede utålmodigt i de ti minutter, det tog Anna at kaste sig ind i bilen og komme derhen.

"Det var da utroligt, som I farer omkring for tiden. I går var det Erica, der pludselig skulle til Göteborg, og i dag er det dig, der lyder, som om der er ild i huset," sagde Anna leende, da hun smuttede forbi ham ind i entreen.

Han takkede hende i al hast, løb ud til bilen, det var først, da han havde sat sig bag rattet, at Annas bemærkning trængte ind. Göteborg? I går? Han fattede ikke en lyd. Og han havde andet at tænke på nu.

Politiopbudet var stort, da han nåede hen til Badholmen. Han parkerede bilen foran Kystvagten og skyndte sig ud til øen, hvor Torbjörn Ruud og hans teknikere allerede var mødt op.

"Hvornår modtog I opkaldet?" spurgte Patrik Gösta. Torbjörn og hans folk kom helt fra Uddevalla og burde ikke være nået frem før ham, og det samme gjaldt Gösta og Martin, der skulle køre fra Tanumshede. Hvorfor var han ikke blevet tilkaldt noget før?

"Annika har ringet flere gange – åbenbart også i går aftes – men du tog ikke telefonen."

Patrik flåede mobilen op af lommen for at dokumentere, at det ikke kunne passe, men da han kiggede på displayet, viste det flere ubesvarede opkald. "Ved du, hvad hun ville i går?" spurgte Patrik, forbandede sig selv, fordi han havde besluttet at sætte telefonen på lydløs og slappe af. Selvfølgelig skulle der ske noget, når han for første gang i umindelige tider tillod sig ikke at tænke på arbejdet.

"Aner det ikke, men her til morgen handlede det om det her." Gösta pegede på udspringstårnet. Det gav et sæt i Patrik. Der var noget teatralsk ved synet af manden, der svajede i vinden med løkken om halsen.

"Lort!" sagde han, og mente det. Han tænkte på Sanna og børnene, på Erica. "Hvem fandt ham?" Patrik prøvede at træde ind i sin professionelle rolle, gemme sig bag arbejdet, der skulle udføres, og skubbe tanken om alle konsekvenserne langt tilbage i hovedet. Lige her og nu måtte Christian ikke være en, der havde kone og børn, venner og et liv. Lige nu skulle han bare være et offer og en gåde, der skulle løses. Det eneste, Patrik kunne tillade sig, var at konstatere, at der var foregået et eller andet, at det var hans opgave at finde ud af hvad.

"Den ældre mand derovre. Sven-Olov Rönn. Han bor henne i det hvide hus." Gösta pegede på en af villaerne på bakkeskråningen oven for rækken af bådehuse. "Han har tydeligvis for vane at sondere terrænet med sin kikkert hver morgen, og så fik han øje på noget, der hang ned fra udspringstårnet. Først troede han, det var drengestreger, men da han fik stavret sig herhen, så han, at det var grumme alvor."

"Hvordan tager han det?"

"Han er selvsagt noget rystet, men ser ud til at være gjort af et sejt stof."

"Sørg for, at han ikke smutter, før jeg har fået talt med ham," sagde Patrik og gik hen til Torbjörn, der var i gang med at få opsat afspærringer rundt om tårnet.

"Jeg må ellers sige, at I holder os beskæftiget," sagde Torbjörn.

"Tro mig, vi ville foretrække lidt fred og ro." Patrik stålsatte sig og kiggede endnu en gang op på Christian. Øjnene var åbne, hovedet var faldet en smule forover, da nakken brækkede. Det så ud, som om han stirrede ned i vandet.

Patrik gyste.

"Hvor længe behøver han blive hængende?"

"Ikke længe endnu. Når vi har taget billeder, skærer vi ham ned."

"Og transporten?"

"Er på vej," lød det kort fra Torbjörn, der så ud til at være ivrig efter at komme i gang.

"Jamen så klø I på," sagde Patrik og forlod Torbjörn, der straks begyndte at udstede ordrer til sine folk.

Patrik gik hen til Gösta og den ældre mand, der så ud, der så ud til at fryse.

"Patrik Hedström, Tanum-politiet," sagde han og gav hånd.

"Sven-Olov Rönn," sagde manden og gjorde omtrent honnør.

"Hvordan har du det?" spurgte Patrik og studerede mandens ansigt for tegn på chok. Sven-Olov Rönn var vitterlig noget blegnæbbet, men virkede ellers rimeligt fattet.

"Ja, det var jo ikke just muntert, det her," sagde han stille, "men hvis jeg bare får en til hjertet, når jeg kommer hjem, så går det såmænd nok."

"Du vil ikke tale med en læge?" spurgte Patrik. Manden kiggede forfærdet på ham. Han tilhørte åbenbart gruppen af gamle mænd, der hellere selv ville amputere en arm end gå til lægen.

"Nej, nej," sagde han. "Det behøves skam ikke."

"Fint nok," sagde Patrik. "Jeg ved, at du allerede har talt med min kollega her" – han gjorde et kast med hovedet i retning af Gösta – "kan du også fortælle mig, hvordan det gik til, at du opdagede … manden i tårnet?"

"Jo, ser du, jeg står altid op med hønsene," begyndte Sven-Olov Rönn og kørte videre med samme historie, som Gösta allerede havde refereret for Patrik, om end med flere detaljer. Efter at have stillet nogle opklarende spørgsmål besluttede Patrik at sende Rönn hjem i varmen.

"Nå, Gösta, hvad har vi så her?" sagde han tankefuldt.

"Først må vi få klargjort, om han døde for egen hånd, eller om det er samme ..." Han afsluttede ikke sætningen, men Patrik vidste, hvad han havde i tankerne.

"Har I observeret tegn på håndgemæng eller den slags?" råbte Patrik til Torbjörn, der var på vej op ad trappen i tårnet.

"Ikke indtil videre, men vi er ikke nået så langt," svarede han. "Vi begynder med at tage billeder" – han viftede med et stort kamera – "og så må vi se, hvad vi finder senere. Du skal nok få besked med det samme."

"Udmærket. Og tak," sagde Patrik. Han kunne godt se, at han ikke kunne gøre så meget lige nu, desuden stod han over for en anden presserende opgave.

Martin Molin sluttede sig til dem lige så hvid i ansigtet, som han altid var, når han blev konfronteret med et dødt menneske.

"Mellberg og Paula er også på vej."

"Skønt," sagde Patrik. Både Gösta og Martin vidste, at den sarkastiske tone ikke var møntet på Paula.

"Hvad vil du have os til nu?" spurgte Martin.

Patrik trak vejret dybt ind, prøvede at lægge en plan i hovedet. Han var fristet til at uddelegere den opgave, han selv gruede for, men hans ansvarlige jeg tog over, og efter endnu en dyb indånding sagde han:

"Martin, du bliver her og venter på Mellberg og Paula. Mellberg kan vi vist godt se bort fra – han bliver bare hængende lidt og går i vejen for teknikerne – men du og Paula begynder at stemme dørklokker hos alle, der bor i nærheden af Badholmen. De fleste huse står tomme, så det burde ikke være nogen uoverstigelig opgave. Gösta, tager du med mig hen og taler med Sanna?"

Gösta kiggede på ham med et tungt blik. "Selvfølgelig, hvornår kører vi?"

"Nu," svarede Patrik. Han ville have det overstået. Et kort øjeblik overvejede han at ringe til Annika og høre, hvorfor hun havde ringet til ham i går, men det måtte vente til senere. Han havde ikke tid lige nu.

Da Patrik forlod Badholmen, måtte han lægge bånd på sig selv for ikke at vende sig om, se på skikkelsen, der stadig hang og svajede i vinden.

"Det forstår jeg ikke. Hvem kan have sendt dem her til Christian?" Sanna kiggede forvirret på tegningerne foran sig. Lænede sig frem, tog en af dem op. Erica takkede sig selv, fordi hun havde været så fornuftig at lægge tegningerne i hver sin plasticpose, så man kunne studere dem, uden at eventuelle fingeraftryk blev ødelagt.

"Det ved jeg ikke, men jeg håbede, at du ville have nogle ideer."

Sanna rystede på hovedet. "Overhovedet ikke. Hvor har du fundet dem?"

Erica fortalte om sit besøg på Christians gamle adresse i Göteborg og om Janos Kovács, der havde gemt brevene i alle disse år.

"Hvorfor er du så interesseret i Christians liv?" Sanna så spørgende på hende.

Erica overvejede, hvordan hun skulle forklare sig, men forstod det knap nok selv.

"Lige siden jeg hørte om trusselsbrevene, har jeg været bekymret for ham, og da jeg nu er den, jeg er, kan jeg ikke slippe det. Christian fortæller jo ikke noget, så jeg begyndte at grave lidt på egen hånd."

"Har du vist Christian dem her?" spurgte Sanna, tog endnu en tegning op, studerede den nøje.

"Nej, jeg ville tale med dig først." Erica tav et øjeblik. "Hvad ved du om Christians baggrund? Om hans familie og opvækst?"

Sanna smilede bedrøvet.

"Næsten ingenting. Du drømmer ikke om det. Jeg har aldrig mødt nogen, der fortæller så lidt. Alt det, jeg har haft lyst til at vide om hans forældre, hvor de boede, hvad han lavede, da han var lille, hvordan hans kammerater var … ja, alt det, man spørger om, når man lærer nogen at kende, det har Christian altid holdt for sig selv. Han har sagt, at hans forældre er døde, at han ikke har nogen søskende, at hans opvækst var som alle andres, at det ikke er interessant at snakke om." Sanna gjorde en synkebevægelse.

"Men virkede det ikke mærkeligt?" spurgte Erica og kunne ikke forhindre, at der sneg sig et strejf af medlidenhed ind i tonefaldet. Så hvordan Sanna kæmpede med gråden.

"Jeg elsker ham. Han blev altid irriteret, når jeg spurgte, så jeg holdt op. Jeg ønskede bare … Jeg ville bare have ham til at blive hos mig." Hun hviskede ordene uden at se op.

Erica havde lyst til at sætte sig ved siden af hende, lægge armene om hende. Hun så så ung og sårbar ud. Det kunne ikke være nemt at leve i sådan et forhold, altid at føle sig underlegen. Erica var klar over, at det var det, Sanna sagde mellem linjerne: At hun elskede Christian, men at han aldrig ville elske hende nok.

"Så du ved ikke, hvem den lille figur ved siden af Christian kan være?" spurgte Erica blidt.

"Overhovedet ikke, men det må jo være et barn, der har tegnet billederne. Kan han have børn ude i byen, som jeg ikke kender noget til?" Hun udstødte en hæs latter, der blev siddende i halsen.

"Nu skal du jo ikke drage forhastede konklusioner." Pludselig blev Erica bange for, at hun kun gjorde alting værre, for Sanna var tydeligvis et sammenbrud nær.

"Nej, men jeg har jo også gjort mig mine tanker. Jeg har spurgt ham tusind gange, siden brevene begyndte at komme, han siger bare, han ikke ved, hvem der kan have sendt dem. Men jeg er ikke sikker på, at jeg tror ham." Hun bed sig i læben.

"Han har ikke nævnt noget om gamle kærester eller den slags? Om at der skulle have været en anden kvinde i hans tidligere liv?" Erica vidste godt, at hun var lige lovlig anmassende, men måske havde Christian engang omtalt et eller andet, der lå dybt begravet i Sannas underbevidsthed.

Sanna rystede på hovedet og lo bittert. "Tro mig, jeg ville have husket det, hvis han havde nævnt noget om en anden kvinde. Jeg troede jo oven i købet …" Hun afbrød sig selv, så ud til at fortryde, at hun overhovedet **var** begyndt på sætningen.

"Hvad troede du?" spurgte Erica, men Sanna lukkede af.

"Det var ikke noget, bare noget fjolleri. Jeg er vist temmelig jaloux anlagt."

Og det er måske ikke så sært, tænkte Erica. At bo sammen med en fremmed i så mange år, at elske – det kunne jo gøre enhver jaloux. Hun sagde det ikke højt. I stedet valgte hun at lede samtalen ind på det, der havde optaget hendes tanker siden den foregående dag.

"Du talte med en af Patriks kolleger i går. Paula Morales."

Sanna nikkede. "Hun var virkelig sød, og jeg syntes også godt om Gösta.

Han hjalp mig med at vaske børnene. Bed Patrik hilse ham og sige tak. Jeg tror ikke, jeg fik gjort det i går."

"Det skal jeg nok," sagde Erica og tav et øjeblik, før hun fortsatte: "Der kom noget frem under jeres samtale, som Paula ikke helt opfangede."

"Hvordan kan du vide det?" spurgte Sanna undrende.

"Paula optog samtalen, og Patrik afspillede båndet derhjemme i aftes, så jeg kunne ikke undgå at høre det."

"Jaså." Sanna så ud til at købe forklaringen. "Hvad var det, du ...?"

"Du sagde noget til Paula om, at Christian ikke havde haft det let, og det lød, som om du hentydede til noget konkret."

Sannas ansigt stivnede. Hun undgik Ericas blik og begyndte at pille i frynserne på dugen.

"Jeg ved ikke, hvad ..."

"Kom nu, Sanna," sagde Erica bedende. "Det her er ikke det rette tidspunkt til at holde på hemmeligheder og fortie ting for at beskytte nogen, for at beskytte Christian. Hele jeres familie er i fare, og det gælder også andre, men vi kan forhindre, at flere ender som Magnus. Jeg ved ikke, hvad det er, du ikke vil fortælle, eller hvorfor. Det har måske slet ikke noget med alt det her at gøre, det er formodentlig sådan, du tænker. Ellers ville du have sagt noget, det er jeg overbevist om. Ikke mindst efter det, der overgik børnene i går. Men kan du være helt sikker på det?"

Sanna kiggede ud ad vinduet på et punkt langt borte, forbi husene og ud mod øerne og det tilfrosne hav. Hun blev siddende tavs i lang tid, Erica lod hende sidde.

"Jeg fandt en kjole på loftet. En blå kjole," sagde Sanna endelig, hvorpå hun fortalte om, hvordan hun havde konfronteret Christian med sit fund, om sin vrede, sin usikkerhed. Erica sad helt stille. Der er ting, den menneskelige hjerne bare ikke kan rumme. Det eneste, hun var i stand til, var at lægge sin hånd på Sannas og lytte.

For første gang blev Erik for alvor grebet af panik. Christian var død. Hang og dinglede som en kludedukke fra udspringstårnet på Badholmen.

En kvindelig betjent havde ringet og fortalt det. Havde bedt ham være agtpågivende og sagt, at han til hver en tid kunne kontakte dem. Han havde takket og sagt, at det nok ikke blev aktuelt. Han kunne ikke for sin død begribe, hvem der ville dem til livs, men han havde ikke i sinde at sidde og vente på, at det blev hans tur. Han ville tage styringen, beholde magten.

Sveden trængte gennem skjorten som bevis på, at han ikke var så rolig, som han prøvede at bilde sig selv ind. Han holdt stadig telefonen i hånden, tastede med famlende fingre Kenneths mobilnummer. Efter fem ringetoner blev telefonsvareren koblet på, og Erik smed arrigt mobilen fra sig på skrivebordet. Prøvede at tvinge sig til at reagere rationelt og gennemtænke, hvad han nu skulle gøre.

Telefonen ringede. Han for sammen og kiggede på displayet. Kenneth.

"Ja?"

"Jeg kunne ikke tage telefonen med det samme," sagde Kenneth. "Jeg kan ikke selv holde mobilen og måtte få nogen til at hjælpe mig headsettet på," fortsatte han nøgternt og uden antydning af selvmedlidenhed.

Et kort øjeblik slog det Erik, at han måske burde have gjort sig den ulejlighed at besøge Kenneth på hospitalet eller i det mindste have sendt en buket blomster, men han kunne sgu ikke tænke på alt, nogen skulle jo passe butikken, det forstod Kenneth sikkert også.

"Hvordan går det?" spurgte han og prøvede at lyde oprigtigt interesseret.

"Udmærket," svarede Kenneth kort for hovedet. Han kendte Erik og vidste, at han ikke spurgte af ægte omsorg.

"Jeg har en sørgelig nyhed." Han kunne lige så godt kaste sig ud i det straks. Kenneth sagde ikke noget, ventede på fortsættelsen. "Christian er død." Erik trak ud i skjortekraven. Sveden haglede stadig af ham, hånden, der holdt telefonen, var fugtig. "Jeg har lige fået det at vide. Politiet ringede. Han hænger i udspringstårnet på Badholmen."

Stadig ingen reaktion.

"Hallo? Kan du høre mig? Christian er død. Betjenten, jeg talte med, ville ikke sige mere, men enhver idiot kan jo regne ud, at det er den samme psykopat, som står bag alt det andet."

"Ja, det er hende," sagde Kenneth omsider. Stemmen var isnende rolig.

"Hvad mener du? Ved du, hvem det er?!" Erik skreg næsten. Vidste Kenneth, hvem det var, og havde alligevel ikke sagt noget? Hvis andre ikke kom ham i forkøbet, ville han fandengaleme selv slå ham ihjel.

"Hun vil også komme efter os."

Den uhyggelige ro fik de små hår på Eriks arme til at rejse sig, og et kort øjeblik spekulerede han på, om Kenneth mon også havde slået hovedet.

"Vil du være så venlig at indvie mig i, hvad du ved?"

"Hun gemmer sikkert dig til sidst."

Erik måtte beherske sig for ikke at hamre mobiltelefonen ned i bordet af raseri. "Hvem er det?"

"Har du virkelig ikke regnet det ud? Har du såret og skadet så mange, at du ikke kan udskille hende af mængden? For mig var det ganske enkelt: Hun er det eneste menneske, jeg nogensinde har gjort fortræd. Jeg ved ikke, om Magnus var klar over, at hun var efter ham, men jeg ved, at han led. Det har du sikkert aldrig gjort, vel, Erik? Du har aldrig været forpint og ligget søvnløs over det, du har gjort?" Kenneth lød ikke oprevet eller bebrejdende, stadig lige fattet.

"Hvad fabler du om?" hvæsede Erik, mens tankerne kværnede. Et vagt minde, et billede, et ansigt begyndte at vågne til live. Begravet så dybt, at det aldrig burde kunne dukke op til overfladen igen.

Han knugede telefonen hårdt.

Kenneth svarede ikke. Erik behøvede ikke fortælle ham, at han også vidste det. Hans egen tavshed sladrede. Uden at sige farvel afbrød han samtalen, lukkede af for den viden, der var blevet påtvunget ham.

Derefter åbnede han sin mail, skyndte sig at gøre det, der skulle gøres. Det hastede.

I samme øjeblik han genkendte Ericas bil i indkørslen til Sannas søsters hus, fik han en urolig fornemmelse i maven. Erica havde en tendens til at blande sig i ting, hun ikke havde noget at gøre med, og selvom han tit beundrede sin kone for hendes nysgerrighed og evne til at omsætte den i resultater, huede det ham ikke, at hun kastede sig ud i noget, der kunne ligne egentligt politiarbejde. Han ønskede at beskytte Erica og Maja og de ufødte tvillinger mod alverdens ondskab, men det var lettere sagt end gjort, hvad hans kone angik. Gang på gang havnede hun i begivenhedernes centrum, det slog ham, at hun garanteret – og uden hans vidende – også havde rodet sig ind i den her efterforskning.

"Er det ikke Ericas bil?" spurgte Gösta lakonisk, da de parkerede bag den beigefarvede Volvo.

"Jo," svarede Patrik. Gösta stillede ikke flere spørgsmål, nøjedes med at løfte et øjenbryn.

De behøvede ikke ringe på. Sannas søster havde allerede åbnet døren og ventede på dem med et bekymret ansigtsudtryk.

"Er der sket noget?" spurgte hun anspændt.

"Vi vil gerne tale med Sanna," sagde Patrik uden at svare på spørgsmålet. Han ville ønske, at de havde haft psykologen Lena med, men hun havde været ude, da de ringede, og han ville ikke vente med at overbringe budskabet.

Søsteren så nu endnu mere ængstelig ud, men hun trådte tavst til side og lukkede dem ind.

"Hun er ude i havestuen," sagde hun.

"Tak." Patrik så på hende. "Vil du sørge for at holde børnene væk et stykke tid?"

Hun sank en klump. "Ja, jeg skal nok tage mig af dem."

De fandt frem til havestuen, Sanna og Erica kiggede op, da de hørte dem komme. Erica så skyldbevidst ud, og Patrik gjorde tegn til hende om, at de kunne tage det op senere. Han tog plads ved siden af Sanna.

"Jeg kommer desværre med en meget tragisk besked," sagde han med rolig stemme. "Christian blev fundet død tidligt i morges."

Hun hev efter vejret.

"Vi ved ikke så meget endnu, men vi gør alt for at finde ud af, hvad der er sket," fortsatte han.

"Hvordan …?" Sanna begyndte at ryste over hele kroppen.

Patrik tøvede, usikker på, hvordan han skulle formulere sig.

"Han blev fundet hængt. Fra tårnet på Badholmen."

"Hængt?" Hun trak vejret i stød. Patrik lagde en beroligende hånd på hendes arm.

"Det er alt, hvad vi ved indtil videre."

Hun nikkede med et glasagtigt blik. Patrik vendte sig om mod Erica og sagde lavmælt:

"Gider du afløse hendes søster? Bed hende komme ned, så kan du se efter børnene."

Erica rejste sig omgående. Kastede et blik på Sanna, før hun forlod havestuen. Lidt efter hørte de skridt på trappen. Gösta gik ud i entreen og mødte søsteren. Patrik sendte ham en taknemmelig tanke, fordi han havde åndsnærværelse nok til at fortælle søsteren, hvad der var sket, uden for Sannas hørevidde, så hun slap for at høre det to gange.

Søsteren kom ind, satte sig ved siden af Sanna og lagde armene om hende. Sådan sad de, mens Patrik spurgte, om han skulle ringe til nogen, om de ville tale med en præst. Alle de sædvanlige spørgsmål, han klyngede sig til for ikke at bryde sammen ved tanken om, at der oppe på første sal sad to små drenge, som havde mistet deres far.

Han måtte af sted igen. Han havde et arbejde at udføre, et arbejde, som han blandt andet udførte for dem. Først og fremmest for dem. Det var ofrene og deres pårørende, han så for sig, når han sad henne på stationen og tilbragte mange, lange timer med at opklare mere eller mindre komplicerede sager.

Sanna var opløst i gråd, da han mødte søsterens blik. Hun nikkede næsten umærkeligt som svar på hans uudtalte spørgsmål.

"Er I sikre på, at vi ikke skal ringe til nogen?" Han rejste sig.

"Jeg ringer til vores forældre så hurtigt som muligt," svarede søsteren. Selvom hun var bleg, virkede hun rolig, Patrik følte sig tryg ved at forlade dem.

"Du skal endelig ikke tøve med at kontakte os, Sanna," sagde han, blev stående i døren. "Vi skal nok ..." Han var ikke sikker på, hvor meget han turde love, det værste, der kunne overgå en politimand midt i en drabsefterforskning, var begyndt at ske for ham: Han var ved at miste håbet. Håbet om, at de nogensinde ville finde den, der stod bag alt det her.

"Glem ikke tegningerne," sagde Sanna snøftende og pegede på nogle papirer på bordet.

"Hvad er det?"

"Erica kom med dem. Nogen har sendt dem til Christians gamle adresse i Göteborg."

Patrik stirrede på tegningerne, tog dem forsigtigt op. Hvad havde hun nu haft gang i? Han måtte snarest få sig en alvorlig snak med sin kone, det her krævede en forklaring. Samtidig følte han en vis forventning, da han så tegningerne. Hvis de viste sig at være vigtige, ville det ikke være første gang, Erica faldt over noget afgørende.

"Du har sandelig fået din sag for som babysitter," sagde Dan, da han trådte ind i entreen hjemme hos Erica og Patrik. Han havde ringet til Annas mobil, og da hun havde fortalt, hvor hun var, var han kørt til Sälvik.

"Ja, jeg er ikke helt klar over, hvad Erica har gang i, og jeg er heller ikke sikker på, at jeg vil vide det," sagde Anna og strakte hals for at få et kys af Dan.

"Så de har ikke noget imod, at jeg bare kommer brasende?" spurgte Dan og var nær væltet omkuld, da Maja kom spænende og kastede sig i favnen på ham. "Hejsa, stump! Hvordan har min lille kæreste det? Du er da min kæreste, ikke? Du har ikke fundet en anden fyr, vel?" Dan så bister ud. Maja sprudtede af grin og gnubbede sin næse mod hans, hvad han tog som en bekræftelse på, at han stadig stod i høj kurs.

"Har du hørt, hvad der er sket?" sagde Anna og blev pludselig alvorlig.

"Nej, hvad?" sagde Dan og svingede Maja op og ned i luften. Han var en høj mand, så til Majas store fryd blev det en svimlende flyvetur.

"Jeg ved ikke, hvor Erica er, men Patrik skulle i hvert fald ud til Badholmen. Man fandt Christian Thydell hængt derude nu til morgen."

Dan standsede midt i en bevægelse med Maja hængende med hovedet nedad, men hun troede, det hørte med til legen, og hvinede endnu mere af fryd.

"Hvad siger du?" Dan lod langsomt Maja glide ned på gulvet.

"Jeg ved ikke mere end det, Patrik fortalte, før han stormede ud ad døren, men Christian er altså død." Anna kendte ikke Sanna Thydell særlig godt, men rendte ind i hende af og til, som man nu gjorde i Fjällbacka. Hun så de to små drenges ansigter for sig.

Dan lod sig dumpe ned ved bordet i køkkenet, og Anna prøvede at fortrænge billederne på nethinden.

"For satan da," sagde han og stirrede ud ad vinduet. "Først Magnus Kjellner og nu Christian. Og Kenneth Bengtsson, der ligger på hospitalet. Patrik er godt nok kommet i ilden."

"Ja," sagde Anna og hældte saft op til Maja, "men kan vi ikke snakke om noget andet?" Det gik hende frygteligt på at høre om andre menneskers lidelse, og det var, som om graviditeten gjorde hende endnu mere nærtagende. Hun kunne ikke klare at høre om andres problemer.

Dan opfangede signalet, trak hende ind til sig. Lukkede øjnene og lagde hånden på hendes mave.

"Snart, skat. Snart er han her."

Anna lyste op. Hver gang hun tænkte på barnet, kunne intet ondt ramme hende. Hun elskede Dan så det gjorde hende vild af lykke at vide, at der inde i hendes mave lå en, som forenede dem. Hun kærtegnede Dans hoved og mumlede ind i hans hår:

"Du må holde op med at sige 'han', for jeg tror nemlig, vi har en lille prinsesse herinde. Jeg synes, sparkene føles som ballerinaspark," drillede hun.

Patrik satte Gösta af ved Badholmen, og efter at have grublet lidt kørte han hjem. Han måtte tale med Erica, finde ud af, hvad hun vidste.

Da han kom ind ad døren, tog han en dyb indånding. Anna var der stadig, han ville ikke blande hende ind i sine og Ericas skærmydsler. Hun havde den irriterende vane altid at rotte sig sammen med sin søster, og han ville ikke have to i det andet ringhjørne. Efter at have takket Anna og Dan, antydede han, at de gerne ville være alene. Anna forstod vinket og fik trukket Dan med.

"Jeg går ud fra, at Maja bliver hjemme fra børnehaven i dag," sagde Erica muntert og så på uret.

"Hvad lavede du henne hos Sanna Thydell? Og hvad lavede du i Göteborg i går?" spurgte Patrik hvast.

"Jo, altså, jeg ..." Erica lagde kælent hovedet på skrå. Da hun ikke fik nogen respons, sukkede hun, indså, at hun lige så godt kunne gå til bekendelse. Hun havde jo alligevel tænkt sig at fortælle det hele, Patrik kom hende bare i forkøbet.

De satte sig ved bordet i køkkenet. Patrik foldede hænderne foran sig, stirrede stift på hende, og Erica tænkte efter et øjeblik, før hun besluttede sig for, hvilken ende hun skulle begynde i.

Hun fortalte, at hun havde undret sig over, hvorfor Christian altid havde været så hemmelighedsfuld om sin fortid. At hun havde besluttet at arbejde sig bagud og var taget til Göteborg til den adresse, han havde boet på, inden han flyttede til Fjällbacka. Hun fortalte om den søde ungarer, om brevene, der var blevet sendt til Christian, men som han aldrig havde modtaget, da han ikke havde oplyst, hvor han var flyttet hen. Hun tog en dyb indånding og fortalte, at hun havde smuglæst efterforskningsmaterialet og ikke kunnet modstå fristelsen til at afspille kassettebåndet. At hun dér havde hæftet sig ved noget, hun følte, hun burde bore mere i, hvad der førte til, at hun tog hen til Sanna samme morgen. Hun genfortalte det, Sanna havde fortalt hende – om den blå kjole og Christian selvom det næsten var for uhyggeligt til, at man kunne fatte det. Hun var forpustet, turde knap nok kigge på Patrik, der havde siddet ubevægelig under hele hendes beretning.

I lang tid sagde han ikke noget, og hun sank en klump og forberedte sig på sit livs møgfald.

"Jeg ville jo bare hjælpe dig," tilføjede hun. "Du har virket så udkørt den sidste tid."

Patrik rejste sig. "Vi vender tilbage til det her senere. Nu må jeg hen på stationen. Jeg tager tegningerne med."

Erica sendte ham et langt blik, da han gik. Det var første gang i den tid, de havde kendt hinanden, at han var gået hjemmefra uden at give hende et kys.

Det lignede ikke Patrik ikke at give en lyd fra sig. Annika havde ringet til ham adskillige gange siden i går, men havde nøjedes med at lægge en besked om, at han skulle ringe tilbage. Det, hun havde fundet, ville hun fortælle ham ansigt til ansigt.

Da han langt om længe kom ind på stationen, og hun så hans trætte ansigt, blev hun endnu en gang bekymret. Paula havde fortalt, at hun havde beordret Patrik til at blive hjemme og komme lidt til hægterne, og det havde Annika kun kunnet bifalde. Hun havde tænkt på at gøre det samme mange gange den senere tid.

"Du har ringet?" sagde Patrik og trådte ind på hendes lille kontor bag receptionsskrankens glasluge. Hun drejede omkring på kontorstolen.

"Ja, og du har ikke ligefrem forhastet dig med at ringe tilbage," svarede hun og kiggede på ham hen over brillekanten. Hun lød ikke bebrejdende, bare bekymret.

"Jeg ved det," sagde Patrik og tog plads på stolen ved væggen. "Der har været en del at se til."

"Du må passe bedre på dig selv. Jeg har en veninde, der gik ned med flaget for nogle år siden, og hun er stadig ikke helt på toppen. Vejen op er lang, hvis man først har ramt bunden."

"Det er jeg klar over, tak," sagde Patrik, "men så galt er det heller ikke. Jeg har bare haft lidt travlt." Han førte hånden hen over håret og lænede sig frem med albuerne på knæene. "Hvad ville du?"

"Jeg har fået tjekket Christian." Hun holdt inde, da hun først nu kom i tanker om, hvor Patrik havde været samme morgen. "Hvordan gik det for resten?" spurgte hun stille. "Hvordan tog Sanna det?"

"Hvordan kan man tage sådan noget?" sagde Patrik. Han nikkede som tegn til hende om, at hun skulle fortsætte, at han ikke ville tale om det.

Annika rømmede sig. "Okay, til en begyndelse kan jeg fortælle, at Christian ikke er opført i nogen af vores registre. Han har aldrig været straffet eller under mistanke for noget. Før han kom til Fjällbacka, boede han flere år i Göteborg, hvor han gik på universitetet og senere fik sin bibliotekaruddannelse via brevkursus. Biblioteksskolen ligger jo i Borås."

"Hmm ..." sagde Patrik utålmodigt.

"Endvidere har han ikke været gift tidligere og har heller ikke andre børn end dem, Sanna er mor til."

Annika holdt inde.

"Var det alt?" Patrik kunne ikke skjule sin skuffelse.

"Nej, jeg er endnu ikke nået til det interessante. Jeg opdagede ret hurtigt, at Christian blev forældreløs, da han kun var tre år. Han blev for øvrigt født i Trollhättan, og det var også der, han boede, da hans mor døde. Faderen har aldrig været inde i billedet. Jeg besluttede at bore videre ud fra det."

Hun tog et stykke papir op, begyndte at læse højt, Patrik lyttede spændt. Hun kunne se, hvordan tankerne kørte rundt i hovedet på ham i et forsøg på at få de nye oplysninger til at hænge sammen med den smule, de allerede vidste.

"Han tog altså sin mors efternavn som attenårig?" sagde Patrik. "Thydell."

"Ja, og der er også nogle oplysninger om hende." Hun rakte ham et stykke papir, som han hurtigt gennemlæste, ivrig efter at komme nærmere et svar.

"Ja, der har du lidt at pusle med," sagde Annika, da hun så Patriks iver. Hun elskede at grave, at fordybe sig i registre og efterforske bittesmå detaljer, der sidenhen kunne sammenføjes til et hele. Som i bedste fald kunne bringe dem videre.

"Ja, og jeg ved, hvor jeg skal begynde," sagde Patrik og rejste sig. "Jeg skal begynde med en blå kjole."

Annika kiggede forbløffet efter ham, da han gik. Hvad i alverden fablede manden om?

Cecilia blev ikke overrasket, da hun åbnede døren og så, hvem der stod udenfor. Egentlig var det forventet. Fjällbacka var et lille sted, og hemmeligheder kom altid for en dag før eller siden.

"Kom indenfor, Louise," sagde hun og trådte til side. Hun skulle lige til at lægge hånden beskyttende på maven, sådan som hun var begyndt at gøre, efter at hun havde fået bekræftet, at hun var gravid, men greb sig i det og lod være.

"Erik er her forhåbentlig ikke?" sagde Louise. Cecilia kunne tydeligt høre, hun var beruset, og et kort øjeblik følte hun et stik af medlidenhed. Nu hvor forelskelsen var et overstået kapitel, forstod hun, hvilket helvede det måtte være at leve sammen med Erik. Hun ville formentlig selv være tyet til flasken på et tidspunkt.

"Nej, han er her ikke. Kom indenfor," gentog hun og gik ud i køkkenet. Louise fulgte efter. Hun var som altid elegant med dyrt tøj i klassisk snit og diskrete guldsmykker. Cecilia følte sig lurvet i sit afslappede hjemmedress. Frisørsalonens første kunde skulle først komme klokken et, så hun havde tilladt sig at drive den af om formiddagen. For øvrigt havde hun kvalme hele tiden og kunne ikke holde sit normale høje tempo.

"Der har været så mange, og til sidst bliver man træt."

Cecilia vendte sig forbavset om. Det var ikke den åbningsreplik, hun havde ventet. Hun havde snarere forventet vrede og anklager, men Louise så bare bedrøvet ud. Og da Cecilia satte sig ved siden af hende, opdagede hun spraekkerne i den elegante facade. Håret var glansløst, neglene nedbidte med spor af afskallet neglelak. Skjorteblusen var knappet forkert og stak op af bukselinningen i den ene side.

"Jeg har sagt, at han kan skride ad helvede til," sagde Cecilia og mærkede, hvor skønt det føltes.

"Hvorfor?" spurgte Louise sløvt.

"Jeg har fået det af ham, jeg ville."

"Hvad?" Louise kiggede på hende med et tomt og fraværende blik.

Pludselig følte Cecilia en taknemmelighed så stor, at hun snappede efter vejret. Hun ville aldrig ende som Louise, hun var stærkere end som så. Men måske havde Louise også været stærk engang. Hun havde måske været fuld af forventninger og en tro på, at alt ville gå godt. Det håb var væk nu. Tilbage var kun vinen og år fulde af løgn.

Et øjeblik overvejede Cecilia at lyve for hende eller i det mindste fortie sandheden. Den ville tids nok komme for en dag. Så forstod hun, at hun var nødt til at fortælle det. Hun kunne ikke lyve over for en, der havde mistet alt, hvad der var værd at eje.

"Jeg er gravid. Det er Eriks barn," sagde hun, og der blev stille et øjeblik. "Jeg gjorde ham det helt klart, at det eneste, jeg ønsker, er, at han punger ud. Jeg truede med at fortælle det til dig."

Louise fnyste, men begyndte så at grine. Hun lo højere og højere og stadigt mere skingert, så tårerne sprang. Cecilia betragtede hende fascineret. Det var heller ikke den reaktion, hun havde ventet. Louise var så sandelig fuld af overraskelser.

"Tak," sagde Louise, da latteranfaldet var klinget af.

"Tak for hvad?" spurgte Cecilia nysgerrigt. Hun havde altid syntes godt om Louise, bare aldrig godt nok til ikke at kneppe hendes mand.

"For at give mig et spark i røven. Det her var præcis, hvad jeg havde brug for. Se mig lige engang!" Hun kiggede ned på sin skævtknappede skjortebluse, flåede næsten knapperne af i sin iver efter at rette op på det. Fingrene rystede.

"Det var så lidt," sagde Cecilia og måtte le ad det komiske i situationen. "Hvad har du tænkt dig at gøre?"

"Det samme som dig. Bede ham skride ad helvede til," sagde Louise med eftertryk. Hendes blik var ikke længere tomt. Følelsen af stadig at have magt over sit liv havde sejret over resignationen.

"Sørg for, at du kan blive boende," sagde Cecilia tørt. "Jeg har godt nok været ret vild med Erik, men jeg kender hans type. Han vil rippe dig for alt, hvis du forlader ham. Mænd som Erik accepterer ikke at blive skrottet."

"Bare rolig. Jeg vil sørge for at blokke ham for så meget som muligt," sagde Louise og stoppede blusen ned i bukserne. "Hvordan ser jeg ud? Er mascaraen tværet ud?"

"Lidt, nu skal jeg hjælpe dig." Cecilia rejste sig, holdt noget køkkenrulle ind under vandhanen, stillede sig foran Louise og tørrede forsigtigt mascaraen af hendes kinder. Hun stivnede midt i en bevægelse, da hun mærkede Louises hånd på sin mave. Først sagde ingen af dem noget, men så hviskede Louise:

"Jeg håber, det bliver en dreng. Pigerne har altid ønsket sig en lillebror."

"Kors i røven," sagde Paula. "Det var dog forfærdeligt."

"Men hvad har det, Sanna fortalte om Christian, med efterforskningen at gøre? Det er så mange år siden."

"Ja, nærmere bestemt syvogtredive år, og jeg ved ikke, hvad det har med noget som helst at gøre, men alting synes jo at kredse om Christian. Jeg tror, svaret må ligge i hans fortid, at det er der, forbindelsen til de andre skal findes. Hvis der da ellers er nogen forbindelse," tilføjede han. "De var måske bare uskyldige tilskuere og havnede i skudlinjen, fordi de tilfældigvis befandt sig i Christians nærhed. Men det er det, vi skal finde ud af, så vi kan lige så godt begynde med begyndelsen."

Paula overhalede en lastbil i høj fart, var lige ved at overse afkørslen til Trollhättan.

"Er du sikker på, jeg ikke skal køre?" spurgte Patrik nervøst og klamrede sig til håndtaget.

"Nej, nu kan du lære, hvordan det føles," grinede Paula. "Efter i går er du erklæret utilregnelig. Fik du for øvrigt hvilet ud?" Hun skævede til ham, mens hun hvinede gennem en rundkørsel.

"Ja, det gjorde jeg faktisk," svarede Patrik. "Jeg fik sovet et par timer, og bagefter havde jeg en dejligt afslappet aften sammen med Erica. Det var pragtfuldt."

"Du må passe bedre på dig selv."

"Ja, det sagde Annika også for lidt siden, gider I ikke holde op med at agere hønemødre," sagde Patrik.

Paula kiggede skiftevis på kortet, de havde printet fra Krak, og vejskiltene og var lige ved at køre ind i en cyklist, der kom farende til højre for dem.

"Lad mig holde kortet. Det der med kvinder og multitasking har tydeligvis ikke noget på sig," drillede Patrik.

"Pas du hellere lidt på," sagde Paula, og så ikke rigtigt sur ud.

"Hvis du drejer til højre her, skulle vi være på rette vej," sagde Patrik. "Det her skal blive rigtig interessant. Man har åbenbart stadig sagsmapperne, og den kvinde, jeg ringede til, vidste straks, hvilken sag det drejede sig om. Det er vist ikke noget, man glemmer lige med det samme."

"Det er jo fedt, at anklageren var så medgørlig. Det kan ellers være sin sag at få fingre i den slags dokumenter."

"Ja," sagde Patrik og koncentrerede sig om kortet.

"Der," sagde Paula og pegede på bygningen, hvor socialforvaltningen i Trollhättan havde til huse.

Nogle minutter senere blev de vist ind til den kvinde, Patrik havde talt i telefon med, Eva-Lena Skog.

"Ja, der er flere, som husker den historie," sagde hun og lagde en mappe med gulnede papirer på skrivebordet. "Det er jo mange år siden, men den slags glemmer man ikke så let," fortsatte hun, strøg en grå hårtot væk fra panden. Hun lignede den stereotype forestilling om en skolefrøken med langt hår samlet i en nydelig knold i nakken.

"Havde man nogen anelse om, hvor slemt det stod til?" spurgte Paula.

"Både ja og nej. Der havde været nogle anmeldelser, og vi havde foretaget" – hun slog op i mappen og lod fingeren glide ned over det øverste papirark – "to hjemmebesøg."

"Men man fandt ingen grund til at gribe ind?" spurgte Patrik.

"Det er svært at forklare, men det var andre tider dengang," sagde Eva-Lena Skog og sukkede. "I dag ville vi have grebet ind langt tidligere, men dengang ... ja, man vidste simpelthen ikke bedre. Det gik tydeligvis op og ned, og hjemmebesøgene fandt efter al sandsynlighed sted på nogle tidspunkter, hvor hun havde det bedre."

"Var der ikke familiemedlemmer eller venner, som reagerede?" spurgte Paula.

"Der var ingen familie og sikkert heller ingen venner. De levede vist temmelig isoleret, og derfor gik det, som det gik. Hvis det ikke havde været for lugten ..." Hun gjorde en synkebevægelse og kiggede ned. "Vi er nået langt siden dengang. Det ville ikke kunne ske i dag."

"Nej, det må man da håbe," sagde Patrik.

"Jeg kan forstå, at I skal bruge oplysningerne i forbindelse med en drabsefterforskning," sagde Eva-Lena Skog og skubbede sagsmappen hen til dem, "men nu behandler I vel materialet med diskretion? Det er kun i helt særlige tilfælde, at vi udleverer den slags."

"Vi vil udvise den største diskretion, det lover jeg," sagde Patrik. "Og jeg er sikker på, at dokumenterne vil fremme opklaringen af sagen."

Eva-Lena Skog så på ham med slet skjult nysgerrighed.

"Hvad kan den have med det her at gøre? Der er jo gået så mange år, ikke?"

"Det kan jeg ikke afsløre," svarede Patrik. Sandheden var, at han ikke anede en skid, men et eller andet sted skulle de jo begynde.

"Mor?" Han ruskede i hende igen, hun lå stadig helt stille. Han vidste ikke, hvor længe hun havde ligget sådan. Han var kun tre år, kunne endnu ikke klokken. Det havde været mørkt to gange. Han kunne ikke lide mørke, og det kunne mor heller ikke. De havde lyset tændt, når de sov, og han havde selv tændt lampen, da det blev svært at se noget i lejligheden. Bagefter havde han puttet sig ind til hende. Sådan plejede de at ligge, tæt ind til hinanden. Han pressede ansigtet ind mod hendes bløde krop. Der var ikke noget kantet på mor, ikke noget, der stak eller var hårdt. Kun blødhed, varme og tryghed.

Men i nat havde hun ikke føltes varm mere. Han havde puffet til hende og trykket sig nærmere, uden at hun reagerede. Han var gået hen til skabet, havde hentet ekstradynen, selvom han var bange for at gå ud på gulvet, når det var mørkt, bange for uhyrerne under sengen. Mor skulle ikke fryse, han ville ikke fryse. Han havde omhyggeligt pakket hende ind i den stribede dyne, der lugtede underligt, men alligevel blev hun ikke varm, og det gjorde han heller ikke. Han havde ligget og rystet af kulde hele natten, ventet på, at hun skulle vågne, og den mærkelige drøm skulle holde op.

Da det begyndte at blive lyst, var han stået op. Havde lagt dynen, der var gledet ned i løbet af natten, over hende igen. Hvorfor sov hun så længe? Hun plejede aldrig at sove så længe. Sommetider kunne hun blive liggende i sengen hele dagen, men hun var da vågen indimellem. Snakkede med ham, bad ham hente vand eller andre ting. Hun sagde underlige ting de dage, hvor hun holdt sengen, ting, der gjorde ham bange. Hun kunne tilmed finde på at råbe ad ham, men det var trods alt bedre, end at hun lå der så ubevægelig og kold.

Han mærkede sulten flå i tarmene. Mor ville måske synes, han var dygtig, hvis hun vågnede og så, at han havde lavet morgenmad. Tanken gjorde ham en smule gladere, og han gik ud mod køkkenet. På halvvejen kom han i tanker om noget og vendte om. Bamse skulle med, han ville ikke være alene derude. Med bamse slæbende hen ad gulvet gik han mod køkkenet igen. Madder. Det plejede mor at lave til ham. Syltetøjsmadder.

Han åbnede køleskabet. Der stod syltetøjsglasset med rødt låg og jordbær på etiketten. Smørret. Han tog det forsigtigt ud af køleskabet og stillede det på køkkenbordet. Hentede en stol, stillede den foran køkkenbordet og kravlede op. Det begyndte at føles lidt som et eventyr. Han tog to skiver brød ud af brødkassen, trak øverste skuffe ud og fandt en smørekniv af træ. Mor gav ham ikke lov til at bruge rigtige knive. Omhyggeligt kom han smør på den ene skive og syltetøj på den anden, hvorpå han klappede dem sammen. Sådan, nu var madden færdig.

Han åbnede køleskabet igen og fandt en karton juice i lågen. Med besvær fik han løftet kartonen ud, stillede den på spisebordet. Han vidste, hvor glassene stod: i skabet oven over brødkassen. Op på stolen igen, åbne skabet og forsigtigt tage et glas ud. Han måtte ikke tabe det. Mor ville blive vred, hvis han smadrede et glas.

Han stillede glasset på bordet, lagde syltetøjsmadden ved siden af, skubbede stolen tilbage og lagde sig på knæ på den, så han kunne hælde juice op. Kartonen var tung, han kæmpede for at holde den lige oven over glasset, men der kom lige så meget juice uden for som i glasset. Han lagde munden ned på voksdugen og slubrede det i sig, der var løbet ved siden af.

Madden var utroligt lækker. Det var den første mad, han selv havde smurt, og han spiste den i glubske mundfulde. Mærkede, at der var plads til en til, nu vidste han, hvordan man gjorde. Hvor ville mor blive stolt, når hun vågnede og opdagede, at han selv kunne smøre madder.

"**H**AR NOGEN OBSERVERET noget?" Patrik talte i telefon med Martin. "Nej, okay, det havde jeg egentlig heller ikke regnet med, men fortsæt alligevel. Man kan aldrig vide."

Han lagde på og kastede sig over sin Big Mac. De var kørt ind på McDonald's for at spise frokost og drøfte, hvordan de skulle komme videre.

"Altså ingenting?" sagde Paula, der havde lyttet med, mens hun guffede sine pomfritter i sig.

"Ikke foreløbig. Der bor ikke ret mange i området nu om vinteren, så det kan ikke undre, hvis der ikke er meget at hente."

"Hvordan gik det på Badholmen?"

"De har hentet liget," svarede Patrik og tog endnu en bid, "så Torbjörn og hans folk er sikkert snart færdige. Han lovede at ringe, hvis de fandt noget interessant."

"Hvad gør vi så nu?"

De havde gennemgået kopierne af dokumenterne, de havde fået hos socialforvaltningen, alting så ud til at stemme med det, Sanna havde fortalt Erica.

"Vi fortsætter ad samme spor. Vi ved, at Christian kort tid efter blev anbragt hos et par ved navn Lissander her i Trollhättan."

"Mon de stadig bor her?" sagde Paula.

Patrik tørrede hænderne omhyggeligt, bladrede frem til et bestemt stykke papir i stakken og ringede til Annika.

"Hej Annika, kan du ikke tjekke, om der bor nogen ved navn Ragnar og Iréne Lissander i Trollhättan? Okay, tak." Han lyste op, nikkede til Paula som tegn på, at der var bid. "Gider du sms'e adressen til mig?"

"De bor her altså endnu?" Paula proppede pomfritter i munden.

"Det ser sådan ud. Hvad siger du til at tage hen og tale med dem?" Patrik rejste sig og kiggede utålmodigt på Paula.

"Skal vi ikke ringe først?"

"Nej, jeg vil se, hvordan de reagerer, når de er uforberedte. Der må jo være en grund til, at Christian tog sin biologiske mors navn, og at han aldrig har omtalt deres eksistens for nogen, ikke engang sin egen kone."

"Måske boede han ikke hos dem ret længe?"

"Det er meget muligt, men jeg tror alligevel ikke ..." Patrik prøvede at sætte ord på, hvorfor han havde sådan en kraftig følelse af, at dette spor var værd at følge op på. "Han tog for eksempel først navneforandring som attenårig. Hvorfor så sent? Og hvorfor overhovedet beholde nogle menneskers efternavn, hvis han ikke boede hos dem ret længe?"

"Det kan der være noget om," sagde Paula, men lød stadig ikke helt overbevist.

Erica tøvede med hånden på telefonen. Skulle hun, eller skulle hun ikke? Til sidst blev hun dog enig med sig selv om, at det snart ville komme offentligheden for øre, så Gaby kunne lige så godt høre det fra hende.

"Hej, det er Erica."

Hun lukkede øjnene, mens Gaby overøste hende med de sædvanlige høflighedsfraser, afbrød hendes svada.

"Christian er død, Gaby."

Der blev stille i røret. Gaby hev efter vejret.

"Hvad? Hvordan?" stammede hun. "Er det den samme person, som ...?"

"Det ved jeg ikke." Erica lukkede øjnene igen. Ordene var forfærdelige og føltes så endegyldige, da hun udtalte dem: "Han blev fundet hængt i morges. Mere kan politiet ikke sige. Ikke om det var for egen hånd, eller om der er tale om ..." Hun afsluttede ikke sætningen.

"Hængt?" Gaby gispede igen. "Det kan ikke passe!"

Erica tav et øjeblik. Hun vidste, at oplysningen måtte synke langsomt til bunds, før den kunne absorberes. Hun havde oplevet det samme selv, da Patrik fortalte det.

"Du hører fra mig, når jeg ved mere," sagde Erica, "men jeg vil sætte pris på, at medierne bliver holdt udenfor så længe som muligt. Det er svært nok for hans familie i forvejen."

"Jamen selvfølgelig, selvfølgelig," sagde Gaby og lød, som om hun rent faktisk mente det. "Hold mig underrettet om, hvad der sker."

"Det lover jeg," sagde Erica og lagde røret på. Hun var klar over, at selvom Gaby holdt sig i skindet og ikke kontaktede pressen, ville det ikke vare længe, før Christians død var forsidestof. Han var blevet stjerne fra den ene dag til den anden, og aviserne havde hurtigt opdaget, at historien solgte. Hans mystiske død ville med garanti dominere spisesedlerne de kommende dage. Stakkels Sanna, stakkels børn.

Erica havde dårlig nok kunnet få sig selv til at se på drengene, da hun passede dem hjemme hos Sannas søster. De havde siddet og leget sorgløst på gulvet med en stor bunke Legoklodser, kun afbrudt af småskænderier fra tid til anden. Den foregående dags oplevelse så ud til at være glemt – men måske var det blot en illusion? Var noget gået i stykker inde i dem, selvom det ikke kunne ses udenpå? Nu var deres far væk. Hvordan ville det påvirke deres liv?

Hun havde siddet helt stille i sofaen, til sidst havde hun tvunget sig selv til at se på dem, hvordan de med hovederne tæt sammen diskuterede, hvor blinklyset på ambulancen skulle placeres. De lignede både Christian og Sanna. De ville være det eneste, der var tilbage af ham. Dem og bogen. *Havfruen.*

Pludselig følte Erica en voldsom lyst til at læse historien igen. Læse den som en slags mindehøjtidelighed for Christian. Først kiggede hun ind til Maja, der lå og sov. Datteren havde fået lov at blive hjemme fra børnehaven som kompensation for den kaotiske formiddag. Hun lod kærligt hånden glide hen over Majas lyse lokker, hvorefter hun fandt bogen frem, satte sig til rette og slog op på første side.

De skulle begrave Magnus om to dage. Om to dage skulle han lægges i et hul i jorden.

Cia havde ikke været uden for en dør, siden hun modtog beskeden om, at man havde fundet ham. Hun kunne ikke udholde folks stirrende blikke, ikke udholde deres medlidenhed eller undren over, hvad Magnus kunne have gjort for at fortjene det her. Havde han måske selv været ude om det?

Hun vidste, hvordan snakken gik, hun havde selv taget del i den slags sladder gennem årene. Ikke bidraget noget videre, det skulle retfærdigvis siges, men lyttet uden at protestere.

"Noget er der nu nok om snakken."

"Gad vide, hvordan de har råd til at tage til Thailand. Han arbejder garanteret sort."

"Det var dog utroligt, så meget kavalergang hun pludselig er begyndt at vise. Hvem prøver hun mon at gøre indtryk på?"

Løse rygter grebet ud af deres sammenhæng, stille og roligt omdannet til en blanding af virkelighed og fantasi, som pludselig blev den skinbarlige sandhed.

Hun kunne forestille sig, hvilke historier der var i omløb i byen, men så længe hun ikke behøvede forlade hjemmet, var det ligegyldigt. Hun kunne næsten ikke klare at tænke på den videooptagelse, Ludvig havde vist politiet i går. Hun havde ikke løjet, da hun sagde, at hun ikke kendte noget til den, men den havde ikke desto mindre fået hende til at spekulere. Indimellem havde hun jo tænkt over, om de virkelig delte alt. Var det en efterrationalisering, nu hvor der var vendt op og ned på alting? Indimellem blev hendes sorgløse ægtemand grebet af et besynderligt tungsind. Det lagde sig som en skygge over ham, som en solformørkelse. Et par gange havde hun spurgt ham om det. Klappet ham på kinden og spurgt, hvad han tænkte på. Han jog skyggerne på flugt, før hun nåede at se mere.

"På dig selvfølgelig, min skat," havde han svaret og lænet sig frem og kysset hende.

Det var sket, at hun havde fornemmet det, selvom det ikke kunne ses på ham, hun havde ladet ham være i fred.

Men lige siden i går havde hun ikke kunnet lade være at tænke på den. På skyggen. Var det den, der var skyld i, at han ikke var her mere? Hvor var den kommet fra? Hvorfor havde han ikke sagt noget til hende? Hun havde troet, at de fortalte hinanden alt, at hun vidste alt om ham, og han alt om hende. Tænk, hvis hun ikke havde haft nogen anelse om noget som helst?

Skyggen voksede sig større og større i hendes bevidsthed. Hun så hans ansigt for sig. Ikke det glade, varme og kærlige, som hun havde haft den lykke at vågne op ved siden af hver morgen de sidste tyve år. I stedet så hun ansigtet på videooptagelsen. Det fortvivlede, fordrejede.

Cia slog hænderne for ansigtet og græd. Hun forstod ingenting længere. Det var, som om Magnus døde én gang til, hun kunne ikke overleve at miste ham igen.

Patrik ringede på. Lidt efter blev døren åbnet, og en lille, vindtør mand kiggede ud.

"Ja?"

"Patrik Hedström fra politiet i Tanum, det her er min kollega Paula Morales."

Manden betragtede dem indgående.

"I kommer sandelig langvejsfra. Hvad kan jeg stå til tjeneste med?" Tonen var let, men dog en smule forbeholden.

"Er det dig, der er Ragnar Lissander?"

"Ja, det er mig."

"Vi vil gerne indenfor og veksle et par ord med dig. Og også gerne med din kone, hvis hun er hjemme," sagde Patrik. På trods af hans høflige ordvalg var der umiskendeligt tale om en ordre og ikke et spørgsmål.

Manden så ud til at tøve et øjeblik, men trådte så til side og lukkede dem ind.

"Min kone er lidt sløj og ligger og hviler sig, men nu skal jeg gå op og høre, om hun kan komme ned et øjeblik."

"Det vil være fint," sagde Patrik. Spekulerede på, om Ragnar Lissander havde forestillet sig, at de skulle blive stående og vente i entreen, mens han gik ovenpå.

"I kan gå ind og sætte jer så længe, så kommer vi straks," sagde han som svar på det uudtalte spørgsmål.

Patrik og Paula fulgte hans udstrakte arm og fik øje på en dagligstue til venstre. De så sig om, mens de hørte Ragnar Lissander gå op ad trappen.

"Her er godt nok ikke specielt hyggeligt," sagde Paula hviskende.

Patrik kunne kun give hende ret. Dagligstuen lignede mere et udstillingslokale end et hjem. Der var ikke et støvgran at spore, og beboerne så ud til at have en forkærlighed for nipsfigurer. Sofaen var brun, af læder, og foran den stod det obligatoriske glasbord. Der var ikke det mindste fingeraftryk at se på glaspladen. Patrik gyste ved tanken om, hvordan det ville have set ud, hvis det stod hjemme hos dem og var udsat for Majas fedtfingre.

Det mest slående var, at der ikke var nogen personlige ting i stuen. Ingen fotografier, ingen tegninger fra børnebørn, ingen postkort med hilsner fra familie og venner.

Han satte sig forsigtigt i sofaen, Paula tog plads ved siden af ham. De kunne høre stemmer ovenpå, en hidsig ordveksling, men de kunne ikke opfange ordene. Efter endnu nogle minutters venten hørte de skridt på trappen, denne gang fra to par fødder.

Ragnar Lissander kom til syne i døren. Han personificerede virkelig begrebet *gammel mand*, tænkte Patrik. Grå, krumbøjet og usynlig. Det var noget andet med kvinden bag ham. Hun *gik* ikke hen til dem, hun kom fejende iført en morgenkåbe, der tilsyneladende ikke bestod af andet end abrikosfarvede flæser. Hun udstødte et dybt suk, da hun rakte Patrik hånden.

"Jeg håber virkelig, det er noget vigtigt, siden I kommer her og forstyrrer min hvilestund."

Patrik havde det, som var han trådt ind i en stumfilm fra tyverne.

"Vi har et par spørgsmål," sagde han og satte sig igen.

Iréne Lissander tog plads i lænestolen overfor. Hun havde ikke gjort sig den ulejlighed at hilse på Paula.

"Ja, Ragnar sagde, at I kom fra …" Hun vendte sig om mod sin mand. "Var det Tanumshede?"

Han mumlede bekræftende og satte sig i den anden ende af sofaen. Hænderne hang slapt ned mellem knæene, han stirrede på noget i bordets blanke glasplade.

"Jeg forstår ikke, hvad I vil os," sagde hun hovent.

Patrik kunne ikke dy sig for at skæve til Paula, der himlede diskret med øjnene.

"Vi er i gang med en drabsefterforskning," sagde han, "og er kommet i besiddelse af oplysninger, der peger tilbage i tiden til en hændelse her i Trollhättan for syvogtredive år siden."

Ud af øjenkrogen så han Ragnar rykke på sig.

"På det tidspunkt tog I et plejebarn til jer."

"Christian," sagde Iréne og vippede med foden. Hun var iført højhælede, åbne sandaler, tåneglene var lakeret i en skrigende rød farve, der på ingen måde matchede morgenkåben.

"Netop. Christian Thydell, der siden fik jeres efternavn. Lissander."

"Han tog sit oprindelige navn igen senere," sagde Ragnar stille og fik et dræbende blik af sin kone. Han tav omgående og sank sammen igen.

"Adopterede I ham?" spurgte Paula.

"Nej, det ved gud vi ikke gjorde." Iréne skubbede en lok af det mørke og tydeligvis tonede hår væk fra ansigtet. "Han boede bare hos os og fik vores navn for … nemheds skyld."

Patrik tav forfærdet. Hvor mange år havde Christian mon tilbragt her i dette hjem, hvor han – at dømme efter den kulde, hvormed plejemoderen omtalte ham – blev betragtet som en eller anden inferiør logerende?

"Okay, og hvor længe boede Christian hos jer?" Han kunne selv høre, hvordan hans modvilje skinnede igennem, men Iréne Lissander så ikke ud til at bemærke det.

"Ja, hvor længe var det, Ragnar? At drengen boede hos os?" Ragnar svarede ikke. Hun vendte sig om mod Patrik igen ude at værdige Paula et blik. Patrik fik en fornemmelse af, at andre kvinder ikke eksisterede i Irénes univers.

"Det må man jo kunne regne ud. Han var godt tre år, da han kom, og hvor gammel var han, da han rejste, Ragnar? Var det ikke atten?" Hun smilede beklagende. "Han ville søge lykken andetsteds, og siden da har vi ikke hørt fra ham. Har jeg ret, Ragnar?"

"Ja, sådan var det," svarede Ragnar Lissander stille. "Han … forsvandt bare."

Patrik følte medlidenhed med den lille mand. Havde han mon altid været sådan? Forknyt og kuet? Eller var det årene sammen med Iréne, der havde suget al livskraft ud af ham?

"Og I har ingen anelse om, hvad der blev af ham?"

"Nej, vi har ikke den fjerneste anelse." Iréne vippede med foden igen.

"Hvorfor spørger I om alt det her?" spurgte Ragnar. "Hvordan kan Christian være indblandet i en drabsefterforskning?"

Patrik tøvede. "Jeg må desværre meddele jer, at han blev fundet død her til morgen."

Ragnar kunne ikke skjule sin smerte. Nogen havde i det mindste brudt sig om Christian og ikke kun betragtet ham som en logerende.

"Hvordan døde han?" spurgte han med skælvende stemme.

"Han blev fundet hængt, mere ved vi ikke lige nu."

"Havde han familie?"

"Ja, to dejlige sønner og en kone ved navn Sanna. Han har boet i Fjällbacka de senere år og arbejdet som bibliotekar. I sidste uge udkom hans debutroman, *Havfruen*, der har fået meget fine anmeldelser."

"Så var det altså ham?" sagde Ragnar. "Jeg så omtalen i avisen og studsede over navnet, men på billedet lignede han overhovedet ikke den Christian, der boede hos os."

"Det skulle man aldrig have troet. At der skulle blive noget af den knægt," sagde Iréne, hendes ansigt var hårdt som sten.

Patrik måtte bide sig i tungen for ikke at komme med en ætsende bemærkning. Det gjaldt om at være professionel og fokusere på det væsentlige. Han begyndte at svede kraftigt igen, trak ud i blusen for at få lidt luft ind på kroppen.

"Han fik jo en barsk start, Christian. Var det noget, der prægede hans opførsel?"

"Han var jo så lille, den slags glemmer man hurtigt," sagde Iréne og viftede affærdigende med hånden.

"Sommetider havde han mareridt," sagde Ragnar.

"Det har alle børn da. Nej, vi bemærkede ikke noget. Han var på den anden side et temmelig besynderligt barn, men med den baggrund …"

"Hvad ved I om hans biologiske mor?"

"En tøjte, underklasse, ikke rigtigt velforvaret i hovedet." Iréne prikkede sig i tindingen med pegefingeren og sukkede. "Men jeg forstår virkelig ikke, hvad I tror, vi kan bidrage med. Hvis der ikke er andet, vil jeg godt lægge mig igen. Jeg er ikke helt rask."

"Lige et par spørgsmål mere," sagde Patrik. "Er der andet fra hans opvækst, I godt vil nævne? Vi leder efter en person, sandsynligvis en kvinde, der måske har truet Christian."

"Ja, der var bestemt ingen piger, som flokkedes om ham," sagde Iréne affærdigende.

"Jeg tænker ikke kun på forelskelser. Sås han ikke med andre piger?"

"Nej, hvem skulle det være? Han havde kun os."

Patrik skulle til at rejse sig, da Paula indskød et spørgsmål.

"Lige en sidste ting. Man har fundet endnu en mand død i Fjällbacka. Magnus Kjellner, en ven af Christian. Og to af hans andre venner har tilsyneladende været udsat for samme type trusler som ham: Erik Lind og Kenneth Bengtsson. Siger disse navne jer noget?"

"Vi har som sagt ikke hørt en lyd fra ham, siden han flyttede," sagde Iréne og rejste sig med en heftig bevægelse. "Nu må I faktisk have mig undskyldt. Jeg har et svagt hjerte, og det her kommer som sådan et chok, at jeg simpelthen er nødt til at lægge mig." Hun forlod stuen. De hørte hende gå op ad trappen.

"Har I nogen anelse om, hvem det er?" Ragnar så hen på døren, hvorfra hans kone var forsvundet.

"Nej, ikke for nærværende," svarede Patrik, "men jeg tror, Christian er hovedpersonen i alt det, der foregår, og jeg helmer ikke, før jeg ved hvordan og hvorfor. Tidligere i dag overbragte jeg hans kone budskabet om hans død."

"Javel," sagde Ragnar stille. Lidt efter åbnede han munden som for at sige noget, men lukkede den så igen, rejste sig og så på Patrik og Paula. "Jeg følger jer ud."

Ude ved hoveddøren følte Patrik, at han ikke burde gå. Han burde blive og ruske manden foran sig, indtil han spyttede ud med det, han havde været på vej til at sige. I stedet rakte han Ragnar sit visitkort og gik.

En uge senere var der ikke mere mad. Han havde spist alt brødet et par dage tidligere og måtte derefter nøjes med cornflakesene i den store pakke. Uden mælk. Både mælken og juicen var drukket, der var vand i hanen, og hvis han stillede en stol foran vasken, kunne han kravle op og drikke direkte fra hanen.

Nu var der ikke mere at spise. Der havde ikke været ret meget i køleskabet, i spisekammeret var der kun dåser, som han ikke kunne åbne. Han havde faktisk tænkt på selv at gå ud og købe noget. Han vidste, hvor mor havde sine penge, i håndtasken, der altid lå i entreen, men han kunne ikke få døren op. Han kunne ikke dreje smæklåsen, uanset hvor mange kræfter han lagde i. Ellers ville mor sikkert være blevet endnu mere stolt af ham. Han kunne ikke bare smøre sine egne madder, han kunne også selv gå ud og købe ind, mens hun sov.

De sidste dage var han begyndt at spekulere på, om hun var syg, men når man var syg, fik man feber og blev varm, mor var helt kold. Og hun lugtede underligt. Han måtte holde sig for næsen hver aften, når han lagde sig ind til hende for at sove. Hun var klistret. Han vidste ikke hvorfor, men hvis hun var klistret, måtte hun jo have været oppe, når han ikke så det. Måske ville hun vågne igen?

Han fik dagene til at gå med at lege, sad på sit værelse med legetøjet spredt ud omkring sig. Han vidste, hvordan man tændte for fjernsynet. På den store knap. Sommetider var der børneprogrammer, og det var sjovt at kigge på dem, når han havde leget alene hele dagen.

Men mor ville sikkert blive vred, når hun så, hvor rodet der var blevet. Han skulle nok rydde op, han var bare så sulten. Så utroligt sulten.

Nogle gange havde han skævet til telefonen og tilmed løftet røret. Hørt den pibende hyletone. Men hvem skulle han ringe til? Han kunne ikke nummeret til nogen, og der var aldrig nogen, som ringede til dem.

Mor ville snart vågne. Stå op og gå i bad og få den mærkelige lugt væk, som gav ham kvalme. Hun ville komme til at lugte af mor igen.

Med maven skrigende af sult kravlede han op i sengen, puttede sig ind til hende. Lugten rev i næsen, men han sov jo altid ved siden af mor. Ellers kunne han ikke falde i søvn.

Han trak dynerne op over dem. Uden for vinduet faldt mørket på.

GÖSTA REJSTE SIG i samme øjeblik, han hørte Patrik og Paula komme. Stemningen på stationen var trykket, alle følte sig magtesløse. De havde brug for noget konkret at tage fat om for at kunne komme videre.

"Fællesmøde i køkkenet om fem minutter," sagde Patrik og smuttede ind på sit kontor.

Gösta gik ud i køkkenet og satte sig på sin yndlingsplads ved vinduet, og fem minutter senere dukkede de andre op én efter én. Patrik kom sidst, stillede sig med ryggen til køkkenbordet og armene foldet over brystet.

"Som alle ved, blev Christian Thydell fundet død i morges. Vi kan foreløbig ikke afgøre, om der er tale om mord eller selvmord, vi må afvente resultatet af obduktionen. Jeg har talt med Torbjörn, og han har desværre heller ikke noget videre at byde på, men kunne dog sige så meget, at der ikke umiddelbart er tegn på nogen form for håndgemæng på stedet."

Martin rakte hånden op. "Hvad med fodaftryk? Er der noget, som tyder på, at Christian ikke var alene deroppe, da han døde? Hvis der lå sne på trappen, kunne man måske tage aftryk."

"Det spurgte jeg ham også om," sagde Patrik, "men dels ville man ikke kunne afgøre, hvornår eventuelle skoaftryk var afsat, dels var al sneen blæst væk fra trinnene. Men de har fundet en del fingeraftryk, først og fremmest på gelænderet, og de vil naturligvis blive analyseret. Der vil gå nogle dage, før vi kan få resultatet." Han vendte sig om, hældte vand i et glas og drak nogle mundfulde. "Noget nyt fra rundturen i kvarteret?"

"Nej," svarede Martin. "Vi har ringet på hos stort set alle huse i den ende af byen, men ingen har tilsyneladende observeret noget."

"Vi må tage hjem til Christian og foretage en grundig ransagelse. Måske finder vi noget, der indikerer, at han mødtes med sin drabsmand først."

"Drabsmand?" sagde Gösta. "Du tror altså, at det er mord og ikke selvmord?"

"Jeg ved ikke, hvad jeg tror lige nu," sagde Patrik og strøg sig træt over panden, "men indtil vi ved mere, foreslår jeg, at vi går ud fra, at Christian blev myrdet." Han henvendte sig til Mellberg: "Eller hvad mener du, Bertil?"

"Ja, det lyder fornuftigt nok," sagde Mellberg.

"Vi skal også regne med at skulle trækkes med pressen. Så snart de får færten af det her, vil det få stor mediebevågenhed. Jeg anbefaler, at ingen udtaler sig til journalisterne, men i stedet henviser dem til mig."

"Her må jeg nok protestere," sagde Mellberg. "Som stationschef må det vist være mig, der tager sig af kommunikationen med medierne."

Patrik overvejede alternativerne. At lade Mellberg bralre op til journalisterne og kvaje sig var et sandt mareridt, men at prøve at tale ham fra det ville sandsynligvis kræve alt for meget energi.

"Okay, så siger vi, at du tager dig af pressen, men hvis jeg må komme med et råd, så bør vi nok sige så lidt som muligt på nuværende tidspunkt."

"Bare rolig. Med min erfaring kan jeg sno dem om min lillefinger," sagde Mellberg og lænede sig tilbage i stolen.

"Paula og jeg har været en tur i Trollhättan, som I sikkert allerede ved."

"Fandt I ud af noget?" spurgte Annika ivrigt.

"Det er svært at sige endnu, men jeg tror, vi er på rette spor, så vi graver videre." Han drak endnu en tår vand.

"Hvad fik I da at vide?" spurgte Martin og trommede utålmodigt i bordet med en kuglepen. Han holdt dog hurtigt op efter et irriteret blik fra Gösta.

"Christian blev, sådan som Annika havde fundet ud af, forældreløs som lille. Han boede alene sammen med sin mor, Anita Thydell. Faderen er anført som ukendt. Ifølge socialforvaltningens oplysninger levede de meget isoleret, og Anita havde i perioder problemer med at tage sig af Christian på grund af en psykisk lidelse i kombination med misbrug. Man holdt et vågent øje med familien efter at have modtaget anmeldelser fra naboerne, men man foretog tilfældigvis hjemmebesøgene i de perioder, hvor Anita til-

318

syneladende havde nogenlunde styr på situationen. Det var i hvert fald den forklaring, vi fik på, hvorfor der ikke blev grebet ind. Nå ja, og så var det jo andre tider dengang, som der blev sagt," tilføjede han med slet skjult ironi. "Da Christian var omkring tre år, gjorde en beboer viceværten opmærksom på, at der stank fra Anitas lejlighed. Viceværten lukkede sig ind med hoved-nøglen og fandt Christian alene med sin døde mor. Hun havde efter alt at dømme været død i en uges tid, og Christian havde overlevet ved at spise det, der fandtes i hjemmet, og drikke vand fra hanen. Han måtte imidlertid være løbet tør for mad efter nogle dage, for da politi og ambulancefolk trop-pede op, var han udhungret og afkræftet. De fandt ham liggende sammen-krummet ved siden af moderens lig, delvis bevidstløs."

"Du godeste," sagde Annika. Gösta sad og blinkede med øjnene, og Mar-tin var blevet grøn i ansigtet, måtte gøre synkebevægelser for ikke at kaste op.

"Ja, og desværre endte Christians trængsler ikke der. Han blev kort efter sat i pleje hos et ægtepar ved navn Lissander, som Paula og jeg besøgte i dag."

"Christian kan ikke have haft nogen let opvækst hos dem," sagde Paula stille. "Hvis jeg skal være ærlig, fik jeg det indtryk, at fru Lissander ikke var helt normal i hovedet."

Noget for gennem hovedet på Gösta. Lissander. Hvor havde han hørt det navn før? Af en eller anden grund associerede han det til Ernst Lundgren, deres gamle kollega, der var blevet fyret fra stationen. Han ransagede sin hu-kommelse, overvejede, om han skulle fortælle, at navnet forekom ham be-kendt, men besluttede at vente, til det dukkede frem fra glemslen af sig selv.

Patrik fortsatte: "De hævder, at de ikke har haft kontakt med Christian, siden han var atten, hvor han åbenbart brød med dem og forsvandt."

"Tror I, de talte sandt?" spurgte Annika.

Patrik kiggede på Paula, der nikkede.

"Ja," svarede han. "Eller også er de gode til at lyve."

"Og de kendte ikke noget til en kvinde, der kunne have et horn i siden på Christian?" spurgte Gösta.

"Ikke efter hvad de sagde, men her er jeg ikke lige så sikker på deres sand-færdighed."

"Havde han ingen søskende?"

"Det sagde de ikke noget om, men det kan du måske undersøge, Annika?

Det burde jo være nemt nok at finde ud af. Du får deres fulde navne og diverse andre oplysninger af mig, så tjek det gerne hurtigst muligt."

"Jeg kan gøre det med det samme, hvis du synes," sagde Annika. "Det er hurtigt gjort."

"Okay, gør det. Der sidder en gul post-it-seddel med alle oplysninger på sagsmappen på mit skrivebord."

"Jeg er tilbage om lidt," sagde Annika og rejste sig.

"Burde vi ikke tage os en snak mere med Kenneth? Nu hvor Christian er død, har han måske nemmere ved at få munden på gled," foreslog Martin.

"God idé. Vi har med andre ord følgende opgaver: tale med Kenneth og foretage en grundig ransagelse hos Christian. Vi skal også have kortlagt Christians liv, før han flyttede til Fjällbacka, ned i mindste detalje. Gösta og Martin, tager I jer af Kenneth?" De nikkede, Patrik henvendte sig til Paula: "Du og jeg tager hjem til Christian, og hvis vi finder noget af interesse, ringer vi efter teknikerne."

"Det siger vi," svarede hun.

"Mellberg, du holder dig klar til at besvare eventuelle spørgsmål fra medierne," fortsatte Patrik, "og Annika graver videre i Christians fortid. Ja, nu har vi da noget at arbejde videre på."

"Mere end du tror," lød det fra Annika henne i døren.

"Har du fundet noget?" spurgte Patrik.

"Jeps," svarede hun og så spændt på sine kolleger. "Ægteparret Lissander fik en datter to år efter, at de havde taget Christian i pleje. Han har en søster. Alice Lissander."

"Louise?" Han kaldte på hende nede fra entreen. Kunne han være så heldig, at hun ikke var hjemme? I så fald slap han for at finde på et eller andet påskud til at få hende ud af huset. Han skulle pakke. Det føltes, som om han havde feber, som om hele kroppen skreg, at han måtte se at komme af sted i en fart.

Alt det praktiske var ordnet, og i morgen lå en flybillet klar til ham i Landvetter Lufthavn, booket i hans navn. Der var ingen grund til at tro, at nogen skulle forhindre ham i at rejse, og når han først stod i terminalen, var det under alle omstændigheder for sent.

Erik blev stående tvivlrådig uden for pigernes værelser på første sal. Han havde lyst til at gå derind og se sig om, tage afsked, men han kunne ikke få sig selv til det. Det var lettere at tage skyklapper på og koncentrere sig om det, der skulle gøres.

Han lagde den store kuffert på sengen. Den stod normalt nede i kælderen, og når Louise opdagede, at den var væk, ville han allerede være over alle bjerge. Han ville tage af sted samme aften. Han var blevet rystet over det, han havde fået at vide, da han talte med Kenneth, han kunne ikke blive her ét minut længere. Han ville lægge en besked til Louise om, at han var taget af sted på en presserende forretningsrejse, hvorefter han ville køre ud til lufthavnen og tage ind på et hotel i nærheden. I morgen eftermiddag ville han sidde i flyet med kurs mod sydligere breddegrader. Uden for rækkevidde.

Erik begyndte at fylde kufferten. Han kunne ikke tage for meget med, for hvis Louise fandt skuffer og skabe gabende tomme, når hun kom hjem, ville hun kunne regne ud, hvad der var under opsejling. Han pakkede så meget, det gik an, og han kunne jo altid købe noget nyt tøj dernede. Penge var ikke noget problem.

Han var helt oppe på dupperne, mens han pakkede. Hvis Louise greb ham på fersk gerning, måtte han skubbe den store kuffert ind under sengen og foregive, at han var ved at pakke den lille kabinetrolley. Han havde den stående i soveværelset, og brugte den altid på sine forretningsrejser.

Han stod stille et kort øjeblik. Minderne, der var dukket op til overfladen, nægtede at synke tilbage i glemslen. Han ville ikke påstå, at det gjorde ham ilde berørt – alle begik fejl, det var kun menneskeligt – men han var fascineret af, at nogen kunne være så målbevidst. Det var jo længe siden.

Han skubbede tanken fra sig. Det tjente ikke noget formål at gruble over alt det, og i overmorgen var han i sikkerhed.

Ænderne kom farende, da de fik øje på ham. De var efterhånden gamle venner og kunne kende ham, når han kom herhen med en pose tørt brød i hånden. Nu flokkedes de omkring fødderne på ham, ivrige efter at få deres ration.

Ragnar tænkte på samtalen med de to betjente, på Christian. Han burde have gjort mere, det havde han vidst allerede dengang. Hele livet havde han været en medpassager, der viljesvag og umælende havde stået ved siden af uden at gribe ind. Hendes medpassager. Sådan havde det være lige fra begyndelsen. Ingen af dem havde kunnet bryde det mønster, de havde skabt.

Iréne havde altid været besat af skønhed. Hun havde værdsat livets goder, fester og drinks, mændenes beundrende blikke. Det vidste han alt om. Bare fordi han havde gemt sig bag sin utilstrækkelighed, betød det ikke, at han var uvidende om hendes affærer med andre mænd.

Og den stakkels dreng havde aldrig haft en chance. Han havde aldrig slået til, aldrig kunnet leve op til hendes krav. Drengen havde sikkert troet, at Iréne elskede Alice, men der havde han taget fejl. Iréne var ikke i stand til at elske. Hun havde blot spejlet sig i sin datters skønhed. Han ville ønske, at han havde fortalt drengen det, før de jog ham væk som en anden køter. Han var ikke sikker på, hvad der var sket, hvad sandheden var. Ikke ligesom Iréne, der havde fældet dommen og tildelt straffen i ét og samme hug.

Tvivlen havde gnavet i ham, og den gnavede stadigvæk, men med årene var minderne blegnet. De havde fortsat deres samliv, han i baggrunden og Iréne i den tro, at hun stadig var smuk. Ingen havde fortalt hende, at de dage var forbi, hun levede fortsat, som om hun når som helst ville blive festens midtpunkt igen. Den smukke attråede.

Nu var det slut. I samme øjeblik det gik op for ham, hvorfor betjentene var kommet, vidste han, at han havde begået en fejltagelse. En stor, skæbnesvanger fejltagelse, og nu var det for sent at rette op på den.

Ragnar tog visitkortet op af lommen. Greb mobilen og tastede nummeret på kortet.

"Vi begynder vist at kende vejen." Gösta drønede forbi Munkedal.

"Ja, det gør vi," sagde Martin og kiggede undrende på Gösta, der havde været mærkelig tavs, lige siden de forlod Tanumshede. Han var ganske vist ikke specielt snakkesalig under normale omstændigheder, mens helt så tavs plejede han ikke at være.

"Er der noget, du spekulerer på?" spurgte han efter et stykke tid, da han ikke længere kunne klare tavsheden.

"Hvad? Nej, det er ikke noget," svarede Gösta.

Martin lod det ligge. Han vidste, det var håbløst at presse noget ud af

Gösta, som han ikke ville delagtiggøre andre i. Det skulle nok komme frem alligevel før eller siden.

"Sikken skrækkelig historie. Der kan man vist tale om en dårlig start på tilværelsen," sagde Martin. Han tænkte på sin lille datter, og hvad der ville ske, hvis hun blev udsat for sådan noget. Det passede virkelig, det, man sagde om at blive forælder. At man blev tusind gange mere følsom over for alt, hvad der vedrørte børn, som havde det svært.

"Ja, stakkels knægt," sagde Gösta og virkede med ét lidt mere nærværende.

"Burde vi egentlig ikke vente med at tale med Kenneth, til vi ved mere om Alice?"

"Annika dobbelttjekker og tredobbelttjekker garanteret alt, mens vi er væk. For det første skal vi jo finde ud af, hvor hun opholder sig."

"Kan man ikke bare spørge Lissander-parret selv?" sagde Martin.

"Siden de ikke engang omtalte hendes eksistens, går jeg ud fra, at Patrik er temmelig skeptisk over for dem, og så skader det jo ikke at have så mange facts som muligt."

Martin vidste, at han havde ret, følte sig dum, fordi han havde spurgt.

"Tror du, det kan være hende?"

"Aner det ikke. Det er for tidligt med gisninger."

De tilbagelagde det sidste stykke ned til hospitalet i tavshed, og da de havde parkeret, gik de direkte op til afdelingen.

"Så er vi her igen," sagde Gösta, da de trådte indenfor.

Kenneth svarede ikke, kiggede bare på dem, som om han ville blæse på, hvem der kom eller gik.

"Hvordan går det med sårene? Heler de, som de skal?" spurgte Gösta og tog plads på samme stol, som han havde siddet på sidst.

"Nja, så hurtigt går det nu ikke," sagde Kenneth og flyttede lidt på de forbundne arme. "Jeg får smertestillende medicin, så jeg mærker ikke så meget til dem."

"Har du hørt det om Christian?"

Kenneth nikkede.

"Du virker ikke særlig oprevet over det," sagde Gösta, uden dog at lyde uvenlig.

"Man skal ikke skue hunden på hårene."

Gösta betragtede ham undrende et øjeblik.

"Hvordan tager Sanna det?" spurgte Kenneth, og for første gang var der et glimt af et eller andet i hans blik. Medfølelse. Han vidste, hvordan det var at miste.

"Ikke så godt." Gösta rystede på hovedet. "Vi var derhenne i morges. Det er synd for drengene."

"Ja, det er det," sagde Kenneth og fik noget sløret i blikket.

Martin var begyndt at føle sig en smule overflødig. Han stod stadig op, trak en stol hen ved siden af Kenneth, over for Gösta. Kiggede på sin kollega, der nikkede som tegn på, at han kunne overtage.

"Vi tror, at alt det, der er sket den sidste tid, først og fremmest har noget at gøre med Christian, og vi har forsket lidt i hans baggrund. Vi har blandt andet fundet ud af, at han havde et andet navn som ung: Christian Lissander. Han har også en stedsøster, Alice Lissander. Er det noget, du har hørt om før?"

Det varede lidt, før Kenneth sagde noget.

"Nej, det kender jeg ikke noget til."

Gösta fastholdt Kenneths blik, lignede en der havde lyst til at kravle ind i hovedet på manden og se, om han talte sandt eller ej.

"Jeg har sagt det før, og nu siger jeg det igen: Hvis du ved noget, som du ikke fortæller os, udsætter du ikke kun dig selv, men også Erik for fare. Nu hvor også Christian er død, må du da kunne indse alvoren."

"Jeg ved ingenting," sagde Kenneth roligt.

"Hvis du tilbageholder noget, finder vi alligevel frem til det før eller senere."

"Jeg tvivler ikke på, at I vil gøre jeres bedste," sagde Kenneth. Han så lille og skrøbelig ud, lå med armene hvilende på den lyseblå hospitalsdyne.

Gösta og Martin vekslede blikke. Begge vidste, at de ikke kom nogen vegne, men ingen af dem troede på, at Kenneth talte sandt.

Erica lukkede bogen. Hun havde siddet og læst i flere timer, kun afbrudt af Maja, der kom og bad om noget fra tid til anden. I situationer som den her var hun enormt taknemmelig for datterens evne til at lege med sig selv.

Romanen var endnu bedre anden gang. Den var fantastisk. Det var ikke just en bog, der lettede på humøret, den fyldte snarere læseren med dystre tanker, men af en eller anden grund føltes det ikke ubehageligt. Det var ting, som man indimellem havde brug for at tænke over og tage stilling til for at finde ud af, hvad for en slags menneske man var.

I hendes øjne handlede bogen om skyldfølelse, om hvordan den kan fortære et menneske indefra, og for første gang spekulerede hun på, hvad det egentlig var, Christian havde villet fortælle, hvad han ville formidle med sin historie.

Hun lagde bogen i skødet med en følelse af, at hun overså noget, der befandt sig lige for næsen af hende. Noget, hun var for dum eller for blind til at få øje på. Hun slog op på omslagets bageste flap og betragtede det sorthvide foto af Christian, han kiggede på hende i klassisk halvprofil bag de stålindfattede briller. Han havde været flot på en lidt utilnærmelig måde. Der var en ensomhed i blikket, somder gjorde, at man aldrig rigtigt følte, at han var helt nærværende. Han var aldrig sammen med nogen, ikke engang når han rent faktisk befandt sig i et andet menneskes selskab. Paradoksalt nok havde det virket dragende på andre mennesker. Man ville altid have det, man ikke kunne få, og nøjagtig sådan havde det været med Christian.

Erica halede sig op af lænestolen. Hun havde dårlig samvittighed over, at hun havde ladet sig opsluge af læsningen og ignoreret sin datter. Med stort besvær fik hun sig manøvreret ned på gulvet ved siden af Maja.

Men i baghovedet rumsterede Havfruen stadig. Hun ville sige noget. Christian ville sige noget, det var Erica sikker på. Hun ville bare ønske, hun vidste hvad.

Patrik kunne ikke nære sig for at tage telefonen op af lommen og kigge på den.

"Hold nu op," sagde Paula leende. "Annika ringer ikke hurtigere, fordi du tjekker din telefon hele tiden. Du skal nok høre det, når den ringer."

"Jeg ved det godt," sagde Patrik med et flovt smil, "jeg føler bare, vi er så tæt på nu." Han fortsatte med at trække skuffer ud og åbne skabe hjemme hos Christian og Sanna. De havde hurtigt fået en ransagningskendelse, men problemet var, at han ikke vidste, hvad de ledte efter.

"Det burde gå ret hurtigt at lokalisere Alice Lissanders bopæl," trøstede Paula, "så Annika ringer sikkert om et øjeblik med en adresse."

"Ja," sagde Patrik og kiggede i køkkenvasken. Der var ingen tegn på, at Christian havde haft gæster dagen før, og de havde heller ikke fundet noget, der tydede på, at han var blevet slæbt af sted med vold, eller at der havde været indbrud. "Men hvorfor fortalte de ikke, at de havde en datter?"

"Det finder vi snart ud af, men jeg tror, vi gør klogest i at foretage vores egen research om Alice, før vi taler med dem."

"Helt enig, men bagefter er der lige et par ting, de skal afkræves svar på."

De gik ovenpå. Alting så ud som dagen før. Bortset fra i børneværelset, hvor skriften på væggen, de blodrøde bogstaver, var dækket af et tykt lag sort maling.

De blev stående i døren.

"Christian må have malet det over i går," sagde Paula.

"Jeg forstår ham godt. Jeg ville have gjort det samme."

"Hvad tror *du* egentlig?" Paula gik ind i det tilstødende soveværelse, stillede sig med hænderne i siden og lod blikket feje hen over værelset, før hun minutiøst gik i gang med at gennemsøge det.

"Tror om hvad?" Patrik sluttede sig til hende, gik hen til klædeskabet og åbnede skydedørene.

"Er Christian blevet myrdet, eller har han taget livet af sig?"

"Jeg ved godt, hvad jeg sagde på mødet, men jeg udelukker ingenting. Christian var en sær snegl. De få gange, vi talte med ham, havde jeg en følelse af, at der foregik ting i hovedet på ham, som andre ikke kunne forstå. Men her ser i det mindste ikke ud til at være noget afskedsbrev."

"Det er der langtfra altid, det ved du lige så godt som jeg." Paula trak forsigtigt kommodeskufferne ud og følte efter med hånden mellem tøjet.

"Nej, det ved jeg, men hvis vi havde fundet et, ville det gøre alting meget nemmere." Han rettede ryggen, hev efter vejret et øjeblik. Hjertet dunkede hårdt igen, og han tørrede sveden af panden.

"Her ser ikke ud til at være noget, der er værd at kigge nærmere på," sagde Paula og lukkede den sidste kommodeskuffe. "Skal vi droppe det?"

Patrik tøvede. Han ville ikke give op, men Paula havde ret.

"Lad os køre tilbage til stationen og vente på, at Annika finder ud af noget. Måske har Gösta og Martin haft bedre held hos Kenneth."

"Ja, man kan jo altid håbe." Paula lød skeptisk.

De var netop på vej ud ad døren, da Patriks telefon ringede. Han flåede den febrilsk op – og blev skuffet. Det var ikke stationens nummer, men et ukendt mobilnummer.

"Patrik Hedström, Tanum-politiet," sagde han og håbede, det blev en hurtig samtale, så der ikke ville være optaget, hvis Annika prøvede at ringe. Så stivnede han.

"Hej, Ragnar." Han gjorde tegn til Paula, der standsede halvvejs henne ved bilen.

"Ja? Jo, vi har også fundet ud af et par ting ... Okay, det taler vi om, når vi ses. Vi kan komme med det samme. Skal vi mødes hjemme hos jer? Ja. Jo, det kan vi sagtens finde. Jamen så ses vi der. Helt sikkert, vi tager af sted med det samme. Vi ses om tre kvarters tid."

Han afsluttede samtalen og kiggede på Paula. "Det var Ragnar Lissander. Han har noget, han godt vil fortælle. Og vise os."

Hele vejen fra Uddevalla havde navnet kværnet i hovedet på ham. Lissander. At det skulle være så svært at komme i tanker om, hvor han havde hørt det før. Ernst Lundgren blev ved med at dukke op i tankerne, på en eller anden måde var navnet forbundet med ham. Ved afkørslen til Fjällbacka besluttede han sig, krængede rattet til højre og drejede væk fra motorvejen.

"Hvad laver du?" sagde Martin. "Skulle vi ikke køre direkte tilbage til stationen?"

"Først skal vi på et lille hjemmebesøg."

"Hjemmebesøg? Hos hvem?"

"Ernst Lundgren." Gösta gearede ned og drejede til venstre.

"Hvad skal vi der?"

Gösta fortalte Martin, hvad han havde grublet over.

"Og du har ingen anelse om, hvor du er stødt på navnet?"

"I så fald havde jeg jo sagt det, ikke?" snerrede Gösta. Han havde mistanke om, at Martin troede, alderen gjorde ham glemsom.

"Rolig nu," sagde Martin. "Vi kører hjem til Ernst og hører, om han kan friske din hukommelse op. Det ville være skønt, hvis han for én gangs skyld kunne bidrage med noget konstruktivt."

"Ja, det ville sandelig være nye toner." Gösta måtte trække på smilebåndet. Ligesom de andre på stationen havde han ikke høje tanker om Ernsts evner og karakteregenskaber, men alligevel kunne han ikke føle den samme helhjertede afsky, som han vidste, at de andre – muligvis med undtagelse af Mellberg – gjorde. De havde arbejdet sammen så længe, og man vænnede sig jo til det meste. Han kunne heller ikke se bort fra, at de havde fået sig mangen en god latter sammen gennem årene. Det var sandt, at Ernst ofte havde kvajet sig godt og grundigt, ikke mindst i forbindelse med den sidste efterforskning, han deltog i, før han blev fyret. Men måske kunne han være til hjælp denne gang.

"Det ser i hvert fald ud, som om han er hjemme," sagde Martin, da de kørte ind foran huset. Gösta parkerede patruljevognen ved siden af Ernsts bil.

Ernst åbnede døren, før de nåede at ringe på. Han måtte have set dem fra køkkenvinduet.

"Ser man det! Man får nok fint besøg," sagde han og lukkede dem ind.

Martin så sig omkring. Til forskel fra Gösta havde han aldrig været hjemme hos Ernst, men han blev ikke imponeret. Selvom der ikke altid havde været specielt ryddeligt i hans ungkarlelejlighed, havde det aldrig været bare i *nærheden* af det her. Vasken var fuld af snavsede tallerkener, tøj lå og flød overalt, og bordet i køkkenet så ud, som om det aldrig havde set en karklud.

"Jeg har ikke så meget at traktere jer med, men en lille skarp kan man vel altid byde på," sagde Ernst og rakte ud efter en snapseflaske på køkkenbordet.

"Jeg kører," sagde Gösta.

"Hvad med dig? Du må sgu da trænge til at blive muntret lidt op," sagde Ernst og holdt flasken hen mod Martin. Han afslog.

"Jamen så skal I sgu da slippe, tøsedrenge!" Han hældte en snaps op til sig selv, skyllede den ned.

"Nå, hvad drejer det sig om?" Han tog plads på en køkkenstol, og hans gamle kolleger fulgte hans eksempel.

"Der er noget, jeg går og spekulerer på, som jeg tror, du måske kan hjælpe mig med," sagde Gösta.

"Ja, nu kan man søreme bruges."

"Det drejer sig om et navn. Det siger mig et eller andet, og af en eller anden grund forbinder jeg det med dig."

"Ja, vi har jo arbejdet sammen nogle år, du og jeg," sagde Ernst og lød næsten rørstrømsk. Det var næppe dagens første genstand, han havde fået indenbords.

"Det har vi, ja," sagde Gösta, "og nu har jeg brug for din hjælp. Og gider du klappe i eller hva'?"

Ernst overvejede det, men sukkede så og viftede med sit tomme glas.

"Okay, fyr løs."

"Har jeg dit ord på, at det, jeg siger nu, bliver mellem os?" Gösta fastholdt Ernsts blik, og denne nikkede modstræbende.

"Ja, ja. Kom så bare med det."

"Vi er ved at efterforske mordet på Magnus Kjellner, som du sikkert har hørt om, og i den forbindelse er vi stødt på navnet Lissander. Jeg ved ikke hvorfor, men det virker så bekendt, og af en eller anden grund får det mig til at tænke på dig. Siger det dig noget?"

Ernst svajede let på stolen. Der var musestille omkring bordet, mens Ernst tænkte efter, både Martin og Gösta greb sig selv i at stirre forventningsfuldt på ham.

Ernst lyste op i et stort smil.

"Lissander. Ja, gu' siger det navn mig noget. Det var li'godt satans!"

De havde aftalt at mødes på det eneste sted, Patrik og Paula kendte i Trollhättan, McDonald's lige ved broen, hvor de havde været blot nogle timer tidligere.

Ragnar Lissander ventede indenfor, og Paula tog plads ved siden af ham, mens Patrik gik hen og købte kaffe til dem. Ragnar forekom endnu mere usynlig, end han havde gjort i sit eget hjem. En lille, tyndhåret mand i en beigefarvet frakke. Han rystede ganske let på hånden, da han tog imod bægret med kaffe, havde svært ved at se dem i øjnene.

"Du ville tale med os," sagde Patrik.

"Vi ... vi fortalte ikke rigtigt alt."

Patrik sagde ikke noget. Han var nysgerrig efter at høre, hvordan manden ville forklare, at de havde fortiet, at de havde en datter.

"Det har ikke altid været nemt, skal I vide. Vi fik en datter. Alice. Christian var omkring fem år gammel, og det var ikke let for ham. Jeg burde ..." Stemmen døde hen, og han tog en mundfuld kaffe, før han fortsatte: "Han blev formentlig skadet for livet af det, han blev udsat for. Jeg ved ikke, hvor meget I kender til, men Christian var alene med sin døde mor i over en uge. Hun var psykisk syg og kunne ikke altid tage hånd om ham, heller ikke om sig selv. Til sidst døde hun i lejligheden, og Christian kunne ikke komme i kontakt med nogen. Han troede, hun sov."

"Ja, det er vi informeret om. Vi har talt med socialforvaltningen her i Trollhättan og har fået udleveret alle sagens akter." Patrik kunne selv høre, hvor formelt det lød. "Sagens akter". Men det var den eneste måde, hvorpå han kunne distancere sig fra det.

"Døde hun af en overdosis?" spurgte Paula. De havde endnu ikke nået at gennemgå alle detaljer i den gamle sag.

"Nej, hun var ikke på stoffer. I sine dårlige perioder drak hun sommetider for meget, og så tog hun selvfølgelig medicin. Det var hjertet, der til sidst sagde stop."

"Hvorfor?" Patrik forstod det ikke helt.

"Hun levede usundt, med både alkohol og medicin. Hun var voldsomt overvægtig. Vejede over hundrede halvtreds kilo."

Et eller andet i Patriks underbevidsthed reagerede. Der var noget her, som ikke stemte.

"Og så kom han hjem til jer?" sagde Paula.

"Ja, så kom han hjem til os. Det var Iréne, der fandt på, at vi skulle adoptere, da det ikke så ud til, at vi kunne få børn."

"Men der blev aldrig nogen adoption?" sagde Patrik.

"Vi ville formodentlig have adopteret ham, hvis ikke Iréne var blevet gravid kort tid efter."

"Det er efter sigende ikke helt så usædvanligt," sagde Paula.

"Nej, det sagde lægen også. Og da vores datter så kom, var det, som om Iréne mistede interessen for Christian." Ragnar Lissander kiggede ud ad vinduet og knugede om kaffebægret. "Det havde måske været bedre for drengen, hvis hun havde fået sin vilje."

"Som gik ud på …?" spurgte Patrik.

"At levere ham tilbage. Hun syntes ikke, vi behøvede beholde ham, når vi fik vores eget barn." Han smilede skævt. "Jeg kan godt høre, hvordan det lyder. Iréne har sine særheder, og indimellem kan det godt gå lidt galt, men hun mener det ikke altid så slemt, som man skulle tro."

Lidt galt? Patrik var ved at kvæles af raseri. De talte om en kvinde, der ville levere sit plejebarn tilbage, da hun fik sit eget, og stodderen sad sgu her og forsvarede hende!

"Men I leverede ham ikke tilbage?"

"Nej, det var en af de få gange, hvor jeg satte hælene i. Først ville hun ikke høre tale om det, men da jeg sagde, at det ville tage sig ilde ud, gik hun med til at beholde ham. Men jeg burde nok ikke …" Endnu en gang fortonede stemmen sig, det var tydeligt, at han havde svært ved at tale om det.

"Hvordan var forholdet mellem Christian og Alice under deres opvækst?" spurgte Paula, men Ragnar så ikke ud til at høre hende. Han var tilsyneladende langt væk i tankerne og sagde stille:

"Jeg skulle have passet bedre på hende. Den stakkels dreng forstod det jo ikke."

"Hvad forstod han ikke?" spurgte Patrik og lænede sig frem.

Ragnar for sammen og blev atter nærværende. Han kiggede på Patrik.

"Har I lyst til at møde Alice? I er nødt til at møde hende for at forstå det."

"Ja, vi vil gerne møde Alice." Patrik kunne ikke skjule sin ophidselse. "Hvor er hun?"

"Vi tager derhen med det samme," sagde Ragnar og rejste sig.

Patrik og Paula kiggede på hinanden, da de gik hen til bilen. Var Alice den kvinde, de ledte efter? Ville der endelig komme en ende på det her?

Hun sad med ryggen til dem, da de kom ind. Hendes lange hår nåede næsten til livet. Mørkt og skinnende.

"Hej, Alice, det er far." Ragnars stemme gav ekko i det nøgne værelse. Nogen havde gjort et halvhjertet forsøg på at gøre det hyggeligt, men uden den store succes. En halvvissen potteplante i vinduet, filmplakaten til *The Big*

Blue, en smal seng med et slidt sengetæppe. Derudover et lille skrivebord med en stol foran. Det var der, hun sad. Hendes hænder bevægede sig, men Patrik kunne ikke se, hvad hun foretog sig. Hun havde ikke reageret, da faderen tiltalte hende.

"Alice," sagde han igen, og hun vendte sig langsomt om.

Patrik sank. Kvinden foran ham var eventyrligt smuk. Han havde hurtigt regnet ud, at hun måtte være omkring femogtredive, men hun så yngre ud. Det ovale ansigt var helt glat, de blå øjne enorme og med tætte, sorte øjenvipper. Han greb sig selv i at stirre på hende.

"Ja, hun er smuk, vores Alice," sagde Ragnar og gik hen til hende. Han lagde hånden på hendes skulder, og hun lænede hovedet mod hans talje. Som en kattekilling, der gnubber sig op ad sin ejer. Hænderne lå slapt i skødet.

"Vi har gæster. Det her er Patrik og Paula." Han tøvede. "De er Christians venner."

Der kom et lille glimt af liv i hendes øjne, da hun hørte broderens navn, og Ragnar strøg hende blidt over håret.

"Nu ved I det. Nu har I mødt Alice."

"Hvor længe har hun …?" Patrik kunne ikke slippe hendes ansigt med blikket. Ved første øjekast lignede hun sin mor utroligt meget, og dog så hun helt anderledes ud. Alt det ondskabsfulde, ætset ind i moderens ansigt, manglede hos hende … magisk væsen. Han vidste, det var en latterlig betegnelse, men andet faldt ham ikke ind.

"Længe. Hun har ikke boet hjemme siden den sommer, hun fyldte tretten. Det her er det fjerde sted, hun bor på. Jeg brød mig ikke om det forrige, men dette er ikke så ringe." Han bukkede sig ned og kyssede sin datter på hovedet. Der var ingen reaktion at spore i hendes ansigt, hun trykkede sig lidt tættere ind til ham.

"Hvad …?" Paula vidste ikke rigtigt, hvordan hun skulle formulere spørgsmålet.

"Hvad hun fejler?" sagde Ragnar. "Hvis du spørger mig, så fejler hun ikke noget. Hun er perfekt. Men jeg forstår, hvad du mener, og jeg skal nok fortælle det."

Han satte sig på hug foran Alice og talte blidt til hende. Her sammen med sin datter var han ikke længere usynlig. Hans holdning var rankere og blik-ket klart. Han var nogen. Han var Alices far.

"Far kan ikke blive så længe i dag, skat. Jeg syntes bare, du skulle møde Christians venner."

Hun så på ham, men vendte sig så om og tog noget fra skrivebordet. En tegning. Hun holdt den opfordrende op mod ham.

"Er den til mig?"

Hun rystede på hovedet, og Ragnar sank en smule sammen i skuldrene. "Er den til Christian?" spurgte han dæmpet.

Hun nikkede og holdt den frem igen.

"Jeg skal nok sende den til ham, det lover jeg."

Antydningen af et smil. Hun satte sig til rette igen, hænderne bevægede sig. Hun begyndte på en ny tegning.

Patrik skævede til papiret i Ragnar Lissanders hånd, genkendte motivet.

"Du har holdt, hvad du lover. Du har sendt hendes tegninger til Chri-stian," sagde han, da de gik ud af Alices værelse.

"Ikke alle sammen, hun laver så mange. Men en gang imellem, så han kunne vide, at hun tænkte på ham. Trods alt."

"Hvordan vidste du, hvor du skulle sende tegningerne hen? Sagde I ikke, at han afbrød enhver kontakt med jer, da han var atten?" spurgte Paula.

"Jo, det gjorde han, men Alice ville så gerne give Christian sine tegninger, så jeg fandt ud af, hvor han opholdt sig. Jeg var nok også nysgerrig. Først ledte jeg efter vores efternavn, men uden held. Derefter prøvede jeg med hans mors navn og fandt frem til en adresse i Göteborg. En overgang blev han væk for mig, han flyttede, men så fandt jeg ham igen. På Rosenhillsgatan. Men jeg vidste ikke, at han var flyttet til Fjällbacka. Jeg troede, han sta-dig boede der, for brevene kom jo aldrig tilbage."

Ragnar sagde farvel til Alice, og på vej hen ad gangen fortalte Patrik om ungareren, der havde gemt brevene til Christian. De satte sig i et stort, lyst lokale, der fungerede som spisesal og cafeteria. Upersonligt med store vifte-palmer, der i lighed med Alices potteplante led under mangel på vand og omsorg. Alle borde var tomme.

"Hun skreg meget," sagde Ragnar og glattede den pastelfarvede dug med hånden. "Formodentlig kolik. Allerede under graviditeten var Iréne begyndt at miste interessen for Christian, så da Alice kom og var så krævende, blev der intet tilbage til ham. Han var jo skadet og sårbar."

"Og du?" spurgte Patrik og forstod på Ragnars ansigtsudtryk, at han havde ramt et meget ømt punkt.

"Mig?" Ragnar holdt hånden stille. "Jeg lukkede øjnene, ville ikke se. Det var det nemmeste."

"Så Christian kunne ikke lide sin søster?" sagde Patrik.

"Han plejede at stå og kigge på hende, når hun lå i vuggen. Jeg lagde mærke til hans sorte blik, men jeg drømte ikke om … Jeg skulle bare ud og åbne, da det ringede på døren." Ragnar lød fraværende og stirrede på et punkt bag dem. "Jeg var kun væk i nogle minutter."

Paula åbnede munden for at spørge om noget, men lukkede den så igen. Han måtte tage det i sit eget tempo. Man kunne se på ham, hvor meget det krævede at forme ordene. Kroppen var anspændt, skuldrene trukket op.

"Iréne havde lagt sig for at tage en lille lur, og for en sjælden gangs skyld fik jeg lov til at passe Alice. Normalt gav Iréne hende aldrig fra sig. Hun var så yndig, selvom hun hylede sådan. Det var, som om Iréne havde fået en ny dukke at lege med."

Han tav igen, og Patrik måtte beherske sig for ikke at jage med manden.

"Jeg var kun væk i nogle minutter …" gentog han. Det var, som om han gik i baglås. Som om resten var umuligt at sætte ord på.

"Hvor befandt Christian sig?" spurgte Patrik roligt for at hjælpe ham på gled.

"Ude på badeværelset sammen med Alice. Jeg havde tænkt mig at tage hende i bad. Vi havde sådan et stativ, man kunne sætte babyen i, så man havde begge hænder fri. Jeg havde stillet det i badekarret, fyldt vand i, og der sad Alice."

Paula nikkede.

"Da jeg kom tilbage til badeværelset … Alice … hun lå så stille. Hovedet var helt under vand. Øjnene … var åbne, vidtåbne."

Ragnar rokkede let på stolen, så ud, måtte tvinge sig selv til at fortsætte, til at konfrontere sig med erindringen og billederne.

"Christian sad bare og lænede sig op ad badekarret og kiggede på hende."

Ragnar fangede Paulas og Patriks blik, som om han lige var vendt tilbage til nuet. "Han sad helt stille og smilede."

"Men du reddede hende?" Håret rejste sig på Patriks arme.

"Ja, jeg reddede hende. Jeg fik hende til at trække vejret igen, og jeg så …" Han rømmede sig. "Jeg så skuffelsen i Christians øjne."

"Fortalte du det til Iréne?"

"Nej, det ville aldrig … Nej!"

"Christian prøvede at drukne sin lillesøster, og du sagde ikke noget til din kone?" Paula stirrede vantro på ham.

"Det føltes, som om jeg skyldte ham noget efter alt det, han havde været udsat for. Hvis jeg havde fortalt det til Iréne, ville hun omgående have sendt ham væk. Det ville han aldrig have overlevet, og skaden var jo sket." Han lød bedende. "Dengang vidste jeg ikke, hvor alvorligt det var, men uanset hvad kunne jeg ikke gøre det ugjort. At sende Christian væk ville ikke have ændret på noget."

"Så du lod, som om intet var hændt?" sagde Patrik.

Ragnar sukkede og sank endnu mere sammen på stolen. "Ja, jeg lod, som om intet var hændt, men jeg lod ham aldrig mere være alene med Alice. Aldrig."

"Gjorde han et nyt forsøg?" Paula var blevet bleg.

"Nej, det tror jeg faktisk ikke. Han virkede også mere tilfreds på en eller anden måde. Alice holdt op med at skrige så meget. Hun var ikke så krævende længere."

"Hvornår opdagede I, at der var noget galt?" spurgte Patrik.

"Det skete gradvis. Hun udviklede sig ikke i samme tempo som andre børn, og da jeg til sidst fik Iréne til at indse det, og vi fik hende undersøgt … ja, så kunne man konstatere, at hun havde en eller anden slags hjerneskade, der betød, at hun efter al sandsynlighed ville forblive som et barn resten af livet."

"Fattede Iréne ikke mistanke?" spurgte Paula.

"Nej. Lægen sagde faktisk, at Alices hjerneskade formodentlig var opstået under fødslen, men at den først gav sig til kende senere."

"Hvordan gik det så, da de blev større?"

"Hvor lang tid har I?" spurgte Ragnar og smilede, om end det var et sørgmodigt smil. "Iréne interesserede sig kun for Alice. Hun var det kønneste barn, jeg nogensinde har set, og det siger jeg ikke kun, fordi jeg er hendes far. Ja, I har jo selv set hende."

Patrik tænkte på de enorme blå øjne. Ja, han havde set hende.

"Iréne har altid elsket smukke ting. Hun var selv smuk som ung, jeg tror, hun så Alice som en bekræftelse på sin egen skønhed. Hun viede vores datter al sin opmærksomhed."

"Og Christian?" sagde Patrik.

"Christian? Det var, som om han ikke eksisterede."

"Det må have været frygteligt for ham," sagde Paula.

"Ja, men han gjorde oprør på sin egen måde," sagde Ragnar. "Han var meget glad for mad og havde let ved at tage på. Det havde han sikkert arvet fra sin mor. Da han opdagede, at det irriterede Iréne, begyndte han at spise endnu mere og blev endnu tykkere, bare for at ærgre hende. Det lykkedes ham. De udkæmpede en konstant kamp om det med spisningen, og for én gangs skyld kunne Christian vinde over hende."

"Så Christian var altså overvægtig som barn?" sagde Patrik. Han prøvede at se den voksne, slanke Christian for sig som en buttet dreng, men det var umuligt at forestille sig.

"Han var ikke bare overvægtig, han var fed. Virkelig fed."

"Hvordan havde Alice det med Christian?" spurgte Paula.

Ragnar smilede, denne gang nåede smilet øjnene. "Alice elskede Christian. Forgudede ham. Fulgte ham i hælene som en lille hundehvalp."

"Hvordan reagerede Christian på det?" spurgte Patrik.

Ragnar tænkte efter. "Jeg tror ikke, han havde så meget imod det. Han fandt sig i det. Nogle gange virkede han næsten forbløffet over al den kærlighed, hun overøste ham med. Som om han ikke forstod hvorfor."

"Det gjorde han måske heller ikke," sagde Paula. "Hvad skete der siden hen? Hvordan reagerede Alice, da han flyttede?"

Det var, som om der gik et tæppe ned foran Ragnars ansigt. "Der skete så meget på én gang. Christian forsvandt, og vi kunne ikke længere tilbyde Alice den pasning, hun havde brug for."

"Hvorfor ikke? Hvorfor kunne hun ikke blive boende hjemme?"

"Hun var blevet så stor, at hun havde behov for mere støtte og hjælp, end vi kunne give hende."

Ragnar Lissanders sindsstemning var skiftet, men Patrik kunne ikke helt afgøre på hvilken måde.

"Har hun aldrig lært at tale?" Alice havde ikke sagt noget under deres besøg.

"Hun kan godt tale, men hun vil ikke," sagde Ragnar.

"Er der grund til at formode, at hun bærer nag til Christian? Ville hun kunne finde på at forvolde ham skade? Eller mennesker i hans nærhed?" Patrik så hende for sig, kvinden med det lange, mørke hår. Hænderne, der bevægede sig hen over det hvide papir og frembragte tegninger, der lignede en femåriges.

"Nej, Alice har aldrig gjort en flue fortræd," sagde Ragnar. "Det var derfor, jeg ville have jer til at møde hende. Hun ville ikke kunne gøre noget menneske ondt. Og hun elsker ... elskede Christian."

Han tog tegningen frem, hun havde givet ham, lagde den på bordet foran dem. En stor sol foroven og grønt græs med blomster forneden. To glade skikkelser, en stor og en lille, der holdt hinanden i hånden.

"Hun elskede Christian," gentog han.

"Kan hun overhovedet huske ham? Det er jo mange år, siden de sås," påpegede Paula.

Ragnar svarede ikke, men pegede blot på tegningen. To skikkelser. Alice og Christian.

"I kan jo spørge personalet, hvis I ikke tror mig, men Alice er ikke den kvinde, I leder efter. Jeg ved ikke, hvem der ville Christian til livs. Han forsvandt ud af vores liv, da han var atten år gammel. Meget kan være sket siden dengang, men Alice elskede ham. Hun elsker ham stadig."

Patrik kiggede på den lille mand, vidste, at han ville gøre, som Ragnar foreslog. Han ville tale med personalet. Samtidig vidste han, at Alices far talte sandt. Hun var ikke den kvinde, de ledte efter. De var tilbage ved Start.

"Jeg har en vigtig meddelelse." Mellberg afbrød Patrik, da han skulle til at orientere dem om den seneste udvikling i sagen. "Jeg har tænkt mig at gå ned på deltid i en periode. Der er brug for min viden og erfaring andetsteds."

De stirrede måbende på ham.

"Det er på tide, at jeg satser på vores vigtigste ressource her i samfundet: næste generation. Dem, der skal føre os ind i fremtiden," sagde Mellberg og stak fingrene ind under selerne.

"Vil han mon være fritidspædagog?" hviskede Martin til Gösta, der blot trak på skuldrene.

"Det er desuden vigtigt også at give kvinderne en chance. Og den udenlandske minoritet." Han kiggede på Paula. "Ja, du og Johanna har jo haft lidt svært ved at få det med forældreorloven til at gå op, og knægten har brug for et stærkt mandligt forbillede fra begyndelsen. Så jeg går altså ned på deltid, det er godkendt af ledelsen, resten af tiden vil jeg hellige mig knægten."

Mellberg så sig omkring og regnede tydeligvis med at høste bifald. En måbende tavshed herskede omkring bordet. Mest forbløffet af alle var Paula. Det her kom som noget helt nyt for hende, men jo mere ideen sank til bunds, jo bedre syntes hun om den. Johanna kunne begynde at arbejde igen, og selv kunne hun kombinere job og forældreorlov. Hun kunne heller ikke nægte, at Mellberg havde et godt tag på Leo, og indtil videre havde han jo vist sig at være en fortrinlig babysitter – måske lige bortset fra episoden med den fasttapede ble.

Da overraskelsen havde lagt sig, kunne Patrik kun samtykke. I praksis betød det, at Mellbergs tid på stationen mindst ville blive halveret, hvad der så afgjort var en fordel.

"Supergodt initiativ, Mellberg. Jeg ville ønske, at flere tænkte som dig," sagde han med eftertryk. "Og nu hvor dét er faldet på plads, synes jeg, vi skal vende tilbage til efterforskningen. Der er jo sket en del i dag."

Han redegjorde for sin og Paulas anden tur til Trollhättan, om samtalen med Ragnar Lissander og deres besøg hos Alice.

"Så der hersker altså ingen tvivl om, at hun er uskyldig?" spurgte Gösta.

"Nej. Jeg har talt med personalet, og udviklingsmæssigt er hun som et barn."

"Tænk at måtte leve med visheden om at have gjort sådan noget mod sin søster," sagde Annika.

"Ja, og det har næppe hjulpet på det, at hun åbenbart forgudede ham," sagde Paula. "Det må have været en tung byrde at bære. Hvis han vel at mærke forstod, hvad han havde gjort."

"Vi har også noget at fortælle." Gösta rømmede sig og skævede til Martin. "Jeg syntes, jeg genkendte navnet Lissander, men kunne ikke huske, hvor jeg havde hørt det. Jeg var nok heller ikke helt sikker. De små grå er vist ikke, hvad de har været," sagde han og pegede på sit hoved.

"Men …?" sagde Patrik utålmodigt.

Gösta skævede til Martin igen. "Jo, altså, da vi forlod Kenneth Bengtsson – som for øvrigt fastholder, at han ikke ved noget og aldrig har hørt navnet Lissander – spekulerede jeg på, hvorfor Ernst Lundgren også blev ved med at dukke op i mit hoved, hver gang jeg tænkte på det, så vi tog hjem til ham."

"Tog I hjem til Ernst?" sagde Patrik. "Hvorfor dog det?"

"Hør nu bare, hvad Gösta har at sige," sagde Martin.

"Altså, jeg indviede ham i mine spekulationer, og Ernst kom på det."

"Kom på hvad?" Patrik lænede sig frem.

"Hvor jeg havde hørt navnet Lissander," svarede Gösta. "De boede nemlig her en overgang."

"Hvem?" spurgte Patrik forvirret.

"Ægteparret Lissander. Iréne og Ragnar. Sammen med børnene Christian og Alice."

"Det kan umuligt passe," indvendte Patrik og rystede på hovedet. "Hvorfor var der i så fald ingen, der genkendte Christian? Nej, det holder ikke."

"Jo, den er god nok," sagde Martin. "Christian slægtede tydeligvis sin biologiske mor på, var voldsomt overvægtig som barn. Fjern tres kilo og tilføj tyve år og et par briller, og man ville have svært ved at tro, at det var samme person."

"Hvordan kendte Ernst familien? Hvordan kendte du noget til den?" spurgte Patrik.

"Ernst var lun på Iréne. De havde åbenbart haft gang i noget ved en eller anden fest, og siden da ville Ernst køre forbi familien Lissanders hus, så snart lejligheden bød sig. Det blev godt nok til nogle ture."

"Hvor boede de?" spurgte Paula.

"I en af villaerne nede ved Kystvagten."

"Ved Badholmen?" spurgte Patrik.

"Ja, lige i nærheden. Oprindelig var det Irénes mor, der ejede huset. Hun og datteren havde ingen kontakt i mange år, men da hun døde, arvede Iréne huset og flyttede herop fra Trollhättan."

"Vidste Ernst, hvorfor de flyttede igen?" spurgte Paula.

"Nej, det havde han ingen anelse om, men det skete tilsyneladende meget pludseligt."

"Så har Ragnar vist alligevel ikke fortalt alt," sagde Patrik, godt træt af alle dem, der holdt på deres hemmeligheder og nægtede at fortælle sandheden. Hvis alle havde samarbejdet, ville de formodentlig have opklaret det her for længst.

"Godt gået," sagde han og nikkede til Gösta og Martin. "Jeg tager mig endnu en snak med Ragnar Lissander. Der må være en grund til, at han ikke nævnte, at de har boet i Fjällbacka. Han burde da have vidst, at det kun var et spørgsmål om tid, før vi fandt ud af det."

"Men det fortæller stadig ikke, hvem den kvinde, vi leder efter, er. Det må næsten være en fra Christians tid i Göteborg. Fra perioden efter at han flyttede hjemmefra, og før han vendte tilbage til Fjällbacka sammen med Sanna." Martin tænkte højt.

"Gad vide, hvorfor han kom tilbage," indskød Annika.

"Vi må finde ud af endnu mere om Christians år i Göteborg," samtykkede Patrik. "Foreløbig har vi kun kendskab til tre kvinder, der har figureret i Christians liv, før han mødte Sanna: Iréne, Alice og hans biologiske mor."

"Kan det ikke være Iréne? Hun burde jo have grund til at hævne sig på Christian efter det, han gjorde mod Alice," indskød Martin.

Patrik tav et stykke tid, rystede så langsomt på hovedet.

"Jeg har også overvejet hende, hun kan stadig ikke udelukkes, men jeg har mine tvivl. Ifølge Ragnar har hun aldrig fået at vide, hvad der i virkeligheden skete, og selvom hun vidste det, hvad skulle hendes motiv så være til også at kaste sig over Magnus og de andre?"

Han genkaldte sig den usympatiske kvinde og deres møde i villaen i Trollhättan. Hørte hendes hånlige bemærkninger om Christian og hans mor. Pludselig slog en tanke ham. Det var det, der havde rumsteret i baghovedet på ham, siden de mødtes med Ragnar anden gang; det, der ikke stemte. Pa-

trik greb sin mobiltelefon og tastede hurtigt et nummer. Han holdt en fin-
ger i vejret som tegn på, at de skulle være stille.

"Hej, det er Patrik Hedström. Jeg ville egentlig tale med Sanna. Okay, det
forstår jeg, men gider du spørge hende om noget? Det er vigtigt. Spørg
hende, om hun ville kunne passe den blå kjole, hun fandt. Ja, jeg ved godt,
det lyder underligt, men det ville være til stor hjælp, hvis du kunne spørge
hende. Tak."

Patrik ventede, og et minuts tid efter var Sannas søster tilbage i røret.

"Jaså? Okay. Fint. Du skal have mange tak. Og hils Sanna." Patrik afslut-
tede samtalen med et spekulativt udtryk i ansigtet.

"Den blå kjole var Sannas størrelse."

"Og …?" sagde Martin og virkede lige så forvirret som de andre.

"Det er jo en smule underligt, eftersom Christians mor vejede hundrede
halvtreds kilo. Kjolen må have tilhørt en anden. Christian løj for Sanna, da
han sagde, det var hans mors."

"Kan det ikke være Alices kjole?" spurgte Paula.

"Jo, men det tror jeg ikke. Der har eksisteret en anden kvinde i Christi-
ans liv."

Erica kiggede på uret. Det så ud til at blive en lang dag for Patrik. Hun havde
ikke hørt fra ham, siden han tog af sted, og hun ville ikke ringe og forstyrre.
Christians død måtte have skabt kaos henne på stationen, Patrik måtte
komme, når han kom.

Hun håbede, at han ikke var sur på hende stadigvæk. Han havde aldrig
været rigtigt vred på hende før, det sidste, hun ønskede, var at gøre ham
skuffet eller ked af det.

Erica strøg sig over maven. Den voksede og voksede, og indimellem var
hun så nervøs ved tanken om den forestående fødsel, at det tog vejret fra
hende. Samtidig længtes hun. Der var mange splittede følelser: lykke og frygt,
panik og forventning – det hele i én skøn blanding.

Det måtte være det samme for Anna. Erica havde dårlig samvittighed
over, at hun ikke havde været tilstrækkelig lydhør over for, hvordan søsteren
havde det. Hun havde været så optaget af sin egen situation. Efter alt det
med Lucas, Annas eksmand og faderen til hendes to børn, måtte der være

blevet revet op i mange følelser, da hun blev gravid igen med en ny mand. Erica skammede sig over sin egoisme. Hun havde ikke snakket om andet end sig selv og sit, om sin ængstelse. Hun ville ringe til Anna i morgen tidlig og foreslå en kop kaffe eller en gåtur, så de kunne få tid til at tale ordentligt sammen.

Maja kom hen, kravlede op på hendes skød. Hun virkede træt, selvom klokken kun var seks, og der var to timer til sengetid.

"Far?" sagde Maja og lagde kinden mod Ericas mave.

"Far kommer sikkert snart," sagde Erica, "men vi to er sultne allerede, så jeg synes, vi skal lave os noget aftensmad. Hvad siger du til det, skattepige? Skal vi have os en tøsemiddag?"

Maja nikkede.

"Pølse med spaghetti? Og masser af ketchup?"

Maja nikkede igen. Mor kunne bare det dér med tøsemiddage.

"Hvordan griber vi det an?" spurgte Patrik og trak sin stol hen til Annikas.

Det var bælgmørkt udenfor, alle burde være taget hjem for længst, men ingen havde gjort ansatser til at gå. Bortset fra Mellberg, der fløjtende var dampet af for godt et kvarter siden.

"Vi begynder med de åbne registre, men jeg tvivler på, at vi finder noget der. Jeg gennemgik dem tidligere, da jeg tjekkede hans baggrund, og har svært ved at tro, at jeg skulle have overset noget." Annika lød undskyldende, Patrik lagde hånden på hendes skulder.

"Jeg ved, at du er grundigheden selv, men sommetider kan man stirre sig blind på tingene, og hvis vi gennemgår det sammen, finder vi måske noget, vi har overset tidligere. Jeg tror, at Christian boede sammen med en kvinde i Göteborg, eller i det mindste indgik i et parforhold, og måske finder vi noget, der kan bekræfte det."

"Ja, man kan jo altid håbe," sagde Annika og drejede skærmen, så Patrik kunne se med. "Der er som sagt ingen tidligere ægteskaber."

"Hvad med børn?"

Annika indtastede nogle oplysninger og pegede så på skærmen igen.

"Nej, han er stadig ikke registreret som far til andre end Melker og Nils."

"Fandens også." Patrik strøg hånden gennem håret. "Det her var måske alligevel en dum idé. Jeg ved ikke, hvorfor jeg tror, vi har overset noget, men det er vist ikke i registrene, vi skal finde svaret."

Han rejste sig og gik ind på sit kontor, hvor han blev siddende i lang tid og stirrede tomt ind i væggen. Telefonens kimen rykkede ham brutalt ud af grublerierne.

"Patrik Hedström." Han kunne selv høre, hvor modfalden han lød, men da manden i den anden ende havde præsenteret sig og oplyst sit ærinde, rettede han sig op i stolen, og tyve minutter senere stormede han ind til Annika.

"Maria Sjöström!"

"Maria Sjöström?"

"Christian havde en samlever i Göteborg. Hun hed Maria Sjöström."

"Hvordan ved du …?" sagde Annika, men Patrik ignorerede hendes spørgsmål.

"Der er også et barn. Emil Sjöström. Eller rettere *var*."

"Hvad mener du?"

"De er døde. Både Maria og Emil er døde. Og der foreligger en henlagt drabssag."

"Hvad sker der?" Martin kom spænende, da han hørte Patrik råbe inde på Annikas kontor. Også Gösta bevægede sig usædvanlig hurtigt, og de trængtes i døren.

"Jeg har lige talt med en mand ved navn Sture Bogh, en pensioneret kriminalinspektør fra Göteborg." Patrik holdt en kunstpause, før han fortsatte: "Han læste om Christian og truslerne mod ham i avisen og genkendte hans navn fra en af sine efterforskninger. Han mente, han havde nyttige oplysninger."

Patrik gengav sin samtale med den ældre mand. På trods af alle de mange år, der var gået, havde Sture Bogh aldrig glemt de tragiske dødsfald, havde minutiøst gennemgået sagens vigtigste detaljer.

Virkningen udeblev ikke. Alle gloede med åben mund.

"Kan vi få fat i sagsmappen?" spurgte Martin ivrigt.

"Klokken er jo mange, så det bliver nok svært," svarede Patrik.

"Det skader jo ikke at forsøge," sagde Annika. "Jeg har nummeret til Göteborg her."

Patrik sukkede. "Min kone ender med at tro, jeg er stukket af til Rio med en yppig blondine, hvis jeg ikke snart kommer hjem."

"Ring til Erica først, så prøver vi at få fat på nogen i Göteborg bagefter."

Patrik kapitulerede. Ingen så ud til at være på vej hjem, og selv havde han heller ikke lyst til at gå, før de havde gjort, hvad de kunne.

"Okay, men I må underholde jer selv, mens jeg ringer. Jeg vil ikke have jer til at ånde mig i nakken."

Han tog mobilen, gik ind på sit kontor og lukkede døren efter sig. Erica var forstående, da han talte med hende. Hun og Maja havde spist aftensmad, og pludselig længtes han sådan hjem til sine to piger, at han var grædefærdig. Han kunne ikke mindes, han nogensinde havde været så træt, han tog en dyb indånding og tastede det nummer, Annika havde givet ham.

Først bemærkede han ikke, at telefonen blev taget. "Hallo?" lød en spørgende stemme, og han for sammen og indså, at han burde sige noget. Han præsenterede sig og sit ærinde, og til sin overraskelse blev han ikke straks afvist. Kollegaen i Göteborg var venlig og imødekommende, tilbød at undersøge, om det var muligt at lokalisere sagsmappen.

De sagde farvel, og Patrik krydsede fingre. Efter godt et kvarters ventetid ringede telefonen.

"Har I?" Patrik turde knap tro, det var sandt, da kollegaen meddelte, at sagsmappen var fundet. Han takkede ham overstrømmende og bad ham lægge den frem, så han kunne få den dagen efter. I værste fald måtte han selv tage ned og hente mappen eller få stationen til at bekoste udgiften til en kurer.

Patrik blev siddende lidt, efter at han havde lagt på. Han var klar over, at de andre sad på deres kontorer og ventede på at høre, om den gamle sag kunne fremskaffes, men han havde brug for at samle tankerne først. Alle detaljerne, alle puslespilsbrikkerne kørte rundt i hovedet på ham. Han vidste, de hang sammen på den ene eller anden måde, spørgsmålet var bare hvordan.

Det føltes sært vemodigt at tage afsked. Det pinte ham selvfølgelig at sige farvel til pigerne, at give dem et knus og foregive, at han ville være tilbage igen om et par dage. Men det overraskede ham, at det også gik ham på at sige farvel til huset og Louise, der stod i entreen, så på ham med et uudgrundeligt blik.

Hans oprindelige plan havde været at stikke af og bare efterlade en besked på en lap papir, men så havde han alligevel følt behov for at tage rigtigt afsked. Den store kuffert havde han for en sikkerheds skyld allerede anbragt i bilens bagagerum, så for Louise lignede dette blot endnu en forretningsrejse med en smule håndbagage.

Selvom det faldt ham uventet svært at sige farvel, vidste han, at han hurtigt ville finde sig til rette i sin nye tilværelse. Desuden var pigerne ved at være store og havde alligevel ikke brug for ham.

"Hvad er det for en forretningsrejse?" spurgte Louise.

Noget i hendes tonefald fik ham til at reagere. Hun havde vel ikke lugtet lunten? Erik afviste tanken. Selvom hun havde fattet mistanke, kunne hun ikke gøre noget.

"Et møde med en ny leverandør," svarede han, pillede ved bilnøglerne i hånden. Han havde faktisk været storsindet, tænkt sig at tage den mindre bil og lade hende beholde Mercedesen. De penge, han havde ladet stå på kontoen, var nok til at dække hendes og pigernes udgifter et års tid, inklusive terminerne på huset. Hun havde således god tid til at få styr på situationen.

Erik rankede ryggen. Han havde virkelig ingen grund til at føle sig som en skiderik, og hvis nogen kom i klemme på grund af ham, var det ikke hans problem. Det var hans liv, der var i fare, han kunne ikke bare sidde og vente på at blive indhentet af fortiden.

"Jeg er tilbage i overmorgen," sagde han henkastet og nikkede til Louise. Det var længe siden, han havde givet hende et knus eller et kys, når han skulle ud at rejse.

"Kom, når det passer dig," sagde hun og trak på skuldrene.

Endnu en gang syntes han, hun virkede underlig, men det var sikkert bare indbildning. I overmorgen, når hun begyndte at vente ham hjem, var han allerede i sikkerhed.

"Hej med dig," sagde han og vendte ryggen til hende.

"Hej," sagde Louise.

Da han satte sig i bilen og kørte væk, kiggede han en sidste gang i bakspejlet. Tændte radioen og begyndte at nynne med. Han var på vej.

Erica kiggede forskrækket på Patrik, da han trådte ind ad døren. Maja var for længst lagt i seng, selv sad hun i sofaen med en kop te.

"Hård dag?" sagde hun forsigtigt og gik hen og omfavnede ham.

Patrik begravede ansigtet ved hendes hals og stod helt stille et øjeblik.

"Jeg trænger til et glas vin."

Han forsvandt, og Erica vendte tilbage til sin plads i sofaen. Ude fra køkkenet hørtes lyden af klirrende glas og en flaske, der blev trukket op. Hun kunne også godt tænke sig et glas vin, men måtte nøjes med sin te. Det var en af de store ulemper ved at være gravid og siden hen amme: At man ikke kunne snuppe sig et glas rødvin en gang imellem. Hun nippede dog nu og da til Patriks glas, det måtte hun slå sig til tåls med.

"Dejligt at være hjemme," sagde Patrik med et højt suk og tog plads ved siden af hende. Han lagde armen om hende og fødderne op på bordet.

"Og skønt, at du er hjemme," sagde Erica og puttede sig ind til ham. De blev siddende tavse i nogle minutter, hvorpå Patrik nippede til vinen.

"Christian har en søster."

Det gav et sæt i Erica. "En søster? Det har jeg da aldrig hørt noget om. Han sagde jo, at han ikke havde nogen familie."

"Men det passede ikke helt. Jeg kommer garanteret til at fortryde, at jeg fortæller dig det her, men jeg er simpelthen så ind i helvede træt. Alt det, jeg har hørt i dag, kører bare rundt i hovedet på mig, jeg er nødt til at tale med nogen. Men det bliver mellem os, okay?" Han så strengt på hende.

"Det lover jeg. Lad mig høre."

Patrik redegjorde for alt det, de havde fundet ud af. Dagligstuens mørke blev kun brudt af skæret fra det tændte fjernsyn. Erica lyttede i tavshed, mens Patrik fortalte, hvordan Alice var blevet hjerneskadet, hvordan Christian havde levet med den hemmelighed i alle de år, mens Ragnar både beskyttede og overvågede ham. Da han havde fortalt alt om Alice, om Christians følelseskolde opvækst, og at han siden hen forlod familien, rystede Erica på hovedet.

"Stakkels Christian."

"Der er mere endnu."

"Hvad mener du?" spurgte Erica og gispede, da hun fik et kraftigt spark mod lungerne. Tvillingerne var livlige i aften.

"Christian mødte en kvinde, mens han studerede i Göteborg. Maria. Hun havde en lille søn, der næsten var nyfødt på det tidspunkt. Faderen havde hun ingen kontakt med. Hun og Christian flyttede hurtigt sammen i en lejlighed i Partille, og Christian tog drengen, Emil, til sig som sin egen søn. De havde det tilsyneladende rigtig godt."

"Hvad skete der så?" Erica vidste egentlig ikke, om hun ville vide det. Det letteste ville nok være at holde sig for ørerne og lukke af for det, hun fornemmede var på vej. Men hun stillede spørgsmålet alligevel.

"En onsdag i april kom Christian hjem fra universitetet." Patriks stemme var tonløs, Erica tog hans hånd. "Døren var ulåst, og det gjorde ham urolig. Han kaldte på Maria og Emil, men ingen svarede. Han gik rundt i lejligheden og ledte efter dem. Alt så ud, som det plejede. Deres overtøj hang i entreen, de så ikke ud til at være gået, og Emils barnevogn stod stadig i opgangen."

"Jeg ved ikke, om jeg vil høre mere," hviskede Erica, Patrik stirrede ud i luften, som om han ikke havde hørt hende.

"Til sidst fandt han dem ude på badeværelset. Begge var druknede."

"Åh nej!" Erica slog hånden for munden.

"Drengen lå på ryggen i badekarret, mens hans mor hang med hovedet nede i vandet og resten af kroppen uden for karret. Obduktionen viste blå mærker i nakken som efter fingre. Nogen havde holdt hendes hoved under vand med magt."

"Hvem ...?"

"Det ved jeg ikke. Det lykkedes aldrig politiet at finde morderen. Underligt nok kom Christian aldrig under mistanke, skønt han var nærmeste pårørende, og det er derfor, vi ikke stødte på drabssagen, da vi tjekkede hans navn i vores registre."

"Hvad kan det skyldes?"

"Det ved jeg ikke rigtigt. Alle i deres omgangskreds bedyrede, at de havde været et usædvanlig lykkeligt par. Også Marias mor bakkede ham op, og desuden havde en nabo set en kvinde forlade lejligheden omkring det klokkeslæt, retsmedicineren fastslog som dødstidspunktet."

"En kvinde?" sagde Erica. "Den samme som ...?"

"Jeg ved faktisk ikke, hvad jeg skal tro, og det er ved at drive mig til vanvid. På en eller anden måde hænger det sammen, alt det, der er sket Christian. Nogen hadede ham så inderligt, at end ikke tiden kunne kølne følelserne."

"Og I har ingen anelse om, hvem denne *nogen* kan være?" Erica mærkede, hvordan en tanke begyndte at tage form, men hun kunne ikke få hold på den. Billedet var sløret, men én ting var hun sikker på: Patrik havde ret. Det hele var kædet sammen på den ene eller den anden måde.

"Har du noget imod, at jeg går i seng?" spurgte Patrik, lagde en hånd på hendes knæ.

"Nej, gør du det, skat," sagde hun åndsfraværende. "Jeg bliver oppe lidt endnu, men jeg kommer snart."

"Okay." Han gav hende et kys, og lidt efter hørte hun ham gå op ad trappen til soveværelset.

Hun blev siddende i mørket. I fjernsynet viste de nyhederne, men der var skruet helt ned for lyden, og i stedet lyttede hun til sine egne tanker. Alice. Maria og Emil. Der var noget, hun burde se, noget, hun burde forstå. Hun flyttede blikket til bogen, der lå på sofabordet. Tøvende tog hun den op, lagde den i skødet og kiggede på omslaget og titlen. *Havfruen.* Hun tænkte på den sorte maling og skyldfølelsen. På det, Christian havde villet formidle. Hun vidste, at det gemte sig der; i ordene og sætningerne, han havde efterladt. Hun ville finde ud af, hvad det var.

Mareridtene var begyndt at komme hver nat. Som om de havde ventet på, at hans samvittighed skulle vågne. Egentlig var det mærkeligt, at det skete så pludseligt. Han havde jo altid vidst det, havde set for sig, hvordan han flyttede stativet og lod Alice synke ned i vandet. Hvordan hendes lille krop sprællede, prøvede at få luft og til sidst blev stille. Han havde set øjnene, de blå øjne, der stirrede blindt på ham nede under overfladen. Han havde altid vidst det, men han havde ikke forstået det.

Det var en ubetydelig begivenhed, en lille detalje, der fik ham til at forstå det. Det var en dag den sidste sommer. Allerede dengang vidste han, at han ikke kunne blive. Der havde aldrig været plads til ham, men visheden var kommet gradvis. Han måtte væk fra familien.

Stemmerne havde sagt det samme. En dag var de der, ikke ubehagelige eller væmmelige, snarere som venner og fortrolige, som hviskede til ham.

De eneste tidspunkter, hvor han blev i tvivl om sin beslutning, var, når han tænkte på Alice, men tvivlen varede aldrig længe. Stemmerne blev forstærket af den, og han blev enig med sig selv om kun at blive sommeren over. Derefter ville han tage af sted, aldrig se sig tilbage. Han ville lægge alt, hvad der havde at gøre med mor og far, bag sig.

Den dag ville Alice have is. Alice ville altid have is, nogle gange tog han hende med hen til kiosken på torvet. Hun valgte altid det samme: en vaffel med tre kugler jordbæris. Sommetider drillede han hende, lod, som om han havde misforstået hende, og bestilte chokoladeis i stedet. Så rystede hun energisk på hovedet, trak ham i armen og fremstammede "jordbær".

Alice plejede at være i den syvende himmel, når hun fik sin is. Ansigtet strålede af lykke, og hun slikkede den med nydelse metodisk i sig. Rundt og rundt med tungen, så den ikke begyndte at dryppe. Hun fik sin is først og begyndte langsomt at gå, mens han ventede på sin egen og betalte. Da han vendte sig om for at følge efter hende, standsede han brat op midt i et skridt. Erik, Kenneth og Magnus. De sad og kiggede på ham. Erik grinede hånligt.

Han mærkede, at isen allerede begyndte at dryppe ned ad vaflen, ned på hånden, men han var nødt til at gå forbi dem. Han prøvede at kigge lige ud, ud over vandet. Ignorere deres blikke, ignorere hjertet, der bankede hurtigere og hurtigere. Han tog et skridt, og et til. Så faldt han forover. Erik havde stukket det ene ben frem, netop som han gik forbi, og i sidste sekund lykkedes det ham at tage for med hænderne. Kropsvægten forplantede sig til håndleddene, der brændte af smerte. Isen for af sted og havnede på asfalten, i gruset og skidtet.

"Hovsa," sagde Erik.

Kenneth lo nervøst, Magnus kiggede bebrejdende på Erik.

"Det der havde du sgu da ikke behøvet."

Det rørte åbenbart ikke Erik. Hans øjne lyste. "Du har alligevel ikke godt af mere is."

Med besvær kom han på benene. Det gjorde ondt i armene, grusset sad fast i håndfladerne. Han børstede skidtet af sig, humpede videre. Han gik, så hurtigt han kunne, med Eriks latter rungende i ørerne.

Alice ventede på ham et stykke derfra, han ignorerede hende og fortsatte. Ud af øjenkrogen så han hende løbe efter ham, men først da de var næsten hjemme, standsede han for at få vejret. Alice standsede også. Først stod hun bare stille og lyttede til hans hivende åndedræt, så rakte hun isen frem mod ham.

"Her, Christian. Tag min is. Det er jordbær."

Han kiggede på hendes fremstrakte hånd, kiggede på isen. Jordbæris, som Alice elskede. Det var i det øjeblik, han forstod omfanget af det, han havde gjort mod hende. Stemmerne begyndte at skrige. De var ved at sprænge hans hoved. Han faldt ned på knæ med hænderne for ørerne. De skulle holde op, han måtte få dem til at holde op. Han mærkede Alices arme omkring sig, og de tav stille.

H AN HAVDE SOVET som en sten hele natten, og alligevel følte han sig ikke udhvilet.

"Skat?" Intet svar. Han kiggede på uret og bandede indvendig. Halv ni. Nu skulle han have fart på, de havde et hårdt program i dag.

"Erica?" Han gik rundt nedenunder, men både kone og datter var pist væk. I køkkenet stod en kande kaffe parat, på bordet lå en besked fra Erica:

Skat, jeg har afleveret Maja i børnehaven. Har tænkt på det, du fortalte i går, må lige undersøge noget. Du hører fra mig, så snart jeg ved mere. Tjek to ting for mig: 1. Havde Christian et kælenavn til Alice? 2. Hvad var det for en psykisk lidelse, Christians biologiske mor led af? Kys, Erica. PS. Du må ikke blive sur.

Hvad havde hun nu gang i? Han burde have vidst, hun ikke kunne nære sig. Han snuppede telefonen på bordet, ringede til Ericas mobil, men fik telefonsvareren. Han hidsede sig ned i erkendelse af, at han alligevel ikke kunne gøre meget mere lige nu. Han måtte skynde sig på arbejde, og han havde ingen anelse om, hvor hun var.

Desuden havde spørgsmålene på sedlen vakt hans nysgerrighed. Havde hun færten af noget? Erica var kvik, det kunne han ikke benægte, og det forekom ikke sjældent, at hun fik øje på noget, han selv havde overset. Han ville bare ønske, hun ikke ville drøne alene rundt på den måde.

Han drak en kop kaffe stående, fyldte efter en kort tøven den specielle autokop, Erica havde foræret ham i julegave. I dag ville der blive brug for koffein.

Det første, han gjorde, da han kom hen på stationen, var at gå ud i køkkenet og skænke sig dagens tredje kop.

"Hvad står der så på programmet i dag?" spurgte Martin, efter at de nær var stødt sammen ude på gangen.

"Vi skal have gennemgået hele sagsmappen om mordet på Christians samlever og barnet. Jeg ringer til Göteborg og hører, om vi kan få den herop på en eller anden måde. Om nødvendigt beder jeg dem sende den med kurer, så må jeg jo se, hvordan det kan konteres, uden at Mellberg opdager det. Vi skal også tjekke med Ruud, om de har fået svar fra laboratoriet angående kluden og terpentinflasken i Christians kælder. Det er sikkert ikke klar endnu, men vi kan lige så godt presse lidt på. Gider du begynde med det?"

"Ja, det klarer jeg. Ellers andet?"

"Ikke lige nu," sagde Patrik. "Jeg skal have tjekket noget med Ragnar Lissander, men det hører du nærmere om senere."

"Okay, men sig endelig til," sagde Martin.

Patrik gik ind på sit kontor. Det var dog utroligt, så træt han var. I dag bed ikke engang koffeinen på ham. Han tog en dyb indånding for at samle kræfter og ringede så til Christians plejefar.

"Jeg kan ikke rigtigt snakke nu," hviskede Ragnar.

"Det er kun to spørgsmål," sagde han og greb sig selv i at sænke stemmen, selvom det ikke var nødvendigt for hans vedkommende. Han overvejede ganske kort, om han også skulle spørge Ragnar, hvorfor han ikke havde sagt noget om familiens tid i Fjällbacka, men besluttede at vente med det, til de kunne tale mere uforstyrret. Desuden fornemmede han, at Ericas spørgsmål var mere presserende.

"Okay," sagde Ragnar," men skynd dig."

Patrik videregav Ericas spørgsmål. Hvad betød det her?

Han takkede, lagde på og ringede til Erica igen. Stadig telefonsvarer. Han indtalte en besked og lænede sig tilbage i stolen. Hvordan passede det her ind i billedet? Og hvor befandt Erica sig?

"Erica!" Thorvald Hamre bukkede sig ned og omfavnede hende. Selvom Erica var godt 1,70 høj og ikke så lille af omfang for tiden, følte hun sig som en dværg sammenlignet med ham.

"Hej, Thorvald! Og tak, fordi du kunne tage imod mig med så kort varsel," sagde hun og gengældte hans knus.

"Du er altid velkommen, det ved du godt." Der var en antydning af syngende norsk, skønt han havde boet i Sverige i snart tredive år og med årene var blevet mere lokalpatriotisk end de indfødte göteborgensere selv, hvad et gigantisk IFK Göteborg-flag på væggen vidnede om.

"Hvad kan jeg så hjælpe dig med denne gang? Hvilke spændende sager har du gang i?" Han trak i sit enorme, grå overskæg, og øjnene lyste.

De havde lært hinanden at kende, da Erica ledte efter nogen, der kunne hjælpe hende med de psykologiske aspekter i hendes bøger. Thorvald havde en succesrig privatpraksis, men brugte al sin fritid på at dygtiggøre sig udi menneskesindets mere dunkle sider. Han havde sågar fulgt et kursus hos FBI. Hvordan det var lykkedes ham at blive optaget der, turde Erica end ikke tænke på. Hovedsagen var, at han var en uhyre dygtig psykiater og derudover villig til at dele ud af sin viden.

"Jeg har brug for svar på nogle spørgsmål, og lige nu kan jeg ikke fortælle hvorfor, men jeg håber, du gider hjælpe mig alligevel."

"Naturligvis. Altid til tjeneste."

Erica sendte ham et taknemmeligt blik og overvejede, hvor hun skulle begynde. Det var endnu ikke helt lykkedes hende at danne sig et overblik over det hele. Mønstret ændrede sig hele tiden ligesom farverne og figurerne i et kalejdoskop. Men et eller andet sted var der ikke desto mindre en struktur, måske kunne Thorvald hjælpe hende med at finde den. Hun havde hørt Patriks telefonbesked, lige før hun ankom til Göteborg. Hun havde også hørt ham ringe, men valgt ikke at svare for at slippe for hans spørgsmål. De oplysninger, han havde indtalt, overraskede hende ikke, bekræftede blot hendes mistanke.

Efter at have samlet tankerne et øjeblik begyndte Erica sin beretning. I én lang køre og uden pauser fortalte hun alt, hvad hun vidste. Thorvald lyttede opmærksomt med albuerne på skrivebordet og fingerspidserne trykket ind mod hinanden. Indimellem trak hendes mave sig sammen, når hun udtalte ordene og selv kunne høre, hvor frygtelig historien var.

Da hun var færdig, sagde Thorvald ikke noget i et stykke tid. Erica følte sig næsten forpustet, som havde hun løbet en lang tur. En af babyerne sparkede hende hårdt i mellemgulvet som for at minde hende om, at der også fandtes noget godt og dejligt i verden.

"Hvad tror du selv?" spurgte Thorvald omsider.

Efter lidt tøven fremsatte hun sin teori. Den var vokset frem i løbet af natten, da hun lå og stirrede op i loftet, mens Patrik sov tungt ved siden af hende, og den havde taget yderligere form under køreturen til Göteborg. Hun havde hurtigt indset, at hun blev nødt til at tale med Thorvald. Han kunne vurdere, om teorien var lige så vanvittig, som den lød; han ville fortælle, hvis hendes fantasi var løbet fuldstændigt af med hende.

Men det gjorde han ikke. I stedet så han på hende og sagde: "Det er helt igennem tænkeligt. Det, du siger, er helt igennem tænkeligt."

Hans ord fik luften til at sive ud af hende i en blanding af både forfærdelse og lettelse.

De talte sammen i næsten en time, Erica stillede spørgsmål og sugede hans svar til sig. Hvis hun skulle gå videre med det her, måtte alle kendsgerninger være på plads. I modsat fald kunne det gå rigtig galt. Hun manglede stadig nogle af brikkerne. Hun havde nok til at se billedet, men der var gabende huller her og der, og dem var hun nødt til at fylde ud, før hun kunne fremlægge sin teori.

Da hun kom ud i bilen igen, lænede hun hovedet mod rattets kølige plastic. Hun glædede sig ikke til sit næste besøg, til spørgsmålene, hun måtte stille, og de svar, hun ville få. Der var en brik, hun ikke var sikker på, hun brød sig om at lægge, men hun havde intet valg.

Hun startede bilen og kørte mod Uddevalla. Et blik på telefonen fortalte, at hun havde mistet to opkald fra Patrik. Han måtte vente.

Hun ringede, så snart banken åbnede. Erik havde altid undervurderet hende. Hun var god til at få folk til at åbne sig, god til at finde ud af ting. Desuden havde hun alle de oplysninger, der skulle til for at stille de rigtige spørgsmål: kontonumre, SE-nummer og så videre. Hendes effektive, selvsikre stemme gjorde, at bankfunktionæren ikke et sekund betvivlede hendes ret til at kontrollere bevægelserne på kontoerne.

Da Louise havde lagt på, blev hun siddende ved bordet i køkkenet. Alt var væk. Nå ja, ikke det hele. Han havde været generøs nok til at efterlade lidt, så de kunne klare sig et stykke tid, men herudover havde han lænset kontoerne, såvel de private som firmaets.

Vreden strømmede gennem hende. Det her skulle han fandeme ikke slippe af sted med. Han var så skidedum og troede, at hun var lige så stupid. Han havde købt billetten i sit eget navn, og det tog hende ikke mange opringninger, før hun vidste nøjagtigt, hvilket fly han skulle med, og til hvilken destination.

Louise rejste sig og tog et vinglas ud af skabet, holdt det ind under aftapningshanen, drejede og så den røde væske strømme ned i glasset. I dag trængte hun til det mere end nogensinde. Hun førte glasset op til munden, men holdt det stille, da lugten af vinen ramte næseborene. Det her var ikke det rette tidspunkt. Det overraskede hende, at tanken overhovedet dukkede op, de seneste år havde det altid været det rette tidspunkt til et glas vin. Men ikke nu. Hun havde brug for at være klar og stærk. Brug for at være beslutsom.

Hun havde de oplysninger, der skulle til, hun kunne pege med sin tryllestav og få alting til at sige "puf" ligesom Hexia de Trix. Hun fnisede og begyndte så at grine højt. Hun grinede, da hun stillede glasset fra sig på køkkenbordet, grinede, da hun så sit spejlbillede i den blanke køleskabsdør. Hun havde taget magten over sit liv tilbage, og inden længe ville det sige "puf".

Alt var ordnet. Kureren med sagsmappen fra Göteborg var på vej, og Patrik jublede, men den rigtige glæde ville alligevel ikke indfinde sig. Han kunne stadig ikke få fat på Erica, og tanken om, at hun løb højgravid rundt og foretog sig guderne-måtte-vide-hvad, gjorde ham ængstelig. Han vidste, at hun om nogen kunne tage vare på sig selv – det var en af de mange grunde til, at han elskede hende – men han kunne ikke lade være med at bekymre sig.

"De er her om en halv time!" råbte Annika, der havde bestilt kureren.

"Kanon!" råbte han tilbage, rejste sig og tog jakken på. Mumlede noget utydeligt til Annika, da han passerede hende på vej ud, og hastede hen til Hedemyrs i den bidende vind. Han var irriteret på sig selv. Han burde have gjort det her noget før, men det passede ikke ind i hans firkantede verden. Hvis han skulle være ærlig, havde tanken ikke engang strejfet ham. Ikke før han hørte, hvad Christian havde kaldt sin søster. Havfruen.

Han fandt den hurtigt i supermarkedets bogafdeling. De lokale forfatteres bøger havde en fremtrædende plads, og han smilede, da han fik øje på et stort stativ med Ericas bøger og en plakat med et billede af hende i hel figur.

"Frygteligt, at det skulle ende sådan," sagde kassedamen, da han betalte for bogen. Han var ikke i humør til hyggesnak, nøjedes med at nikke. Han stak bogen inden for jakken, da han løb tilbage til stationen. Annika kiggede undrende på ham, da han kom ind, men sagde ikke noget.

Han lukkede døren, tog plads ved skrivebordet og prøvede at finde en bekvem stilling. Åbnede bogen og begyndte at læse. Han havde egentlig masser at lave, såvel praktiske opgaver som papirarbejde, men noget sagde ham, at det her var vigtigt, for første gang i sin karriere satte Patrik Hedström sig ned og læste en bog i arbejdstiden.

Han var ikke helt klar over, hvornår han skulle udskrives, men det kunne være det samme. Han kunne blive her eller tage hjem. Hun ville finde ham, hvor han end befandt sig.

Måske ville det trods alt være bedre, hvis hun fandt ham derhjemme, hvor Lisbet stadig var nærværende. Han havde også nogle ting, han godt ville nå først. Lisbets begravelse, for eksempel. Det skulle kun være for de nærmeste. Ikke noget med sorte gevandter, ingen sørgemusik, og hun ville have sit gule tørklæde på. Det havde hun pointeret.

En forsigtig banken på døren rev ham ud af grublerierne, og han drejede hovedet. Erica Falck. Han undrede sig over, hvad hun mon ville, men var egentlig ligeglad.

"Må jeg komme ind?" spurgte hun. Hendes blik standsede ved hans bandager. Han gjorde en bevægelse, der kunne tolkes som både det ene og det andet. Kom ind eller gå din vej. Han vidste ikke selv, hvad den skulle betyde.

Hun trådte ind på stuen og trak en stol tæt hen ved hans hoved. Hun så venligt på ham.

"Du ved godt, hvem Christian var, ikke? Ikke Christian Thydell. Christian Lissander."

Hans første indskydelse var at lyve for hende, ligesom han havde løjet for betjentene, men hendes tonefald var anderledes, og hendes ansigtsudtryk ligeledes. Hun vidste det, hun kendte allerede svarene – eller i det mindste nogle af dem.

"Ja, det ved jeg," sagde Kenneth. "Jeg ved, hvem han var."

"Fortæl mig om ham," sagde hun. Hun naglede ham fast til sengen med sine spørgsmål.

"Der er ikke meget at fortælle. Han var skolens prygelknabe, og vi … vi var de værste."

"I mobbede ham altså?"

"Det ville vi nok ikke have kaldt det, men vi gjorde livet surt for ham, så snart vi så vores snit til det."

"Hvorfor?" spurgte hun, ordet blev hængende i luften.

"Hvorfor? Ja, det er et godt spørgsmål. Han var anderledes, nytilflyttet. Fed. Mennesker har vel altid brug for nogen at trampe på, nogen, der er underlegen."

"Jeg har forstået Eriks rolle i det hele, men dig? Og Magnus?"

Hun lød ikke bebrejdende, det sved ikke desto mindre. Hvor mange gange havde han ikke spurgt sig selv om det samme? Erik manglede noget. Det var svært at sætte fingeren på hvad, men måske var det empati. Det var ikke nogen undskyldning, men en forklaring. Han og Magnus havde derimod vidst bedre. Gjorde det deres forsyndelser større eller mindre? Det kunne han ikke svare på.

"Vi var unge og tåbelige," sagde han, men kunne selv høre, at det ikke holdt. Han var blevet ved med at følge Erik, havde ladet sig styre af ham, ja, oven i købet beundret ham. Det var ikke kun ungdommelig, men helt ordinær menneskelig dumhed. Frygt og fejhed.

"Og I genkendte ham ikke som voksen?" sagde hun.

"Nej, overhovedet ikke. Tro det eller ej, men det strejfede mig aldrig. Og heller ikke nogen af de andre. Christian var et andet menneske. Det var ikke kun udseendet, det var … han var ikke den samme person. Selv ikke nu, hvor jeg ved …" Kenneth rystede på hovedet.

"Og Alice? Fortæl mig om Alice."

Han gjorde en grimasse. Han ville ikke. At fortælle om Alice var som at stikke hånden ind i åben ild. Gennem årene havde han skubbet hende så langt tilbage i sin bevidsthed, at det var, som om hun aldrig havde eksisteret. Men det var slut nu. Om han så skulle brænde sig, var han nødt til at fortælle.

"Hun var så smuk, at man mistede vejret ved synet af hende, men så snart hun bevægede sig eller begyndte at sige noget, opdagede man, at der var noget galt. Hun rendte altid i hælene på Christian, og vi var aldrig helt sikre på, om han syntes om det eller ej. Nogle gange virkede han irriteret, og andre gange virkede han næsten glad for at se hende."

"Snakkede I nogensinde med Alice?"

"Nej, men vi råbte lede ting efter hende." Han skammede sig, huskede tydeligt alt det, de havde sagt, det, de havde gjort. Det kunne have været i går; det *var* i går. Nej, det var længe siden. Han mærkede, at minderne flød sammen. Som om de minder, han havde fortrængt, kom brusende som en flodbølge, der rev alting med sig.

"Da Alice var tretten, flyttede de fra Fjällbacka, og Christian forlod familien. Der skete et eller andet, og jeg tror, du ved hvad." Ericas stemme var rolig, den fordømte ikke, den fik ham til at ønske at fortælle det hele. Hun ville jo snart alligevel komme. Og inden længe skulle han være sammen med Lisbet.

"Det var i juli," sagde han, lukkede øjnene.

Christian havde en urovækkende følelse i kroppen. Den voksede sig større og større, så han ikke kunne sove om natten. Fik ham til at se øjne under vand.

Han måtte væk, det vidste han. Hvis han skulle finde sig en plads i tilvæ- relsen, måtte han væk herfra. Væk fra far og mor, fra Alice. Det var sært nok det, der gjorde mest ondt. At skulle skilles fra Alice.

"Halløj, du der!"

Han vendte sig overrasket om. Som altid var han gået hen til Badholmen. Han kunne godt lide at sidde der, kigge ud over vandet og Fjällbacka.

"Kom herhen!"

Christian vidste ikke rigtigt, hvad han skulle tro. Henne ved mændenes om- klædningsbås sad Erik, Magnus og Kenneth, Erik kaldte på ham. Christian kig- gede mistænksomt på dem. Hvad de end ville ham, kunne det ikke være noget godt, men fristelsen var stor, og med påtaget nonchalance stak han hænderne i bukselommerne og slentrede hen til dem.

"Vil du have en smøg?" spurgte Erik, holdt en cigaret hen mod ham. Chri- stian rystede på hovedet. Han ventede stadig på, at katastrofen skulle indtræffe, at de alle tre skulle kaste sig over ham. Alt andet end denne ... velvilje.

"Sid ned," sagde Erik, klappede på jorden ved siden af dem.

Som i en drøm satte han sig ned. Alting føltes uvirkeligt. Han havde tænkt tanken så mange gange, set det for sig, og nu skete det. Han sad her og var en af dem.

"Hvad skal du lave i aften?" spurgte Erik og vekslede blikke med Kenneth og Magnus.

"Ikke noget særligt. Hvorfor?"

"Vi har tænkt os at holde en fest her. Sådan helt privat, du ved." Erik lo.

"Okay," sagde Christian og rykkede sig lidt for at sidde bedre.

"Kommer du med?"

"Mig?" sagde Christian, usikker på, om han havde hørt rigtigt.

"Ja, dig. Men man skal have adgangsbillet," sagde Erik og vekslede endnu en gang blikke med Magnus og Kenneth.

Der var altså bagtanker. Hvad for en ydmygelse havde de mon udtænkt til ham?

"Og hvad er det?" spurgte han, selvom han vidste, at han ikke burde spørge.

De hviskede indbyrdes. Til sidst kiggede Erik på ham og sagde udfordrende: "En flaske whisky."

Nå, ikke andet. Lettelsen skyllede ind over ham. Den ville han så let som ingenting kunne snuppe derhjemme.

"Det er ikke noget problem. Hvornår skal jeg komme?"

Erik tog et hvæs af cigaretten. Han lignede en verdensmand med den i hånden. Voksen.

"Vi skal være sikre på, at her ikke er andre, det bliver efter midnat. Hvad med halv et?"

Christian vidste, at han nikkede alt for ivrigt. "Okay, halv et. Jeg kommer."

"Fint," sagde Erik afmålt.

Christian skyndte sig hjem. Fødderne var lettere, end de havde været længe. Det var måske nu, lykken ville vende, og han endelig ville blive en af flokken.

Resten af dagen sneglede sig af sted. Det blev sengetid, han turde ikke lukke øjnene af frygt for at sove over sig, lå lysvågen og stirrede på viserne, der langsomt bevægede sig mod midnat. Kvart over tolv stod han op, klædte sig forsigtigt på for ikke at vække de andre. Han listede nedenunder og hen til barskabet. Der stod flere whiskyflasker, han valgte den, der var mest i. Det klirrede, da han tog flasken ud, han blev stående musestille et øjeblik. Ingen var åbenbart vågnet ved støjen.

Da han nærmede sig Badholmen, kunne han høre dem på afstand. Det lød, som om de havde været der et stykke tid og var gået i gang med festen uden ham. Et kort øjeblik overvejede han at vende om. At gå hjem igen, liste sig ind, stille flasken tilbage og kravle i seng, så hørte han Eriks latter, han ville tage del i den latter, være en af dem, Erik vekslede blikke med. Han fortsatte med whi-

skyflasken klemt godt fast under armen.

"Jamen hej!" Eriks stemme var grødet, han pegede på Christian. "Her har vi jo hædersgæsten." Han fnisede, og Kenneth og Magnus grinede med. Magnus så mest fuld ud, han svajede og havde svært ved at fokusere.

"Har du adgangsbilletten?" Erik vinkede ham frem.

Christian rakte ham tøvende flasken. Ville ydmygelsen komme nu? Ville de jage ham væk, når de havde fået, hvad de ville have?

Men der skete ikke noget. Ikke andet, end at Erik åbnede flasken, tog en gedigen slurk og rakte den tilbage til Christian. Han stirrede på den. Han ville godt, men vidste ikke, om han turde. Erik pressede på, og Christian forstod, at man måtte gøre, hvad Erik sagde, hvis man ville være med. Han satte sig med flasken i hånden og førte den op til munden. Var ved at brække sig, da en alt for stor mundfuld whisky røg ned i halsen.

"Kan du klare det, makker?" Erik dunkede ham grinende i ryggen.

"Ja," sagde han og tog endnu en slurk for at bevise det.

Flasken gik på omgang et par gange, han begyndte at mærke en vidunderlig varme brede sig i kroppen. Angsten fortog sig. Whiskyen fortrængte alt det, der havde holdt ham vågen om natten den sidste tid. Øjnene. Lugten af rådnende kød. Han tog en slurk til.

Magnus havde lagt sig på ryggen, stirrede op på stjernehimlen. Kenneth sagde ikke meget, han tilsluttede sig. Men Christian kunne lide at være der. Han var nogen, en del af et fællesskab.

"Christian?" En stemme lød henne ved indgangen. Han vendte sig om. Hvad lavede hun her? Hvorfor skulle hun absolut dukke op og ødelægge alting for ham? Den gamle vrede vågnede.

"Skrid," hvæsede han og så, hvordan hendes ansigt trak sig sammen.

"Christian?" gentog hun med gråden i halsen.

Han rejste sig for at jage hende væk, men Erik lagde en hånd på hans arm.

"Lad hende bare være med," sagde han. Christian kiggede forundret på ham. Men han satte sig igen. Adlød.

"Kom!" Erik vinkede ad Alice.

Hun kiggede spørgende på Christian, han trak bare på skuldrene.

"Kom og sæt dig," sagde Erik. "Vi holder fest."

"Fest!" sagde Alice og lyste op.

"Hvor heldigt, at du kom. Vi kan godt bruge en køn pige her." Erik lagde armen om hende og kærtegnede en lok af hendes mørke hår. Alice grinede. Hun kunne godt lide at blive kaldt køn.

"Værsgo. Hvis man vil være med til festen, skal man også drikke." Han tog flasken fra Kenneth, der lige skulle til at bælle, og gav den til Alice.

Endnu en gang skævede hun til Christian, han ville blæse på, hvad hun lavede. Hvis hun fulgte efter ham, måtte hun tage følgerne.

Hun begyndte at hoste, og Erik strøg hende over ryggen. "Så, så, dygtig pige. Bare rolig, man vænner sig til det. Man skal bare prøve igen."

Tvivlrådigt løftede hun flasken og tog endnu en mundfuld, denne gang gik det bedre.

"Flot. Det er den slags piger, jeg kan lide, som er kønne og kan drikke whisky," sagde Erik med et smil, der fik det til at svie i maven på Christian. Han havde lyst til at tage Alice i hånden og følge hende hjem, men Kenneth satte sig ved siden af ham, lagde en arm om hans skuldre og snøvlede:

"Hold da kæft, Christian, tænk, at vi sidder her sammen med dig og din søster. Det havde du nok aldrig troet, hva'? Men vi kunne jo godt se, at der var en rigtigt sej fyr derinde under flæsket." Kenneth prikkede med fingeren i maven, og Christian vidste ikke, om han skulle opfatte det som en kompliment eller ej.

"Hun ser sgu godt ud, din søster," sagde Erik og rykkede endnu tættere på Alice. Han holdt flasken for hende, fik hende til at tage endnu nogle slurke. Hendes øjne strålede, hun smilede over hele ansigtet.

Christian mærkede, hvordan alting begyndte at dreje rundt. Hele Badholmen drejede. Rundt og rundt som jordkloden. Han fnisede og lagde sig på ryggen ved siden af Magnus, kiggede op på stjernerne, der så ud, som om de hvirvlede rundt på himlen.

En lyd fra Alice fik ham til at sætte sig op. Han havde lidt svært ved at holde blikket i ro, men han kunne se Erik og Alice. Han troede, at Erik havde hånden inden for Alices bluse, men han var ikke sikker. Alting snurrede rundt, han måtte lægge sig ned igen.

"Schh ..." Eriks stemme og en klynkende lyd fra Alice. Christian rullede om på siden og hvilede hovedet på sin strakte arm, mens han betragtede Erik og sin søster. Hun havde ikke længere bluse på. Hun havde små, perfekte bryster. Det *var det første, han tænkte. At hendes bryster var perfekte. Han havde aldrig set dem før.*

"Slap af. Jeg vil bare røre lidt …" Erik æltede brysterne med den ene hånd, mens han begyndte at stønne. Kenneth stirrede på Alices nøgne overkrop.

"Kom og mærk." Erik gjorde tegn til Kenneth.

Christian så, at hun var bange, at hun prøvede at lægge armene beskyttende over brysterne. Men hans hoved var så tungt, han kunne ikke løfte det.

Kenneth satte sig ved siden af Alice. På et tegn fra Erik løftede han hånden og rørte ved det venstre bryst. Først klemte han det forsigtigt, så lidt hårdere, og Christian kunne se bulen i hans bukser vokse.

"Mon resten er lige så lækkert?" mumlede Erik. "Hvad siger du, Alice? Er missen lige så lækker som baberne?"

Hendes øjne var opspærrede og skræmte, men det var, som om hun ikke vidste, hvordan man strittede imod, og viljeløst lod hun Erik trække hendes trusser af. Han lod hende beholde kjolen på. Trak den bare op, så Kenneth også kunne se.

"Hvad tror du? Mon der har været nogen før?" Han spredte hendes ben, og Alice adlød mekanisk, ude af stand til at protestere.

"Hold da kæft, hvor sejt. Magnus, vågn op! Du går glip af noget her."

Der lød blot en stønnen fra ham, en svag fuldemandsgrynten.

Christian mærkede klumpen i maven vokse. Det her var forkert. Han så Alices stirren, hendes ordløse bøn om hjælp, men øjnene var ligesom dem, der havde kigget op på ham under vandet, og han kunne ikke røre sig, kunne ikke hjælpe hende. Han kunne bare ligge på siden og lade verden dreje rundt.

"Jeg har første tur," sagde Erik og knappede shortsene op. "Hold hende fast, hvis hun begynder at stritte imod."

Kenneth nikkede. Han var bleg, men kunne ikke tage øjnene fra Alices bryster, der lyste hvidt i måneskinnet. Erik tvang hende ned på ryggen, tvang hende til at ligge stille og kigge op på himlen. Først blev Christian lettet over, at øjnene forsvandt, at de stirrede på stjernerne og ikke på ham. Men så voksede klumpen i maven igen, og med en kraftanstrengelse kom han op at sidde. Stemmerne skreg til ham, og han vidste, at han burde gøre noget, men ikke hvad. Alice protesterede jo ikke. Hun lå bare dér og lod Erik sprede hendes ben, lod ham lægge sig oven på hende, hamre sig ind i hende.

Han hulkede. Hvorfor skulle hun absolut ødelægge alting? Tage det, der var hans, klæbe sig til ham, elske ham. Han havde ikke bedt hende elske ham. Han hadede hende. Og hun lå der jo bare.

Erik stivnede og stønnede. Trak sig ud og knappede gylpen. Han tændte en cigaret bag sin krummede hånd og kiggede så på Kenneth.

"Din tur."

"M-mig?" stammede Kenneth.

"Ja, det er din tur nu," sagde Erik, og hans stemme tålte ikke modsigelse.

Kenneth tøvede, så kiggede han på brysterne igen, de faste bryster med blegrosa brystvorter, stive i sommervinden. Langsomt begyndte han at åbne shortsene, så hurtigere, for til sidst at kaste sig over på Alice og støde vildt ind i hende. Der gik ikke lang tid, før også han stønnede, og hans krop gennemrystedes som i krampe.

"Imponerende," sagde Erik og tog et hvæs af smøgen. "Nu er det Magnus' tur." Han pegede med cigaretten på Magnus, der lå og sov med en stribe spyt hængende ud af mundvigen.

"Magnus? Det går ikke, han er alt for vissen." Kenneth grinede og kiggede ikke længere på Alice.

"Jamen så må vi jo hjælpe ham," sagde Erik og begyndte at trække Magnus op i armene. "Tag nu fat," sagde han til Kenneth, der straks kom farende. Sammen fik de slæbt Magnus hen til Alice, Erik begyndte at åbne hans bukser.

"Træk hans underbukser ned," befalede han, og med et lettere frastødt ansigtsudtryk parerede Kenneth ordre.

Magnus var ikke parat til noget som helst, og et kort øjeblik så Erik irriteret ud. Han sparkede et par gange til Magnus, der vågnede lidt op.

"Vi må lægge ham oven på hende. Han skal fandeme også kneppe hende."

Stemmerne var stille nu, det rungede i hovedet. Christian så det på film, på noget, som ikke skete i virkeligheden, noget, han ikke medvirkede i. Han så, hvordan de baksede Magnus oven på Alice, hvordan han vågnede et øjeblik og begyndte at udstøde dyriske, modbydelige lyde. Han nåede det ikke så længe, faldt i søvn undervejs og blev liggende tungt oven på Alice.

Men Erik var tilfreds. Han trak Magnus væk; han var parat igen. Synet af Alice, som hun lå der så smuk og fraværende, ophidsede ham. Hårdere og hår-

dere stødte han ind i hende, han viklede hendes lange hår rundt om hånden og trak til, en tot blev flået af.

Så begyndte hun at skrige. Lyden kom hurtigt og uventet. Skriget flængede natten, og Erik holdt brat inde. Han kiggede ned på hende, gik i panik. Han måtte få hende til at holde mund, få hende til at holde op med at skrige.

Christian hørte skriget bore sig ind i hans stilhed. Han holdt sig for ørerne, men det hjalp ikke. Det var det samme skrig, som da hun var lille, som dengang hun tog alt. Han så Erik sætte sig overskrævs på hende, så ham løfte hånden og slå, så, hvordan han prøvede at standse skriget. Alices hoved bumpede ned mod jorden ved hvert slag og hoppede en anelse op igen, når det ramte underlaget, og derefter hørte han den kvasende lyd, da Eriks knyttede hånd ramte knoglerne i hendes ansigt. Han så Kenneth stirre på Erik, hvid i ansigtet. Magnus var vågnet ved skrigene. Satte sig søvndrukkent op, med bukserne knappet op, kiggede på Erik og Alice.

Så holdt skrigene op. Der blev helt stille, og Christian flygtede. Han rejste sig og løb, væk fra Alice, væk fra Badholmen. Han løb hjem og ind ad døren og op ad trappen til sit værelse, lagde sig i sengen og trak dynen over hovedet, over stemmerne.

Kun langsomt holdt verden op med at dreje rundt.

"**V**I LOD HENDE ligge der." Kenneth kunne ikke se på Erica. "Vi lod hende bare ligge."

"Hvad skete der bagfter?" spurgte Erica. Hun lød stadig ikke bebrejdende, hvad der fik ham til at få det endnu dårligere.

"Jeg var rædselsslagen. Da jeg vågnede om morgenen, føltes det først som en ond drøm, men da det gik op for mig, at det rent faktisk var sket, hvad vi havde gjort …" Stemmen knækkede over. "Hele dagen ventede jeg på, at politiet skulle komme og banke på."

"Men det gjorde de ikke?"

"Nej, og et par dage senere hørte vi, at familien Lissander var flyttet."

"Og I tre? Snakkede I om det?"

"Nej, aldrig. Det var ikke noget, vi aftalte, vi gjorde det bare ikke. Det var først, da Magnus fik lidt for meget at drikke til en midsommerfest, at han bragte det på bane."

"Var det første gang?" spurgte Erica vantro.

"Ja, det var første gang, men jeg vidste, at han led. Han var den, der havde sværest ved at leve med det. Mig lykkedes det på en eller anden måde at fortrænge det. Jeg koncentrerede mig om Lisbet og mit liv, valgte at glemme."

"Og alligevel har I holdt sammen i alle disse år."

"Ja, jeg forstår det ikke selv, men vi … jeg har fortjent det her." Han rørte på sine forbundne arme. "Jeg fortjener mere end det, men det gjorde Lisbet ikke. Hun var uskyldig. Det værste er, at hun må have fået det hele at vide, at det var det sidste, hun hørte, før hun døde. Jeg var ikke den, hun troede, vores liv byggede på en løgn." Han lød grådkvalt.

"Det, I gjorde, var frygteligt," sagde Erica. "Andet kan jeg ikke sige, men dit og Lisbets liv byggede ikke på en løgn, og det tror jeg, hun vidste. Uanset hvad hun fik at høre."

"Jeg vil prøve at forklare hende det," sagde han. "Jeg ved, det snart er min tur. Hun vil også komme til mig, og så får jeg chancen for at forklare mig. Jeg er nødt til at tro, det vil gå sådan, for ellers er alting ..." Han vendte hovedet væk.

"Hvad mener du? Hvem vil komme til dig?"

"Alice, selvfølgelig." Havde Erica overhovedet ikke hørt efter? "Det er jo hende, der står bag det her."

Først sagde Erica ingenting. Kiggede kun medfølende på ham.

"Det er ikke Alice," sagde hun så. "Det er ikke Alice."

Han lukkede bogen. Forstod ikke det hele, den var lidt for dybsindig efter hans smag, og sproget var lige lovlig højttravende indimellem, men han fulgte med i selve grundhistorien. Han burde have læst den noget før. Visse ting begyndte nemlig at træde tydeligere frem.

Et erindringsglimt masede sig på, et øjebliksbillede af Cias og Magnus' soveværelse. Noget, han havde set, men ikke tillagt nogen større betydning, da han var der. Hvordan skulle han have kunnet det? Han vidste, det var umuligt, og dog kunne han ikke lade være med at bebrejde sig det.

Han tastede et nummer på mobilen.

"Hej, Ludvig. Har du din mor hjemme?" Han ventede, mens han hørte Ludvigs skridt og en sagte mumlen. Så fik han Cia i røret.

"Hej, det er Patrik Hedström. Undskyld, jeg forstyrrer, men jeg vil godt spørge om noget. Hvad foretog Magnus sig om aftenen, før han forsvandt? Nej, jeg tænker ikke på selve aftenen, men da I gik i seng. Gjorde han? Hele natten? Okay, tak."

Han afsluttede samtalen. Den var god nok, det hele stemte, men han var klar over, at han ikke kom langt med løse teorier. Han havde brug for konkrete beviser, og før han havde det, ville han ikke orientere de andre. Men der var én person, han kunne tale med, én person, der ville hjælpe ham. Han greb telefonen igen.

"Skat, jeg ved godt, du ikke tør tage telefonen, fordi du tror, at jeg er sur eller vil prøve at overtale dig til at droppe det, du er i gang med, men jeg har lige læst *Havfruen*, og jeg tror, vi er på samme spor. Jeg har brug for din hjælp, så ring tilbage, så snart du hører det her. Møs-møs. Jeg elsker dig."

"Nu er materialet fra Göteborg kommet."

Annikas stemme henne fra døren fik ham til at fare sammen.

"Ups, forskrækkede jeg dig?" spurgte hun. "Jeg bankede skam på, men du hørte mig åbenbart ikke."

"Nej, jeg havde tankerne et andet sted," sagde han og skuttede sig.

"Jeg synes, du skulle gå til lægen og få et helbredstjek," sagde Annika. "Du ser ikke rask ud."

"Jeg er bare lidt træt," mumlede han. "Men det er jo super, at sagsmappen er kommet. Jeg skal hjem en tur, jeg tager den med."

"Den ligger ude i receptionen." Hun så stadig bekymret ud.

Ti minutter senere kom han ud på gangen med Annikas udskrifter i hånden.

"Patrik!" råbte Gösta bag ham.

"Ja?" Han lød mere irriteret, end det var hans hensigt, men han ville af sted nu.

"Jeg har lige talt med Erik Linds kone. Louise."

"Ja?" sagde Patrik igen, stadig uden den større begejstring.

"Ifølge hende er Erik på vej ud af landet. Han har tømt alle deres konti, både de private og firmaets, og har booket en flybillet klokken sytten fra Landvetter."

"Er det rigtigt?" Nu var Patriks interesse så afgjort vakt.

"Ja, jeg har dobbelttjekket det. Hvad skal vi gøre, synes du?"

"Tag Martin med og kør til Landvetter med det samme. Jeg ringer og fikser de nødvendige tilladelser, beder kollegerne fra Göteborg møde jer derude."

"Det skal være mig en sand fornøjelse!"

Patrik kunne ikke tilbageholde et smil, da han gik hen til bilen. Gösta havde ret. Det var en sand fornøjelse at stikke en kæp i hjulet på Erik Lind. Så kom han til at tænke på bogen, og smilet blegnede. Han håbede, Erica var nået hjem, når han kom. Han havde brug for hendes hjælp for at få en ende på det her.

Patrik havde draget samme konklusion som hende, hun vidste det, så snart hun hørte hans besked på telefonsvareren. Men han vidste ikke alt. Han havde ikke hørt Kenneths historie.

Hun havde været nødt til at tage et smut til Hamburgsund, men så snart hun kom ud på hovedvejen igen, trådte hun speederen i bund. Det hastede for så vidt ikke, men sådan føltes det alligevel. Tiden var inde til at afsløre hemmelighederne.

Da hun nærmede sig deres hus, fik hun øje på Patriks bil. Hun havde ringet og sagt, at hun var på vej, og spurgt, om hun skulle komme hen på stationen, men han var allerede hjemme og ventede på hende. På hendes brikker.

"Hej, skat." Hun kom ind i køkkenet og gav ham et kys.

"Jeg har læst bogen," sagde han.

Erica nikkede. "Jeg burde have forstået det tidligere, men jeg læste et ufærdigt manuskript, og i små bidder ad gangen, men alligevel fatter jeg ikke, hvordan jeg kunne overse det."

"Jeg burde have læst den noget før," sagde Patrik. "Magnus læste den om natten, før han forsvandt, hvad der sandsynligvis også var natten, før han døde. Han havde fået manuskriptet af Christian. Jeg talte med Cia for lidt siden, og hun fortalte, at han var begyndt på bogen om aftenen og stadig læste, da hun lagde sig til at sove. Det værste er, at hvis vi går tilbage og kigger i vores notater, så har Cia garanteret nævnt det tidligere, men dengang forstod vi ikke betydningen og tænkte ikke videre over det."

"Han må have forstået det hele, da han læste manuskriptet," sagde Erica stille. "Forstået, hvem Christian var. Og det må have været Christians hensigt, at han skulle finde ud af det, for ellers ville han jo aldrig have givet Magnus manuskriptet."

"Men hvorfor lige Magnus? Hvorfor ikke Kenneth eller Erik?"

"Jeg tror, at han følte sig draget mod Fjällbacka, mod dem alle tre," sagde Erica og tænkte på det, Thorvald havde sagt. "Det kan forekomme mærkeligt, og han kunne formentlig ikke selv forklare hvorfor. Han hadede dem helt sikkert, i hvert fald i begyndelsen, men så tror jeg, at han begyndte at synes om Magnus. Alt andet, jeg har hørt om Magnus, tyder på, at han var et sympatisk menneske."

"I romanen står der bare, at tre drenge er indblandet, der er ikke ret mange andre detaljer."

"Jeg har talt med Kenneth," sagde Erica roligt, "han fortalte alt, hvad der skete den nat." Hun genfortalte Kenneths historie, og Patrik blev mere og mere bleg.

"Føj for den lede. De slap godt fra det. Hvorfor anmeldte familien Lissander aldrig voldtægten? Hvorfor flyttede de bare og sendte Alice væk?"

"Det ved jeg ikke, men det kan Christians plejeforældre sikkert svare på."

"Erik, Kenneth og Magnus voldtog altså Alice, mens Christian så på. Hvorfor gjorde han ikke noget? Hvorfor hjalp han hende ikke? Var det derfor, han modtog trusselsbreve, selvom han ikke deltog?"

Patriks ansigt blussede, og han tog en dyb indånding, før han fortsatte:

"Alice er den eneste, der burde have en grund til at hævne sig, men det kan jo ikke være hende, og vi ved heller ikke, hvem der er skyldig i det her." Han skubbede en stak papirer hen til Erica. "Her kan du læse alt om mordene på Maria og Emil. De blev druknet i deres eget badekar. En eller anden holdt en etårig dreng nede under vandet, indtil han ikke længere trak vejret, og gjorde derefter det samme med hans mor. Det eneste spor, politiet havde, var, en nabo, der havde set en kvinde med langt, mørkt hår forlade lejligheden. Det kan som sagt ikke være Alice, og jeg tror heller ikke, det er Iréne, selvom hun også kunne have et motiv, så hvem fanden er hun?" Han hamrede sin knyttede hånd ned i bordet af ren frustration.

Erica ventede, til han var faldet lidt ned, og sagde så stille:

"Jeg tror, jeg ved det. Og jeg tror, jeg kan vise dig det."

Han børstede omhyggeligt tænder, iførte sig jakkesættet og bandt en perfekt slipseknude. Redte håret og afsluttede med at purre lige tilpas meget op i det med fingrene. Kiggede sig tilfreds i spejlet. Han så godt ud, en succesfuld mand med styr på sit liv.

Erik tog kufferten i den ene hånd, kabinetrolleyen i den anden. Flybilletten havde ventet på ham i receptionen og lå nu trygt forvaret i inderlommen sammen med passet. Et sidste blik i spejlet, så forlod han hotelværelset. Han kunne nå at få sig en øl i lufthavnen før afgang. Sidde i fred og ro, betragte alle svenskerne, der stressede rundt, og som han snart ville slippe for at have noget med at gøre. Han havde aldrig været særlig vild med den svenske mentalitet. Alt for meget solidaritetssnak, alt for meget bøvl om, at alting skulle være retfærdigt. Livet var ikke retfærdigt. Nogle havde bedre forudsætninger end andre, i et andet land ville han have gode muligheder for at udnytte disse forudsætninger.

Om lidt var han på vej, han skubbede frygten dybt ned i underbevidstheden. Snart ville det alt sammen være uden betydning. Hun ville ikke kunne nå ham.

"Hvordan kommer vi ind?" spurgte Patrik, da de stod uden for bådehuset. Erica havde ikke villet sige mere om, hvad hun vidste eller havde mistanke om, insisterede bare på, at han fulgte med.

"Jeg hentede nøglen hos Sanna," svarede Erica og tog et stort nøglebundt op af håndtasken.

Patrik smilede. Meget kunne man sige om hende, men foretagsom det var hun.

"Hvad leder vi efter?" spurgte han, da han fulgte efter hende ind i det lille hus.

Hun svarede ikke direkte på spørgsmålet, sagde blot: "Det var det eneste sted, jeg kunne komme i tanker om, der var Christians eget."

"Men tilhører bådehuset ikke Sanna?" spurgte Patrik, prøvede at vænne øjnene til den dunkle belysning.

"Jo, på papiret, men det var her, Christian trak sig tilbage til, når han ville have fred til at skrive. Jeg gætter på, at han betragtede det som sit tilflugtssted."

"Og …?" sagde Patrik og satte sig på en slagbænk ved den ene væg. Han var så træt, at han knap kunne holde sig på benene.

"Det ved jeg ikke." Erica så sig rådvild om. "Jeg tror bare, at … Jeg troede …"

"Hvad troede du?" spurgte Patrik. Bådehuset var ikke noget særlig godt gemmested, hvad de så end ledte efter. Det bestod kun af to bittesmå rum med så lavt til loftet, at Patrik ikke kunne stå oprejst. Gammelt fiskegrej og ved vinduet et lille klapbord, hvorfra man havde en vidunderlig udsigt over Fjällbackas skærgård. Og Badholmen.

"Jeg håber, vi snart får besked," sagde Patrik, mens han stirrede på udspringstårnet, der knejsede mørkt mod himlen.

"Om hvad?" Erica bevægede sig planløst omkring på den trange plads.

"Om det var mord eller selvmord."

"Det med Christian?" spurgte Erica, men ventede ikke på hans svar. "Hvis jeg bare kunne finde ... satans også, jeg troede ... så kunne vi ..." Hun talte usammenhængende, Patrik kunne ikke lade være med at grine.

"Du virker temmelig forvirret. Hvad med at fortælle, hvad vi leder efter, så jeg måske kan hjælpe?"

"Jeg tror, at Magnus blev myrdet her, og jeg havde håbet at finde noget ..." Hun granskede de ru, blåmalede bræddevægge.

"Her?" Patrik rejse sig og begyndte også at besigtige væggene, lod blikket glide hen over gulvet og sagde så langsomt:

"Gulvtæppet."

"Hvad mener du? Det er jo fuldkommen rent."

"Netop. Det er *for* rent og ser helt nyt ud. Hjælp mig lige med flytte det." Han tog fat i den ene ende af det tunge kludetæppe, Erica fik med besvær fat i den anden.

"Undskyld, skat, det tænkte jeg ikke på. Tag nu ikke for hårdt fat," sagde Patrik bekymret, da han hørte sin højgravide kone stønne af anstrengelse.

"Det er okay," sagde hun. "Træk nu bare i stedet for at snakke."

De fik gulvtæppet væk og studerede trægulvet nedenunder, det så også rent ud.

"Hvad med det andet rum?" sagde Erica, men da de kiggede derind, fandt de et lige så rent gulv, dog uden gulvtæppe.

"Gad vide ..."

"Hvad?" spurgte Erica, men Patrik svarede ikke. I stedet lagde han sig på knæ på gulvet og begyndte at undersøge sprækkerne mellem plankerne. Lidt efter rejse han sig op igen.

"Vi må få teknikerne herhen og høre, hvad de siger, men jeg tror, du har ret. Der er gjort grundigt rent, men det ser ud, som om der er dryppet blod ned mellem gulvplankerne."

"Burde træet i så fald ikke også have opsuget blodet?" spurgte Erica.

"Jo, men det er svært at se med det blotte øje, hvis man har skuret gulvet bagefter." Patrik granskede de gamle, slidt planker, med rester af pletter i forskellige nuancer.

"Så han døde altså her?" Selvom Erica havde været temmelig sikker i sin sag, fik hun alligevel hjertebanken.

"Ja, det tror jeg. Det var jo også praktisk tæt ved vandet, når man skulle af med liget. Og gider du så lige fortælle mig, hvad der foregår?"

"Lad os se os lidt mere om først," svarede hun og ignorerede hans frustrerede udtryk. "Tjek deroppe." Hun pegede på loftet ovenover, hvortil der var adgang via en rebstige.

"Laver du fis med mig?"

"Det er enten dig eller mig." Erica anbragte demonstrativt hænderne på maven.

"Okay," sagde han og sukkede. "Så er det vel bare at klatre op, selvom jeg velsagtens stadig ikke må få at vide, hvad jeg leder efter."

"Jeg ved det ikke rigtigt," sagde Erica ærligt. "Det er bare en fornemmelse …"

"En fornemmelse? Skal jeg klatre op ad en rebstige på grund af en fornemmelse?"

"Kom nu bare i gang."

Patrik klatrede op, kravlede ind på loftet.

"Kan du se noget?" råbte Erica og strakte hals.

"Ja, gu' kan jeg se noget, men det er mest hynder og puder og gamle tegneserier. Ungerne har sikkert hule heroppe."

"Ikke andet?" spurgte Erica slukøret.

"Nej, det ser det ikke ud til."

Patrik begyndte at kravle ned ad rebstigen igen, men standsede på halvvejen.

"Hvad er der herinde?"

"Hvor?"

"Her." Han pegede på en lem i den ene side af loftet.

"Det er bare en skunk til gammelt ragelse, men tjek det alligevel."

"Ja, slap af. Jeg skal nok." Han prøvede at holde balancen på rebstigen, mens han lirkede haspen af med den ene hånd. Hele lemmen kunne fjernes, han tog fat i den ene side, hægtede den af og rakte den ned til Erica, hvorpå han vendte sig om og kiggede ind.

"Hvad fanden?" sagde han målløs. Så løsnedes den krog i loftet, der holdt rebstigen, og han faldt ned på gulvet med et brag.

Louise fyldte et vinglas med vand og løftede det til en skål. Nu var det snart ude med ham. Betjenten, hun havde talt med, havde straks fattet, hvad sagen drejede sig om, de skulle nok tage affære, havde han sagt. Han havde ligefrem takket hende, fordi hun ringede. Det var så lidt, havde hun sagt. Skulle det være en anden gang ...

Gad vide, hvad de ville gøre ved ham. Tanken havde ikke for alvor strejfet Louise før nu. Hun havde kun tænkt på at få ham standset, forhindre ham i at stikke af med halen mellem benene som et fejt svin. Men hvad nu, hvis han kom i fængsel? Ville hun så kunne få pengene udbetalt? Hun blev grebet af panik, men faldt så til ro igen. Selvfølgelig ville hun få pengene udbetalt, og hun havde tænkt sig at give dem ben at gå på. Han skulle sidde der i spjældet og vide, at hun formøblede alle deres penge. Han ville ikke kunne gøre en skid.

Pludselig tog hun en beslutning. Hun ville se hans fjæs. Hun ville se, hvordan han så ud, når det gik op for ham, at slaget var tabt.

"Nu har jeg sgu set det med," sagde Torbjörn. Han stod på en stige, de havde lånt i bådehuset ved siden af.

"Ja, det her slår vist det meste." Patrik gned sig over lænden. Den havde fået et ordentligt slag, og det smertede i brystet.

"Der er i hvert fald ingen tvivl om, at det er blod. Og der er meget af det." Torbjörn pegede på gulvet, der afgav et underligt skær. Luminolet afslørede alle blodrester, uanset hvor grundigt der var blevet skuret. "Vi har taget nogle prøver, som laboratoriet kan sammenligne med ofrets blod."

"Fint, tak."

"Så det her er altså Christian Thydells udstyr?" sagde Torbjörn. "Ham, som vi hentede ned fra udspringstårnet?" Han kravlede ind i den lille skunk, og Patrik klatrede møjsommeligt op ad stigen og kravlede også derind.

"Det ser sådan ud."

"Hvorfor …?" sagde Torbjörn, men lukkede så munden igen. Det var ikke hans problem. Hans opgave var at sikre de tekniske beviser, han ville tids nok få alle svarene. Han pegede.

"Er det her det brev, du snakkede om?"

"Ja, og nu ved vi i det mindste med sikkerhed, at der var tale om selvmord."

"Jamen det er da altid noget," sagde Torbjörn og så stadig ud, som om han knap kunne tro sine egne øjne. Hele skrårummet var fyldt med en kvindes ting: tøj, makeup, smykker, sko. En mørk, langhåret paryk.

"Vi tager det hele med, så det varer nok et stykke tid." Torbjörn kravlede forsigtigt baglæns og ud over kanten, indtil fødderne nåede stigen. "Ja, nu har jeg sgu set det med," mumlede han igen.

"Jeg tager tilbage på stationen. Der er en hel del at gennemgå, før jeg kan indkalde til briefing," sagde Patrik. "Lad høre fra dig, når I er færdige her." Han vendte sig om mod Paula. Hun havde sluttet sig til dem og fulgte opmærksomt med i teknikernes arbejde.

"Bliver du her?"

"Det skal jeg nok," svarede hun.

Patrik gik ud af bådehuset og trak den friske vinterluft ned i lungerne. Brikkerne var faldet på plads én efter én, da de fandt Christians gemmested, og han havde hørt, hvad Erica havde at fortælle, samt læst afskedsbrevet. Det var ufatteligt, men han vidste, det var sandt. Han forstod det hele nu, og når Gösta og Martin kom tilbage fra Göteborg, ville han kunne fortælle kollegerne hele den tragiske historie.

"Der er næsten to timer, til flyet letter, så vi havde ikke behøvet skynde os sådan." Martin kiggede på uret, da de nærmede sig Landvetter.

"Hvem siger, vi behøver sidde og vente?" Gösta drejede ind på parkeringspladsen foran udenrigsterminalen. "Vi går sgu da bare en runde, og hvis vi finder svinet, slår vi kløerne i ham."

"Vi skulle jo vente på forstærkning fra Göteborg," sagde Martin. Det gjorde ham altid nervøs, når tingene ikke foregik efter reglementet.

"Nå, ham kan vi sagtens klare alene," sagde Gösta.

"Okay," sagde Martin skeptisk.

De steg ud af bilen og gik ind i lufthavnsbygningen.

"Hvad gør vi så nu?" Martin kiggede sig omkring.

"Vi kan lige så godt sætte os og tage en kop kaffe, mens vi holder udkig."

"Skulle vi ikke tage en runde og lede efter Erik?"

"Hvad sagde jeg lige før?" sagde Gösta. "Vi holder udkig samtidig. Hvis vi sætter os der" – han pegede på en café midt i afgangshallen – "har vi glimrende udsyn i begge retninger. Han kan ikke undgå at passere os, når han kommer."

"Ja, det har du ret i," medgav Martin. Han vidste, det var nytteløst at stritte imod, når Gösta havde en café inden for rækkevidde.

De tog plads ved et bord efter at have købt en kop kaffe og en napoleonshat hver. Gösta lyste op efter den første bid.

"Det her er føde for sjælen."

Martin gad ikke påpege, at napoleonskager næppe kunne klassificeres som føde, men godt smagte den. Han havde netop stukket den sidste bid i munden, da han så ham ud af øjenkrogen.

"Se lige, er det ikke ham?"

Gösta vendte sig hurtigt om.

"Jo, det har du ret i. Kom, lad os snuppe ham." Han rejste sig med usædvanlig adræthed, og Martin halsede efter ham. Erik var på vej væk fra dem i rask tempo med en kabinetrolley i den ene hånd og en stor kuffert i den anden. Han var ulasteligt klædt i jakkesæt, hvid skjorte og slips.

Gösta og Martin måtte næsten løbe for at indhente ham, og med sit forspring henne fra bordet nåede Gösta først frem og lod hånden falde tungt ned på Eriks skulder.

"Erik Lind? Vi må bede dig følge med."

Erik vendte sig om med et forbløffet ansigtsudtryk. Et kort øjeblik så han ud til at overveje at stikke af, men han nøjedes med at ryste Göstas hånd af skulderen.

"Det må være en misforståelse. Jeg skal på forretningsrejse," sagde han. "Jeg ved ikke, hvad I har fået at vide, men jeg har et vigtigt møde og skal nå et fly." Sveden var brudt frem på hans pande.

"Ja, det siger du jo, og du får mulighed for at forklare det hele lidt senere," sagde Gösta og gennede Erik hen mod udgangen. Folk rundt om dem var standset op, stod og stirrede nysgerrigt.

"Jeg sværger! Jeg skal nå et fly!"

"Jaså," sagde Gösta roligt, hvorpå han vendte sig om mod Martin. "Gider du være rar at tage hans bagage?"

Martin nikkede, men bandede indvendig. De kedelige opgaver blev altid tørret af på ham.

"Det var altså Christian?" Anna gloede med åben mund.

"Ja, og så alligevel ikke," svarede Erica. "Jeg talte med Thorvald om det, og helt sikker kan vi ikke være, men det meste taler for, at det forholder sig sådan."

"At Christian havde to forskellige personligheder? Som ikke kendte noget til hinanden?" Anna lød skeptisk. Hun var kommet med det samme, da Erica ringede til hende efter besøget i bådehuset. Patrik måtte tilbage på stationen, og Erica ville ikke være alene. Anna var den eneste, hun havde lyst til at tale med.

"Nja. Thorvald gættede på, at Christian var skizofren, og at lidelsen desuden havde indslag af noget, der kaldes *dissociativ identitetsforstyrrelse*. Det var grunden til hans splittede personlighed. Sygdommen kan bryde frem i forbindelse med ekstrem belastning og er en måde at håndtere virkeligheden på. Christian havde nogle voldsomme traumer med i bagagen. Først moderens død og den uge, han tilbragte sammen med liget. Dernæst det, der i mine øjne er børnemishandling, om end psykisk, hos Iréne Lissander. Plejeforældrenes måde at ignorere ham på efter Alices fødsel må have været som endnu en adskillelse. Han skød skylden på babyen, på Alice."

"Så han prøvede at drukne hende?" Anna lod hånden glide beskyttende hen over maven.

"Ja. Hendes far reddede hende, men hun fik alvorlige hjerneskader på grund af iltmanglen. Faderen holdt hånden over Christian og fortav det, der var sket. Han troede formentlig, at han gjorde ham en tjeneste, men det er jeg ikke så sikker på. Tænk at vokse op med den viden, med den skyld. Jo ældre han blev, jo mere bevidst må han være blevet om det, han havde gjort, og skyldfølelsen blev sikkert ikke mindre af, at Alice elskede ham."

"På trods af det, han havde gjort mod hende."

"Hun vidste det jo ikke. Ingen vidste det, bortset fra Ragnar og Christian."

"Og så var der voldtægten."

"Ja, så var der voldtægten," sagde Erica og gik i stå. Hun sammenstykkede alt det, der var sket i Christians liv, som om det var en ligning, der gik op til sidst, mens det i virkeligheden var en tragedie.

Telefonen ringede, hun tog den.

"Erica Falck. Jaså? Nej. Nej, jeg har ingen kommentarer, og I skal ikke bryde jer om at ringe igen." Hun smed rasende telefonen fra sig.

"Hvem var det?" spurgte Anna.

"Et af formiddagsbladene, der ville have mig til at kommentere Christians død. Nu går den vilde jagt igen, og de ved ikke engang det hele." Hun sukkede. "Stakkels, stakkels Sanna."

"Men hvornår blev Christian syg?" Anna så stadig forvirret ud, og Erica forstod hende. Hun havde selv stillet Thorvald tusind opfølgende spørgsmål, og han havde langsomt og tålmodigt prøvet at besvare dem.

"Hans mor var skizofren, og det er arveligt. Det bryder ofte frem i puberteten, og Christian er muligvis begyndt at mærke det i den periode uden at vide, hvad det var. Uro i kroppen, mareridt, stemmer, hallucinationer – der er mange forskellige symptomer. Plejeforældrene bemærkede det sikkert ikke, han flyttede jo omkring det tidspunkt. Eller blev smidt på porten, rettere sagt."

"Smidt på porten?"

"Ja, det stod i det brev, Christian havde efterladt i bådehuset. Ægteparret antog, uden så meget som at spørge, at det var Christian, der havde voldtaget Alice, og han protesterede heller ikke. Han var sandsynligvis så skyldbetynget over ikke at have grebet ind og beskyttet hende, at han følte, det lige så godt kunne have været ham. Men det er bare mit gæt," sagde Erica.

"De smed ham altså ud?"

"Ja, og hvordan det indvirkede på hans sygdom, kan jeg ikke svare på lige nu, men Patrik ville prøve at opstøve nogle journaler og den slags. Hvis Christian modtog nogen form for behandling, da han kom til Göteborg, burde det være registreret et eller andet sted, så det gælder bare om at finde det."

378

Erica tav et øjeblik. Det var næsten ikke til at fatte alt det, Christian havde været udsat for. Og havde gjort.

"Patrik regner med, at de vil genåbne sagen om mordene på Christians samlever og den lille dreng," fortsatte hun. "Nu hvor alt det her er kommet for en dag."

"Tror de, at Christian også begik de mord? Hvorfor skulle han gøre det?"

"Der er stor risiko for, at vi aldrig får at vide med sikkerhed, om det var ham" sagde Erica. "Heller ikke hvorfor han i givet fald gjorde det. Hvis den ene af hans personligheder, Havfruen eller Alice, eller hvad man nu vil kalde det, var vred på Christian-personligheden, ville den måske ikke acceptere, at han var lykkelig. Det er Thorvalds teori, og måske har han ret. Måske var det Christians lykke, der udløste noget, men som sagt tror jeg aldrig, vi får noget svar på det."

Hun havde sådan set ikke noget imod hverken barnet eller kvinden. Hun øn-
skede dem egentlig ikke noget ondt, men ikke desto mindre kunne de ikke få lov
til at leve videre. De gjorde noget, som ingen tidligere havde gjort. De gjorde
Christian lykkelig.

Han lo ofte nu. En sorgløs, hjertelig latter, der kom boblende op fra maven.
Hun hadede den latter. Selv kunne hun ikke le mere, hun var kun tom og kold
indvendig, død. Han havde også været død, men takket være kvinden og bar-
net levede han igen.

Sommetider stod han og betragtede dem i smug. Kvinden med barnet på
armen. De dansede, og han smilede, når barnet lo. Han var lykkelig, men han
fortjente det ikke. Han havde taget alt fra hende, holdt hende ned under van-
det, indtil hendes lunger var ved at sprænges, indtil hjernen ikke fik mere ilt,
og det, der var hende, langsomt slukkede, vandet lukkede sig over hendes an-
sigt.

På trods af det havde hun elsket ham, han havde betydet alt for hende. Hun
havde ikke taget sig af de andre, ikke taget sig af, hvordan de så på ham. For
hende havde han været den smukkeste og sødeste på jorden. Hendes helt.

Han havde svigtet hende. Ladet dem røre ved hende, skænde hende og slå
hende, til knoglerne i ansigtet brækkede. Han havde ladet hende ligge med
spredte ben og stirre op på stjernehimlen. Så var han flyttet.

Nu elskede hun ham ikke længere, og ingen andre skulle få lov til at gøre
det. Ligesom han ikke skulle få lov til at elske. Ikke sådan, som han elskede kvin-
den i den blå kjole og barnet, der ikke engang var hans.

I går havde de talt om at få et barn til. Deres fælles barn. Christian og kvin-
den havde lagt planer, leet og derefter elsket. Hun havde hørt det hele. Havde

knyttet hænderne og lyttet, mens de planlagde et liv sammen, et liv, som hun aldrig ville kunne få.

Han var ikke hjemme, døren var som altid ulåst. Kvinden var sjusket. Han plejede at skælde hende ud, sige, at hun skulle låse, at man aldrig vidste, hvem der kunne finde på at snige sig ind.

Forsigtigt trykkede hun håndtaget ned, åbnede døren. Hun kunne høre kvinden nynne ude i køkkenet. Der lød plasken af vand fra badeværelset. Barnet sad i badekarret, kvinden ville sikkert gå derud om et øjeblik. Hun var meget omhyggelig med aldrig at efterlade barnet for længe i badekarret.

Hun gik ud på badeværelset. Drengen lyste op som en sol, da han fik øje på hende.

"Schh," sagde hun og spærrede øjnene op, som om de legede, og barnet lo. Mens hun lyttede efter skridt, der nærmede sig, gik hun hen til badekarret og kiggede ned på det nøgne barn. Det var ikke drengens skyld, han gjorde Christian lykkelig, og det kunne hun ikke tillade.

Hun tog fat i barnet og løftede det lidt for at lægge det ned på ryggen i karret. Drengen lo stadig. Tryg og glad i den tro, at intet ondt i verden kunne ramme ham. Da vandet lukkede sig over hans ansigt, holdt han op med at le og begyndte at fægte med arme og ben. Det var ikke svært at holde barnet nede. Hun lagde blot en hånd på brystkassen og pressede ganske let. Barnet sprællede mere og mere panisk, indtil bevægelserne begyndte at aftage, og der blev stille.

Hun hørte kvindens skridt, kiggede ned på barnet. Det så så roligt og fredfyldt ud. Hun stillede sig med ryggen op ad væggen til højre for døren. Kvinden kom ind i badeværelset og standsede midt i et skridt, da hun fik øje på barnet. Så udstødte hun et skrig og styrtede frem.

Det var næsten lige så let som med barnet. Hun listede bare lydløst hen og tog fat om nakken på kvinden, der bøjede sig ind over karrets kant. Hun brugte sin vægt for at holde hendes hoved under vandet. Det gik uventet hurtigt.

Hun så sig ikke tilbage, da hun gik igen. Følte blot tilfredsheden brede sig i kroppen. Christian ville ikke være lykkelig længere.

PATRIK KIGGEDE PÅ tegningerne, han forstod dem. Den store og den lille, Christian og Alice. Og de små sorte figurer på tegningen, der var så meget mørkere end de andre.

Christian havde taget skylden på sig. Patrik havde netop talt med Ragnar, der havde bekræftet det. Da Alice kom hjem den nat, gik de ud fra, at det var Christian, der havde voldtaget hende. De var vågnet ved et skrig, og da de stod op for at se, hvad der foregik, fandt de Alice liggende i entreen. Hun var kun iført sin kjole, og ansigtet var blodigt og opsvulmet. De var styrtet hen til hende, og hun havde kun sagt én ting:

"Christian," havde hun hvisket.

Iréne var stormet op på hans værelse, havde flået ham ud af sengen, lugtet dunsten af spiritus og derefter draget sine konklusioner. Det skulle retfærdigvis siges, at Ragnar også troede det. En vis tvivl havde der dog været, og det var måske derfor, han var blevet ved med at sende Alices tegninger til Christian. For helt sikker havde han aldrig været.

Gösta og Martin havde nået at pågribe Erik, og Patrik havde netop fået en melding om, at de havde forladt Landvetter. Det var da altid noget, så måtte de jo se, hvad man kunne gøre nu efter så mange år. Kenneth ville i hvert fald ikke fortie noget mere, det havde Erica gjort ham klart. Og om ikke andet så havde Erik en del at forklare vedrørende sine økonomiske forehavender. Han ville givetvis ende bag tremmer, men lige nu var det en ringe trøst.

"Nu er aviserne begyndt at ringe!" Mellberg kom farende ind og strålede som en sol. "Der bliver en herrens opstandelse, og stationen får masser af PR."

"Ja, formodentlig." Patrik kiggede på tegningerne.

"Det klarede vi sgu godt, Hedström! Det må jeg sige. Nå ja, det tog jo sin tid, men da vi først fik sat skub i sagerne og bedrev lidt gammeldags, hæderligt politiarbejde, var det jo dømt til at lykkes."

"Ja da," sagde Patrik. Han orkede ikke engang at blive irriteret på Mellberg i dag. Gned sig med hånden på brystkassen. Han var stadig øm, han måtte have fået et hårdere slag, end han havde troet.

"Jeg må hellere skynde mig tilbage til kontoret," sagde Mellberg. "*Aftonbladet* ringede for et øjeblik siden, og det er nok kun et spørgsmål om tid, før *Expressen* lader høre fra sig."

"Hmm ..." mumlede Patrik og fortsatte med at gnide sig på brystet. Det var dog satans, som det gjorde ondt. Det gik måske væk, hvis han bevægede sig lidt. Han rejste sig og gik ud i køkkenet. Typisk. Som altid var der ikke mere kaffe, når han ville have sig en kop. Paula kom ud til ham.

"Nu er vi færdige dernede. Jeg er målløs. Det her ville jeg aldrig have gættet."

"Næ," sagde Patrik. Han kunne selv høre, at han lød studs, men han var så træt. Han orkede ikke at tale om sagen, orkede ikke at tænke på Alice og Christian, på en lille dreng, der vågede over sin døde mors krop, mens den rådnede i sommervarmen.

Med blikket på kaffemaskinen målte han skefuldene op. Hvor mange havde han nu fyldt på? To eller tre? Han kunne ikke huske det. Prøvede at koncentrere sig, men næste skefuld røg ved siden af. Han tog en ny i kaffeposen, mærkede et jag i brystet og snappede efter vejret.

"Hvad er der galt, Patrik? Patrik?" Han hørte Paulas stemme, men den kom fra et sted langt, langt væk. Han ignorerede den, skulle til at fylde flere kaffebønner på, men hånden ville ikke lystre. Det sortnede for øjnene, og smerten i brystet blev tusind gange voldsommere. Han nåede at tænke, at der var noget galt, at et eller andet var ved at ske.

Så blev alting sort.

"Sendte han trusselsbrevene til sig selv?" Anna flyttede uroligt på sig. Babyen trykkede på blæren, og hun skulle egentlig tisse, men kunne ikke rive sig løs.

"Ja, og til de andre," svarede Erica. "Vi ved ikke, om Magnus fik nogen. Formodentlig ikke."

"Hvorfor mon det begyndte, da han gik i gang med bogen?"

"Igen er det kun teorier, men ifølge Thorvald kan han have haft problemer med at tage sine piller mod skizofreni samtidig med, at han skrev på bogen. De kan have ret kraftige bivirkninger i form af træthed og sløvhed, så måske fik han svært ved at koncentrere sig om skriveriet. Mit gæt er, at han holdt op med at tage sin medicin, og så blussede sygdommen op igen efter at have været holdt i skak i mange år. Identitetsforstyrrelsen gjorde sig også gældende. Christians primære hadeobjekt var jo ham selv, og han kunne antagelig ikke længere håndtere den skyldfølelse, der havde vokset sig stærkere og stærkere. Så hans personlighed delte sig i to: Christian, der prøvede at glemme og leve et normalt liv, og Havfruen – eller Alice – der bar på skyldfølelsen og hadede Christian."

Erica forklarede tålmodigt det hele igen. Det var ikke så ligetil at forstå, ja, faktisk umuligt, og Thorvald havde understreget, at det var yderst sjældent, sygdommen gav sig så ekstreme udtryk. Det var på ingen måde noget almindeligt tilfælde, men Christian havde heller ikke haft noget almindeligt liv. Han havde været udsat for ting, der kunne knække selv den stærkeste.

"Det var derfor, han tog sit liv," sagde Erica. "I det efterladte brev skriver han, at han var nødt til at redde dem fra hende, og den eneste måde at gøre det på var at give hende det, hun ville have. Ham."

"Men det var jo ham, der skrev på væggen i børneværelset, ham, der var truslen."

"Ja, lige netop. Han elskede sine sønner, og vidste, at han kun kunne beskytte dem ved at tage livet af den, der ville gøre dem fortræd. Det vil sige ham selv. I hans verden var Havfruen virkelig, ikke et fantasifoster. Hun var en realitet, og hun ville slå hans familie ihjel, ligesom hun havde dræbt Maria og Emil. Så han reddede dem ved at tage sit liv."

Anna tørrede en tåre. "Hvor er det forfærdeligt alt sammen."

"Ja, det er forfærdeligt," sagde Erica.

Telefonen kimede skingert, Erica tog den irriteret. "Hvis det er en skide journalist, så skal jeg denondelyneme ... Hallo, det er Erica Falck." Hun lyste op. "Hej, Annika!" Så ændrede hendes udtryk sig igen, og hun gispede. "Hvad siger du? Hvorhenne? Uddevalla?"

Anna kiggede ængsteligt på sin storesøster, der holdt om telefonen med rystende hånd.

"Hvad var det?" spurgte Anna, da Erica havde lagt på.

Erica gjorde en synkebevægelse. Øjnene var blanke.

"Patrik er kollapset," hviskede hun. "De tror, det kan være et hjerteanfald. Han er på vej i ambulance til Uddevalla."

Anna stivnede ved chokket, så tog hendes effektive jeg over. Hun rejste sig hurtigt og gik hen til hoveddøren. Bilnøglerne lå på entrémøblet, og hun snuppede dem i farten.

"Vi tager til Uddevalla. Kom. Jeg kører."

Erica fulgte mekanisk efter. Det føltes, som om verden var ved at styrte sammen omkring hende.

Hun kørte ud af indkørslen med hvinende dæk. Det hastede. Eriks fly lettede om to timer, og hun ville være der, når de pågreb ham.

Hun kørte hurtigt, det var hun nødt til, hvis hun skulle nå det, men henne ved tankstationen gik det op for hende, at hun havde glemt pungen derhjemme. Der var ikke benzin nok på bilen til hele turen til Göteborg, hun bandede indvendig og lavede en U-vending i krydset. Hun ville miste tid ved at køre hjem og hente pungen, men hun havde ikke noget valg.

Det var virkelig en skøn følelse at have overtaget kontrollen, tænkte hun, da bilen susede gennem Fjällbacka. Hun følte sig som et nyt menneske, behageligt afslappet, følelsen af magt gjorde hende smuk og stærk. Verden var vidunderlig, og for første gang i mange år var den hendes.

Han ville godt nok få sig en overraskelse. Han havde sikkert aldrig troet, at hun ville regne ud, hvad han havde gang i, endsige at hun ville ringe til politiet. Hun lo, da bilen fløj hen over toppen af Galärbacken. Hun var fri nu. Hun ville slippe for deres nedværdigende dødedans. Slippe for alle løgne og ydmygende bemærkninger, slippe for ham. Louise trykkede speederen længere ned, bilen susede frem som et spyd mod hendes nye tilværelse. Hun ejede farten, hun ejede alt. Hun ejede sit liv.

Hun så den ikke, før det var for sent. Et sekund havde hun kigget væk, ud på havet, og var blevet forundret over, hvor smuk isen tog sig ud. Kun et se-kund havde hun flyttet blikket, det var nok. Hun opdagede, at hun var i den modsatte kørebane, nåede at registrere, at der sad to kvinder på forsædet, to kvinder, der åbnede munden og skreg.

Bagefter var kun lyden af metal mod metal, der blev kastet tilbage af den massive klippevæg. Så blev der stille.

Forfatterens tak

Først og fremmest vil jeg takke min Martin, fordi du elsker mig og hele tiden finder på nye måder at vise det på.

Som altid er der én person, der er uundværlig for tilblivelsen af mine bøger: min vidunderlige forlægger Karin Linge Nordh. Både skrap og varm på samme tid i en skøn kombination, og hun gør mine bøger bedre! Denne gang har vi også haft hjælp med redigeringen af Matilda Lund, der har været en fantastisk gevinst. Jeg er dig utroligt taknemmelig. Og på forlaget Forum – I ved, hvem I er. For pokker, hvor er I dygtige! Her skal også nævnes reklamebureauet Ester, der har lavet nogle fantastiske, om end noget morbide, salgskampagner. Det, jeg er mest taknemmelig for, er forlagets engagement i forbindelse med udgivelsen af *Snöstorm och mandeldoft* til støtte for organisationen MinStoraDag.

Bengt Nordin er som altid en vigtig person for mig, både personligt og professionelt. Også tak til de nye kræfter i det nye Nordin Agency – Joakim, Hanserik, Sofia og Anna – for jeres entusiasme og det arbejde, I har gjort, siden I overtog stafetten fra Bengt, som nu kan nyde sit velfortjente otium. Kun du, Bengt, forstår, hvor meget du betyder for mig. På alle planer.

Tak til min mor for blandt andet babysitning og til Anders Torevi for hurtig gennemlæsning af manusset, og fordi du altid er behjælpelig med viden om Fjällbacka. Og så vil jeg for øvrigt også takke alle Fjällbacka-boere for at tage bøgerne til jeres hjerte, og fordi I er så loyale over for mig og støtter mig helt fantastisk. Selv efter mange år i Stockholm får I mig stadig til at føle mig som en ægte "Fjällbackatös".

Også tak til de ansatte på Tanumshede Politistation – ingen nævnt, ingen glemt. I gør et fantastisk stykke arbejde og er utroligt tålmodige, når jeg og tv-holdet huserer på stationen. Jonas Lindgren fra Patologisk Institut i Göteborg: tak, fordi du altid villigt stiller dig til rådighed og korrigerer mine retsmedicinske fadæser.

Jeg må også nævne mine fantastiske venner, der tålmodigt hænger på, selvom jeg i lange perioder er så dårlig til at give livstegn fra mig. Tak til min tidligere svigermor Mona, som jeg har bestukket til at fortsætte med at levere verdens bedste frikadeller, mod at hun til gengæld stadig får lov til at læse manusset, lige så snart det foreligger. Også børnenes far Micke vil jeg sende en stor tak, fordi du altid er så forstående og rar! Og til børnenes farfar Hasse Eriksson. Jeg ved ikke, hvordan jeg skal kunne beskrive, hvor vigtig du er. Du blev taget fra os alt for tidligt og pludseligt i år, men verdens bedste farfar kan ikke forsvinde. Du lever stadig i dine børn og børnebørn og i vores erindring. Og ja, jeg kan godt lave mad ...

Tak til Sandra, der har været børnenes babysitter og kommet os til undsætning i to års tid. Hun er uden diskussion verdens bedste babysitter. Hun tigger oven i købet om lov til at kigge forbi og lege med børnene, hvis vi ikke har sendt bud efter hende et stykke tid. Hun holder af dem, og det er jeg hende evigt taknemmelig for.

Også tak til alle mine trofaste blogg-læsere. Og forfatterveninderne, frem for alt Denise Rudberg, der altid har tid til at lytte, og som er det klogeste og mest loyale menneske, jeg kender.

Sidst, men ikke mindst: Caroline og Johan Engvall, verdens sødeste mennesker, der blandt andet kom mig til hjælp i Thailand, da min computer brændte sammen under udarbejdelsen af de sidste kapitler i *Havfruen*. Jeg er så glad for jer. Og Maj-Britt og Ulf – I er helt utrolige og er altid til at regne med, når det brænder på.

Camilla Läckberg,
København, 4. marts 2008

www.camillalackberg.com